educación

traducción de
MARTÍN MUR UBASART

LA ESCUELA Y LA LUCHA POR LA CIUDADANÍA
Pedagogía crítica de la época moderna

por
HENRY A. GIROUX

siglo
veintiuno
editores

siglo veintiuno editores, s.a. de c.v.
CERRO DEL AGUA 248, DELEGACIÓN COYOACÁN, 04310 MÉXICO, D.F.

siglo veintiuno de españa editores, s.a.
CALLE PLAZA 5, 28043 MADRID, ESPAÑA

portada de maría luisa martínez passarge

primera edición, 1993
© siglo xxi editores, s.a. de c.v.
primera edición en inglés, 1988
© university of minnesota press, eu
isbn 968-23-1867-x
título original: *schooling and struggle for public life.
critical pedagogy in the modern age*

derechos reservados conforme a la ley
impreso y hecho en méxico

ÍNDICE

A la memoria de Armand y Alice Giroux,
a mis tres hijos, Jack, Brett y Christopher,
y a Jeanne Brady-Giroux.

AGRADECIMIENTOS

Quisiera dar las gracias a un gran número de personas por el hecho de haberme expresado sus ideas y de haber aportado su tiempo a la lectura de ciertas partes del manuscrito de este libro. Jim Giarelli me ayudó en la cuestión de la filosofía pública; a Roger Simon le debo una mejor comprensión del concepto de pedagogía crítica; Bryan Deever localizó buena parte del trabajo que han escrito los reconstruccionistas sociales; Ralph Page me obligó a meditar atentamente muchas de las ideas que se plasman en esta obra; Donaldo Macedo leyó los capítulos sobre alfabetización y aportó comentarios críticos; Richard Quantz leyó un buen número de los ensayos y sus comentarios fueron siempre útiles; Stanley Aronowitz fue el primero que me alentó a escribir el libro y luego me ofreció una ayuda invaluable en cuanto a ahondar en muchas de las ideas centrales, fue también una gran fuente de apoyo y un editor de primera línea. Peter McLaren corrigió todos los capítulos del libro; su amistad, erudición y espíritu crítico contribuyeron grandemente al desarrollo de la obra. Quisiera agradecer igualmente a Paul Smith y Jim Sosnoski los diversos comentarios y las conversaciones que sostuve con ellos sobre muchos de los temas que aquí salen a relucir. Durante los últimos quince meses, Jeanne Brady se echó sobre sus hombros una considerable cantidad de la división social del trabajo de nuestro hogar. Sin su ayuda y apoyo, jamás hubiera podido terminar este proyecto. Ella fue también una inapreciable fuente de inspiración intelectual y emocional. Finalmente, desearía reconocer el apoyo que me brindaron Jan Kettlewell, decano de la Escuela de Educación y Profesiones Afines, de la Universidad de Miami, y la profesora Nelda Cameron-McCabe, presidenta de mi departamento, quienes constantemente me apoyaron y ayudaron.

Cierta parte del material empleado en este libro ha aparecido, en versiones iniciales, en *Educational Theory, Teacher's*

College Record, *Harvard Educational Review* (junto con Peter McClaren), *Boston University Journal of Education*, *Interchange* y *The Review of Education*. Una versión anterior y abreviada del capítulo 1 se publicó en *In the nation's image: civic education in Japan, Soviet Union, United States, France, and Great Britain*, compilado por Edgar Gumbert (Atlanta, Georgia State University, 1987). Todos los derechos de la versión original de ese artículo los tiene expresamente reservados la Georgia State University. La totalidad de los capítulos del presente libro han sido revisados, modificados y ampliados considerablemente; de manera más específica, los cambios introducidos han determinado que las revisiones presenten muy poca semejanza con el material publicado originalmente.

PRÓLOGO

> Pero la raíz de la historia es el ser humano
> trabajador y creador que da nueva forma a
> los hechos dados, y los remodela. Una vez
> que se ha entendido a sí mismo y que ha
> establecido qué es lo suyo, sin expropiación
> ni enajenación, dentro de la verdadera de-
> mocracia, surge en el mundo algo que brilla
> en la niñez de todos y en donde nadie ha
> estado aún: la patria.
>
> Ernst Bloch, *El principio de la esperanza*

Este libro se debió de haber terminado en febrero de 1987.
Sin embargo, en 1986 Jeanne Brady y yo nos convertimos en
padres de tres varoncitos. De inmediato, mi vida vino a
llenarse con los tipos de quehaceres cotidianos que agregan
un nuevo sentimiento de urgencia a los puntos de vista que
uno tiene sobre la crianza de los niños, la pedagogía, el
futuro y, huelga decirlo, la división social del trabajo. Tuve
que dejar de trabajar en el libro durante varios meses, mientras aprendía a integrar lo que significaba ser padre, amigo,
amante, escritor y maestro. Mis intereses se modificaron y
me puse a pensar en el futuro de mi país más seriamente
y con mayor preocupación que en ningún otro momento de
mi vida. Entre la tarea de cambiar pañales, el agotamiento
que ocasiona la falta de sueño y la inimitable alegría de ser
padre por vez primera, comencé a reflexionar sobre el tipo
de mundo que iban a heredar estos tres jovenzuelos. Está por
demás decir que no es un mundo que actualmente le prome-
ta cosas buenas a la humanidad. Pero al mismo tiempo,
tampoco es un mundo en el que uno pueda permanecer
pasivo. La desesperación, la pobreza, el militarismo y el
sufrimiento humano son aspectos que, cada vez con mayor

frecuencia, pasan a formar parte de la vida cotidiana. Y sin embargo, bajo ese dolor y sufrimiento se encuentran recuerdos de conflicto y resistencia por parte de individuos cuyo espíritu permaneció firmemente en alto gracias a los imperativos de la esperanza y la justicia. Es en medio de esta tensión entre una realidad social plagada por la opresión y las narraciones de luchas históricas y contemporáneas donde se produce el terreno de la resistencia, a la vez que se actúa sobre él. Porque es dentro de la dialéctica de la opresión y la transformación donde se puede aprender y practicar, en el contexto de la vida diaria, el lenguaje de la crítica y de la posibilidad como precondición para la resistencia. Es este rejuego entre la historia, el recuerdo y la solidaridad, el que deja abierta la historia. De manera más específica, son estas categorías las que pueden proporcionar la base para formas de conciencia histórica por medio de las cuales los hombres y las mujeres sean capaces de producir y de experimentar subjetivamente el lenguaje, las relaciones sociales y la pedagogía que resultan necesarios para transformar a la comunidad y la vida pública conforme a los imperativos de una verdadera democracia.

Claro está que la realidad y la metáfora del nacimiento representan algo más que la significación que tiene un acontecimiento especial; apuntan hacia la lucha ininterrumpida por renovar, revitalizar e inventar la lógica y el ejercicio social de la democracia. En cierta forma, el nacimiento de mis hijos me proporcionó una nueva apreciación del valor político y pedagógico de aquellas tradiciones de protesta que existen en la sociedad norteamericana, que traen ecos de esperanza y posibilidad, pero que apenas si se reconocen o se abordan con simpatía en la historia "oficial". Se ignoran, en este caso, aquellas visiones, pugnas y expresiones populares de un ideal democrático global forjado en los movimientos sociales y las luchas intelectuales que dieron forma a la experiencia histórica de los audaces hombres y mujeres que también soñaron con un mejor futuro para sus hijos e hijas. El hecho de volver a pensar mi propio sentido histórico, me ha obligado a plantearme nuevas preguntas acerca de la forma en que mi subjetividad ha sido conformada por los múltiples estratos de experiencia histórica que constituyen, para bien o para mal, lo que significa crecer dentro de Estados Unidos. La presencia de los niños nos apremia a comprender y a establecer un vínculo entre la historia propia y aquella que nuestros hijos aprenderán y experimentarán. La cuestión ética de cómo vivir, repentinamente se entreteje con la realidad del lugar donde uno vive, o, para decirlo de otra manera, la cuestión de la forma como uno vive su vida se halla inextricablemente asociada con las sedimentaciones históricas de la biografía, así como con las modalidades de conciencia histórica que conforman las expectativas políticas y sociales que nos ubican como seres morales.

Esta nueva comprensión de mi propia ubicación existencial e histórica, junto con mi deseo de enseñarles a mis hijos cuál es el valor y la importancia de la historia subyugada de Estados Unidos, dieron lugar a que me planteara nuevas preguntas en cuanto a la relación entre la pedagogía radical, la disensión crítica y la lucha por la democracia. Esta necesidad de pensar en la historia como miembro de la resistencia y como víctima —a la manera de aquellos hombres y mujeres que de diversas maneras dijeron "no" a la indignidad y la opresión, y "sí" a lo que significaba reafirmar los principios fundamentales y radicales de la vida norteamericana— me trajo a la memoria un incidente de la vida de Antonio Gramsci, el teórico italiano. Al escribirle desde la cárcel a su hijo Delio, Gramsci comparte con él la importancia de la historia y le revela la forma en que hombres y mujeres pueden unirse y luchar por un mundo mejor. Para mí, la carta de Gramsci adquirió la naturaleza de un símbolo para la recuperación y la apropiación, dentro del contexto de una teoría radical de la educación, de aquellos aspectos de la historia norteamericana que nos proporcionan un nuevo lenguaje y un conjunto de ideas intuitivas, por medio de los cuales se puede ubicar el pasado en los problemas del presente y el presente en las posibilidades del futuro.

De la manera más fundamental que resulta posible, este libro constituye un intento por aprovechar, presentar y proponer aquellos aspectos de una política y pedagogía radicales que han formado parte de un largo continuo de protesta en Estados Unidos. Con ello, se pretende reconstruir una tradición de riesgo y resistencia que se puede utilizar para

informar, así como para extender los avances que han logrado los educadores críticos en el transcurso de los años. Naturalmente, la cuestión no radica tanto en hacer la mímesis del
pasado, sino más bien en recuperar lo mejor de sus tradiciones radicales y democráticas, y eslabonarlas con las voces y
luchas de aquellos educadores que actualmente tratan de
dar una nueva forma a las escuelas públicas, dentro de una
nueva perspectiva de la vida pública. Las escuelas figuran
entre los pocos espacios de la vida pública en los que los
estudiantes, jóvenes o viejos, pueden experimentar y aprender el lenguaje de la comunidad y de la vida pública democrática. De manera similar, es imposible exagerar la necesidad de que los educadores reconozcan la importancia de tal
consideración, ya que sólo por medio de este reconocimiento hallarán las diferencias que con frecuencia separan a educadores de izquierda y otros, un terreno común en la lucha
por una democracia con intención radical, y téngase en cuenta que en esta pugna se reconoce y diferencia entre los elementos de lo que constituye no sólo dialogar, sino también
abrazar los fundamentos sobre los cuales se vive, y trabajar
en pos del mejoramiento cualitativo de los mismos. Abrigo
la esperanza de que este libro contribuya a tales esfuerzos. Y
también espero que el espíritu de quienes han bregado por
cambiar la historia con el propósito de que vivamos en un
mundo mejor, se haga cada vez más presente en el mundo en
que algún día se encontrarán Jack, Brett y Chris.

1

INTRODUCCIÓN: ESCOLARIDAD, CIUDADANÍA Y LUCHA POR LA DEMOCRACIA

Estados Unidos es un país sin memoria... Quienes somos de mediana edad o mayores hemos pasado todos por la experiencia de hablar con jóvenes de veintitantos años, acerca de alguna parte medular de nuestra existencia, sólo para encontrarnos ante una total falta de entendimiento. Hoy en día, en las clases de la universidad incluso una referencia a la guerra de Vietnam quizás produzca miradas en blanco.[1]

La comprensión histórica nos enseña a transformar aquello que en nuestra vida es aparentemente fijo e interno, en cosas que se pueden cambiar. Les enseña... a las personas que las estructuras que las rodean han sido hechas y vueltas a hacer una y otra vez. Nos enseña que vivimos en la historia.[2]

En la época actual, el patriotismo norteamericano ha pasado a tener una alta prioridad. Al igual que en el caso de los pasatiempos nacionales más actuales, pero también a menudo de los ya añejos, representa parte de un discurso[3] que históricamente ha permanecido aparte de las versiones emancipatorias de la democracia, la ciudadanía y la vida pública. El discurso de patriotismo que resurge y barre Estados Unidos forma parte de una oleada de chovinismo nacionalista que ha culminado en una serie de acontecimientos

---

[1] Citado en Marshall Blonsky, "Introduction: The agony of semiotics: reassessing the discipline", en *On signs*, Marshall Blonsky, comp. (Baltimore, Maryland; The Johns Hopkins University Press, 1985), p. xxxii.

[2] Gregory Kealey, "Herbert Gutman, 1928-1985, and the writing of working class history", *Monthly Review* (mayo de 1986), p. 30.

[3] Empleo el vocablo "discurso" a la manera que ha descrito Richard Terdiman, como "los complejos de signos y prácticas que organizan la existencia social y la reproducción social. Con su persistencia estructurada y material, los discursos son lo que dan sustancia diferenciada al hecho de ser miembro de un grupo social o de una formación de clase, que media un sentimiento interno de pertenencia y un sentido externo de otredad". Richard Terdiman, *Discourse-counter-discourse* (Nueva York: Cornell University Press, 1985), p. 54.

recientes: la invasión de Grenada, el bombardeo de Libia y las fervientes baladronadas que rodean el aniversario de la estatua de la Libertad.

Con esto no queremos sugerir que al patriotismo se le pueda dejar de lado como una ideología inherentemente reaccionaria, sino que más bien debemos reconocer que sus posibilidades radicales rara vez se han legitimado como parte del discurso dominante de la historia norteamericana. Por otro lado, la ola actual de chovinismo de ala derecha no deja de tener sus precedentes históricos. Lo nuevo, en la década de 1980, es la ausencia de una lucha en torno a la re-definición del significado del patriotismo, así como de la elaboración de un concepto de ciudadanía que sea con-gruente con los postulados de una democracia crítica.[4] De

[4] Con esto no se quiere sugerir que no exista un discurso radical sobre la democracia; empero, éste es sencillamente insuficiente desde el punto de vista teórico, y no ha ocupado la parte medular de una política de la izquierda. David Held hace un importante comentario sobre las limitaciones de un discurso de izquierda sobre la democracia. Dice: "Poulantzas, Macpherson y Pateman han tratado, todos ellos, de combinar y reordenar percepciones tomadas de la tradición liberal, así como de la marxista. Aun cuando sus esfuerzos alejan el debate político de la aparentemente interminable e infructífera yuxtaposición del liberalismo con el marxismo, poco es lo que dicen acerca de factores fundamentales tales como, por ejemplo, la forma en que la economía se debe realmente organizar y relacionar con el aparato político; la manera en que las instituciones de la democracia representativa deben combinarse con aquellas de la democracia directa; cómo hay que poner freno a los alcances y el poder de las organizaciones administrativas; de qué modo deben estar relacionados con el trabajo los hogares y las instalaciones de atención a la infancia; cómo pueden 'optar por salirse' del sistema político aquellos que desean hacerlo; o cómo se podría lidiar con el problema del eternamente cambiante sistema internacional de los estados. ...Además, tienden a suponer que el pueblo, en general desea extender la esfera de control sobre sus vidas. ¿Y qué pasa si no desean hacer tal cosa? ¿Qué ocurre si en realidad no quieren participar en la administración de los asuntos sociales y económicos? ¿Qué hacer si no desean convertirse en criaturas de razón democrática? O bien, ¿cómo proceder si esgrimen el poder democrático de una manera 'no democrática' —a manera de limitar o eliminar la democracia?" (David Held, *Models of democracy* [Stanford: Stanford University Press, 1987], pp. 262-263).

Algunos de los esfuerzos recientes por volver a desarrollar un concepto de democracia radical se pueden encontrar en: Martin Carnoy y Derek Shearer, *Economic democracy: the challenge of the 1980s* (Nueva York: M. Sharpe, 1980); Joshua Cohen y Joel Rogers, *On democracy: toward a transformation of American society* (Nueva York: Penguin, 1983); Andrew Levine, *Arguing for socialism* (Nueva York: Routledge and Kegan Paul, 1984); Adam Przeworski, *Capitalism and social democracy* (Nueva York: Cambridge University Press, 1985); Carole Pateman, *The problem of political obligation: a critique of liberal theory* (Cambridge; Polity Press,

hecho, en los años ochenta actúa una filosofía pública recientemente creada que define la ciudadanía dentro de un vacío político, esto es, como una práctica social no problemática sancionada por medio del llamamiento a una lectura igualmente no crítica de la herencia cultural norteamericana. Lo que ha producido este discurso ha sido una forma de amnesia histórica, una amnesia que se caracteriza por un silencio intencional respecto a las constantes luchas históricas que se han librado en cuanto al significado y a las potencialidades no realizadas que subyacen a los distintos conceptos de ciudadanía. Dentro de los parámetros de esta nueva filosofía pública, a la ciudadanía no sólo se la retira del terreno del debate histórico, sino que se la define, además, alrededor de un discurso de unidad nacional y fundamentalismo moral que priva a la vida pública de sus más dinámicas posibilidades políticas y democráticas. Como parte de este discurso, los conceptos de lucha, debate, comunidad y democracia han pasado a ser categorías subversivas. En muchos sentidos, las convicciones ideológicas y políticas de esta filosofía son muy evidentes en el informe de 1975 de la Comisión trilateral, intitulado *The crisis of democracy*. En ese informe, uno de los coautores, Samuel Huntington, con título de Harvard en ciencias sociales, argumenta que la crisis de la democracia norteamericana se debe al surgimiento, a partir de la década de 1960, de una mayor participación en el proceso democrático por parte de un buen número de grupos. Según Hun-

1985); Ernesto Laclau y Chantal Mouffe, *Hegemonía y estrategia socialista* (Madrid: Siglo XXI de España, 1987); Samuel Bowles y Herbert Gintis, *Democracy and capitalism* (Nueva York: Basic Books, 1986); Harry C. Boyte y Frank Riessman, comps., *The new populism: the politics of empowerment* (Filadelfia: Temple University Press, 1986); Held, *Models of democracy*. Entre algunos de los ejemplos recientes de los intentos por abordar la cuestión de la enseñanza escolar y la democracia se encuentran la Public Information Network de Harold Berlak (Washington University) y el Institute for Democratic Education, de George Wood (Ohio University). Es preciso que veamos estos esfuerzos como una respuesta a la ausencia, en Estados Unidos, de cualquier debate importante sobre la democracia y la escuela. Estos grupos representan intervenciones significativas por parte de la izquierda, pero desafortunadamente no son más que una fuerza marginal en el contexto global de la forma en que la educación se está definiendo y analizando como parte del actual movimiento de reforma educativa. Naturalmente, esto sirve primordialmente como un comentario sobre el poder del estado capitalista para limitar la gama de los discursos de oposición en torno a la cuestión de la democracia crítica.

tington, la disposición de la prensa, de las universidades y de los movimientos populares a expresar su vitalidad como instituciones democráticas, representa un desafío injustificable a la autoridad gubernamental. O, para decirlo con sus propias palabras, "algunos de los actuales problemas de gobernabilidad en Estados Unidos provienen de un exceso de democracia".[5] Las implicaciones orwellianas de esta forma de "patriotismo" y de "ciudadanía" de ala derecha quedan claramente expresadas en un trabajo sobre posturas en cuanto a los lineamientos de un gobierno conservador, que la Heritage Foundation le presentó al presidente Reagan en 1980. En el estudio se instaba al presidente a que reconociera: "la realidad de la subversión y a que [se recalcara] la naturaleza no norteamericana de buena parte de la llamada disidencia", agregando que "es axiomático que las libertades individuales son secundarias ante el requisito de la seguridad nacional y el orden civil interno".[6]

Si Estados Unidos se está convirtiendo rápidamente en "una tierra sin memoria", ello se debe, en parte, a que la nueva derecha se las ha arreglado para desarrollar una filosofía pública que halla eco en los deseos y experiencias de muchas de las personas de ese país, a la vez que los distorsiona. Es decir, el llamamiento de la nueva derecha consiste en su audaz invocación del vigor moral, en la forma en que se jacta de la grandeza norteamericana y en la habilidad que tiene para hablar en un lenguaje de esperanza y promesa, por más que sistemáticamente ignore los problemas sociales más importantes y fomente peligrosos niveles de militarismo. Lo que la nueva derecha ha hecho no es simplemente abandonar el discurso de la democracia mientras simultáneamente acerca cada vez más a la sociedad norteamericana a los peligros del fascismo; de manera menos obvia, pero igualmente importante, ha llenado el vacío al nivel del deseo y la necesidad colectivos, por medio del ensalzamiento y la movilización de los sueños dionisiacos en cuanto a comunidad y afirmación colectiva, que se hallaban reprimidos en-

---

[5] Michel Crozier, Samuel P. Huntington y Joji Watanuki, *The crisis of democracy* (Nueva York: New York University Press, 1975), p. 113.

[6] Noam Chomsky, *Turning the tide* (Boston: South End Press, 1985), p. 225.

tre el público, especialmente en esta época en que dichos sueños ya no parecen ser posibles. Desde luego, para los nuevos conservadores la justicia, la democracia y la ciudadanía crítica carecen de sentido. Bajo la rúbrica del reconocimiento de los problemas que caracterizan la existencia cotidiana, han socavado aún más la posibilidad de una vida pública democrática al perpetuar lo que Bloch ha denominado "la estafa del logro".[7]

El hecho de que Estados Unidos no haya sabido dar una legitimidad democrática a los conceptos de ciudadanía y patriotismo no se puede atribuir por entero al surgimiento de la nueva derecha. También se debe, en parte, al fracaso de la teoría radical en cuanto a presentar un discurso con imaginación y posibilidad políticas, agenciándose ciudadanía y patriotismo como objetos de lucha y redefinición. Donde

---

[7] Ernst Bloch, citado por Anson Rabinach en "Unclaimed heritage: Ernst Bloch's *Heritage of our times* and the theory of fascism", *New German Critique*, 11 (primavera de 1977), p. 8. En diversos lugares, a todo lo largo del libro, empleo la expresión "nueva derecha", que se refiere a dos tendencias político-ideológicas muy claras que se han unido en la década de los ochenta. Por un lado, la expresión conviene a la fusión del neoliberalismo, con su acento en la libertad económica de la economía de mercado como prerrequisito para la libertad política, con un tipo de neoconservadurismo que aboga por una versión decimonónica del orden social en el que las ideas, valores y relaciones sociales del pasado proporcionan la base para la restructuración de la vida social y política contemporánea. Por otro lado, la nueva derecha representa la unión de su tradicional ideología libertaria elitista con una rama de la ideología populista que se centra en cuestiones sociales tales como el aborto, los rezos en la escuela, los impuestos y otros aspectos que hallan eco en las experiencias cotidianas de la gente trabajadora y de otros grupos a quienes por lo general ignoran los viejos conservadores. Combinando un punto de vista elitista de la economía (defensa de los intereses económicos de los ricos), un enfoque populista (una forma de autoritarismo moral) sobre las cuestiones sociales, y un punto de vista mítico en lo tocante al pasado, la nueva derecha representa tanto una nueva alianza de facciones políticas tradicionalmente disímbolas, y un nuevo resurgimiento político destinado a revertir muchos de los cambios políticos, sociales y culturales que resultaron del *New Deal* de los años treinta, de los programas de la *Great Society* de los sesenta y de los diversos lineamientos sociales y políticos que pusieron en práctica los grupos progresistas durante los últimos veinte años. Para un análisis a profundidad del carácter y el surgimiento de la nueva derecha, véanse los diversos ensayos que figuran en el libro de Fred Block, Richard A. Cloward, Barbara Ehrenreich y Frances Fox Piven, *The mean season: the attack on the welfare state* (Nueva York: Pantheon, 1987), así como Harvey J. Kaye, "The use and abuse of the past: the new right and the crisis of history", en *The Socialist Register 1987*, Ralph Miliband, Leo Panitch y John Saville, comps. (Londres: Merlin Press, 1987), pp. 332-364.

más evidentemente se manifiesta la agonía contemporánea
que rodea a la política radical es en el hecho de no haber
sabido tomar seriamente, y en ciertos casos ni siquiera haber admitido, la política de ciudadanía durante los últimos
veinte años; o, si a ello vamos, en no haber reconstruido un
concepto de democracia radical que pudiera representar
una alternativa al intento de la nueva derecha por redefinir
la naturaleza y la calidad de la vida política de Estados
Unidos y de otras partes. Lo cierto es que los intentos por
parte de los críticos de izquierda por desacreditar y restar
mérito al concepto de ciudadanía como práctica emancipatoria que vincula la adquisición de facultades críticas con
formas de lucha social progresista, ha contribuido a la crisis
ideológica que impera en el corazón mismo de la democracia norteamericana.[8] No sólo es preciso reconocer esta crisis,

---

[8] Aquí hay que hacer dos aclaraciones importantes. La primera es que cuando
hablo de los críticos de la izquierda me refiero a la izquierda en el sentido
genérico, de manera que queda incluida toda una amalgama de progresistas,
liberales, socialdemócratas y populistas radicales que pugnan por la justicia
social y económica dentro de la meta más amplia del fomento de una sociedad
democrática radical. Y la segunda es que en la parte medular de la "crisis de
la democracia" en Estados Unidos y en otras partes, no sólo figuran cuestiones
ideológicas, sino también el aspecto de quién controla los recursos económicos
y la riqueza, y quién cuenta con el poder económico para establecer las
prioridades económicas y sociales dentro de la sociedad más amplia. La
explotación capitalista enraizada en las desigualdades económicas no es algo de
lo cual sea responsable la izquierda. Ésta sencillamente no es actora en este
terreno. Por otro lado, al funcionar dentro de relaciones asimétricas de poder, la
izquierda no cuenta con una base uniforme para conformar los órdenes del día
que constituyen el terreno cultural. Pero al mismo tiempo, no ha podido, en sus
diversas esferas, atraer y movilizar a seguidores, precisamente a causa del
carácter limitado de su atractivo ideológico. Para un debate serio sobre esta
cuestión, véase el intercambio entre Lillian Rubin y Richard Lichtman, por un
lado, y Christopher Lasch, por el otro, en *Tikkun* 1:2 (1986), pp. 85-93. Véase
también a Stanley Aronowitz y Henry A. Giroux, *Education under siege: the
conservative, liberal, and radical debate over schooling* (South Hadley: Bergin and
Garvey, 1985). También vale la pena señalar, como lo ha hecho Jost Halfmann,
que la nueva derecha ha tomado algunos conceptos centrales respecto de la
democracia y el capitalismo, y los ha asimilado a su propio marco ideológico.
Dice : "Los neoconservadores se han apoderado de la idea que la izquierda en
gran medida ha abandonado, a saber, que la democracia burguesa y el modo de
producción capitalista se hallan entre sí en una relación de tensión precaria e
inmanentemente inmutable. La diferencia que establecen los conservadores es
que son esos aspectos los que sostienen al estado del bienestar y a la democracia
de masas, en vez de ser los que crean las relaciones de producción que tienen la
culpa de los males de las sociedades modernas". (Jost Halfmann, "The German
left and democracy", *New German Critique*, 33 [primavera de 1985], p. 174.)

sino que es necesario que estemos dispuestos a enfrentarla desenterrando y legitimando aquellas tradiciones olvidadas del discurso público y moral que alguna vez formaron parte de las pugnas pedagógicas y políticas.

La ciudadanía, al igual que la democracia, es parte de una tradición histórica que representa un terreno de lucha por encima de las formas de conocimiento, de prácticas sociales y de valores que constituyen los elementos críticos de esa tradición. Sin embargo, no es un vocablo que posea ninguna importancia trascendental, fuera de las experiencias y prácticas sociales vividas por los individuos que constituyen las diversas formas de la vida pública. Una vez que admitimos el concepto de ciudadanía como práctica histórica socialmente construida, se vuelve tanto más imperativo el reconocer que categorías como ciudadanía y democracia necesitan ser problematizadas y reconstruidas para cada generación. Richard Hanson habla apropiadamente de ello cuando dice:

Al describir el significado como un artefacto histórico, ello también nos recuerda que nosotros, de la misma manera, debemos establecer, para nosotros mismos, cuál es el significado de palabras claves tales como democracia. El significado de democracia es tan problemático para nosotros como lo fue para nuestros antecesores históricos. Su significado no se nos da, sino que nosotros lo debemos encontrar, del mismo modo que tratamos de comprender el mundo y sus posibilidades humanas.[9]

Lo que Hanson sugiere es que los progresistas y los radicales deben apoderarse del concepto de ciudadanía como importante terreno de lucha. Además, a esta lucha se la tiene que ver como parte de un esfuerzo de mayor envergadura por desarrollar una filosofía pública que dé legitimación al desarrollo de esferas opuestas al quehacer público y en las cuales se pueda dar expresión a un concepto crítico de ciudadanía por medio de un modelo radical de educación ciudadana. En este caso, el concepto de ciudadanía se debe apartar de las formas de patriotismo cuyo designio es el de subordinar a

---

[9] Richard Hanson, *The democratic imagination* (Princeton: Princeton University Press, 1985), p. 418.

los ciudadanos a los estrechos imperativos del estado. Por el contrario, la ciudadanía en este caso se convierte en un proceso de diálogo y compromiso arraigados en una creencia fundamental en la posibilidad de vida pública y en el desarrollo de formas de solidaridad que permitan a la gente reflejar y organizar el poder del estado, con el fin de criticarlo y restringirlo, así como "derrocar relaciones que inhiben e impiden la realización de la humanidad".[10]

Lo que aquí está en debate es la necesidad de desarrollar una forma de ciudadanía en la que el lenguaje público haga suya, como referente para la acción, la eliminación de aquellas condiciones ideológicas y materiales que fomentan diversos modos de subyugación, segregación, brutalidad y marginación, frecuentemente expresadas por medio de formas sociales que encarnan intereses raciales, clasistas y sexistas. Claro está que una forma emancipatoria de ciudadanía no sólo llevaría la mira de eliminar las prácticas sociales opresivas, sino que también se constituiría en un nuevo movimiento del despertar social y, al hacer esto, igualmente contribuiría a la estructuración de relaciones sociales no enajenantes, cuya meta sería la de ampliar y fortalecer las posibilidades inherentes a la vida humana. Murray Bookchin resulta ilustrativo acerca de esta cuestión:

Quisiera recalcar que hoy, más que nunca, precisamos de un nuevo movimiento de redespertar social, y no sólo para satisfacer las necesidades materiales humanas —con todo y lo importantes que estas son en todo momento. El gran fracaso de los movimientos "izquierdistas" contemporáneos, ya sean socialistas o anarquistas, es que a la nueva sociedad la conciben primordialmente como aquella que lleva "pan y carne" a la mesa, con el resultado irónico de que la "derecha" se ha ganado el apoyo de millones de personas por medio de llamamientos morales que dan un sentido de significado a la vida, dentro de una sociedad que cada vez tiene menos sentido. Yo estoy plenamente convencido de que hoy en día ningún nuevo movimiento social logrará captar la imaginación de la gente a menos que proporcione un sentimiento de bienestar moral, y no

---

[10] Douglas Kellner y Harry O'Hara, "Utopia and Marxism in Ernst Bloch", *New German Critique*, 9 (otoño de 1976), p. 22.

solamente de bienestar material —y, de hecho, que contenga un propósito moral, y no sólo un mejoramiento material.[11]

Reclamar la noción de ciudadanía en bien de una filosofía pública emancipatoria exige que el concepto de ciudadanía se considere como una práctica histórica inextricablemente vinculada con relaciones de poder y formaciones de significado. En otras palabras, si se desea lidiar con las implicaciones más amplias que tiene la ciudadanía, ésta se tiene que analizar como proceso ideológico, a la vez que como manifestación de relaciones específicas de poder. Como manifestación de relaciones de poder, la ciudadanía se afirma y articula entre diversos espacios y comunidades públicos, cuyas representaciones y diferencias se reúnen en torno a una tradición democrática que coloca la igualdad y el valor de la vida humana en el centro de su discurso y de sus prácticas sociales. Al concepto de ciudadanía se lo debe entender también parcialmente, en términos pedagógicos, como un proceso de regulación moral y de producción cultural, dentro del cual se estructuran subjetividades particulares en torno a lo que significa el hecho de ser miembro de un Estado nacional. De manera más específica, el concepto de ciudadanía tiene que ser investigado como la producción y la inversión que se hace en discursos ideológicos expresados y experimentados por medio de diferentes formas de cultura de masas y en sitios particulares tales como escuelas, el lugar de trabajo y la familia.

Con las reservas teóricas que se acaban de mencionar, primeramente abordaré el concepto de ciudadanía como construcción histórica y señalaré brevemente la importancia que tuvo para los educadores estadunidenses, como parte del discurso radical, en el período de entreguerras. Después analizaré algunas de las perspectivas ideológicas predominantes acerca de la ciudadanía que se han desarrollado dentro de la corriente principal de teoría educativa, desde finales de la segunda guerra mundial, y la manera en que aquéllas se vieron desafiadas por parte de los teóricos socia-

---

[11] Murray Bookchin, *The modern crisis* (Filadelfia: New Society Publishers, 1986), p. 33.

les radicales. Al desarrollar este breve comentario, no sólo deseo proporcionar un análisis ideológico de la forma en que las escuelas han pasado a ser bastiones cada vez más conservadores de la educación ciudadana durante los años ochenta, sino que quiero describir además la forma en que los educadores radicales han fracasado en su intento por desarrollar un discurso programático con el cual hubieran podido adueñarse de la educación en cuanto a ciudadanía, como importante campo de batalla alrededor del cual hacer prosperar los intereses democráticos emancipatorios. Y a continuación, presentaré un análisis crítico sobre las formas en que a la ciudadanía se la inscribe actualmente dentro de la lógica de la ideología dominante, así como en cuanto a la manera en que esta última se legitima dentro de los géneros de cultura de masas, tales como las películas de Hollywood y ciertos aspectos de la programación televisiva. Para concluir, haré ciertas consideraciones teóricas que se pueden emplear para desarrollar una teoría alternativa de educación de la ciudadanía.

RECUPERACIÓN DEL LEGADO HISTÓRICO DE UNA TEORÍA CRÍTICA DE LA CIUDADANÍA

En las dos décadas anteriores al estallido de la segunda guerra mundial hubo un pequeño grupo de educadores radicales que intentaron extender el trabajo de Dewey y de otros progresistas, redefiniendo el significado y el propósito de la escolaridad en torno a un punto de vista emancipatorio del concepto de ciudadanía. Para educadores como George Counts, Harold Rugg, Willystine Goodsell, Theodore Brameld y otros, la noción deweyana en el sentido de que la vida pública requería de un intento constante por reconstituir las escuelas sobre la base de valores democráticos, planteaba un reto apabullante en cuanto a importancia pedagógica y política para la educación estadunidense. En parte, este reto surgía del reconocimiento de que las escuelas no eran instituciones carentes de valor que desempeñaran un papel políticamente inocente en la trasmisión a las futuras generaciones de una herencia democrática no problemática. Por el contrario, los reconstruccionistas consideraban que las escuelas intervenían de manera profunda en la producción de aquellos aspectos de la cultura dominante que servían para reproducir a una sociedad injusta y desigual. Al mismo tiempo, reconocían que las escuelas no eran simplemente bastiones de dominación que funcionaran conforme a la lógica del estado. A las escuelas se las veía también como sitios contradictorios, que se debatían entre los imperativos ideológicos de la democracia liberal y los valores y prácticas dominantes del capitalismo monopólico. Estas ideologías contradictorias llevan inherentes las oportunidades para la intervención y la lucha políticas. Uno de los objetivos medulares de los reconstruccionistas sociales se centraba en la usurpación de las oportunidades pedagógicas que existen en las escuelas para aprender acerca de las relaciones entre la democracia y la adquisición de facultades críticas. El reconstruccionista social no consideraba que las escuelas fuesen la única esfera de la labor educativa, pero, al mismo tiempo, veía a éstas como una esfera decisiva alrededor de la cual se podía luchar para obtener un tipo particular de ciudadano democrático. En el primer número de *The Social Frontier*, publicación periódica para la divulgación de las ideas reconstruccionistas, se expresaba claramente la importancia que revestía la extensión de la educación hasta más allá del ámbito de la escuela en la lucha por la democracia:

The Social Frontier no admite fidelidad a ningún concepto estrecho de la educación. Aun cuando reconoce que la escuela es la agencia educativa central de la sociedad, se niega a *limitarse* a considerar únicamente esta institución. Incluye, por el contrario, dentro de su campo de interés, a todas aquellas influencias y agencias formativas que sirven para inducir al individuo —anciano o joven— a la vida y cultura del grupo. Considera que la educación es un aspecto de una cultura que está en proceso de evolución. Por consiguiente, no tiene deseo alguno de fomentar un profesionalismo restringido y técnico... En los años y décadas que el pueblo norteamericano tiene inmediatamente por delante... éste tiene que escoger entre diversos caminos que ahora se le están abriendo. En particular, debe elegir entre dejar que la gran tradición de la democracia fenezca junto con la economía individualista a la que históricamente ha estado vinculada, o sufrir la transformación necesaria para la supervivencia en una época que se halla cercana a la interdependencia económica.[12]

El campo de batalla que los reconstruccionistas sociales escogieron para combatir se centraba en el desarrollo de una filosofía pública dentro de la cual a la educación se la consideraba como una forma de política cultural. Es decir, a la política se la veía como parte de una lucha constante por desarrollar formas de conocimiento y de prácticas sociales que no solamente hicieran de los estudiantes pensadores críticos, sino que también los facultara para abordar los problemas sociales con el fin de transformar las desigualdades políticas y económicas existentes.[13] Como característica central de esta forma de ver la escolaridad, a la educación ciudadana se la definía, en parte, como un intento ininterrumpido por desarrollar planes de estudios que fuesen críticos de las injusticias de la sociedad norteamericana. En otras palabras, la elaboración de planes de estudios se hallaba vinculada a una teoría del bienestar y de la reconstrucción sociales, teoría que identificaba las injusticias existentes, a la vez que trataba de motivar a los estudiantes para que las cambiaran, por medio de formas de acción social. Ya desde 1927, Harold Rugg expresaba los sentimientos de esta postura en su descripción de la manera en que se debe organizar un plan de estudios:

Puesto que carecemos de medio millón de maestros dinámicos, ¿acaso no nos vemos obligados a instaurar en nuestras escuelas un plan de

---

[12] "Orientation", *The Social Frontier*, 1 (octubre de 1934), pp. 3-4; véase también James M. Giarelli, "The social frontier, 1934-1943: retrospect and prospect", trabajo no publicado, que se presentó en la sesión anual de la American Educational Studies Association, en Colorado Springs, Colorado, en noviembre de 1980, 20 pp.

[13] Huelga decir que existían un buen número de diferencias teóricas entre los reconstruccionistas sociales, pero su crítica encontraba un terreno común en el intento por vincular la enseñanza escolar con los imperativos de una tradición democrática reconstruida. Véase W.B. Stanley, "The philosophy of social reconstructionism and contemporary curriculum rationales in social education", tesis doctoral no publicada, Rutgers University (1979). Véanse James M. Giarelli, "The social frontier 1934-1943"; C.A. Bowers, *The progressive educator and the depression* (Nueva York: Random House, 1969).

estudios dinámico? ¿Un plan de estudios que trate de manera rica y vívida con las formas de vida de la gente de toda la tierra? ¿Que esté lleno de anécdotas palpitantes sobre la vida humana? Deberá tratarse de un plan de estudios en el que se establezcan los hechos esenciales acerca de la comunidad en la que vive la gente; en el que se interpreten para ella las principales características de los recursos e industrias básicos de los que dependen sus vidas, dentro de una civilización frágil e independiente; un plan de estudios que sea para las personas una introducción a las formas de vida de otros pueblos.[14]

Para Rugg, Brameld y otros, era imperativo que los planes de estudios poseyeran una conexión orgánica con los problemas que los estudiantes iban a tener que encarar en el mundo externo, y los problemas que mayor atención requerían eran aquellos que violaban los principios básicos de la democracia. En pocas palabras, los reconstruccionistas sociales querían desarrollar formas de conocimiento que estuvieran normativamente basadas en torno a un compromiso con la "buena sociedad". Querían reunir el conocimiento y el poder como una forma de pensamiento crítico que tomara como su objeto a las formas de transformación cultural y política. Además, pensaban que en la parte medular de la educación ciudadana se hallaba un concepto de enseñanza en el cual los educadores asumían el papel de intelectuales críticos que, según las palabras de Brameld, iban a:

resolver nuestros problemas, no mediante la preservación, no simplemente gracias a la modificación, ni tampoco mediante un repliegue; sino mirando al futuro, construyendo un nuevo orden de civilización bajo el control verdaderamente público, y dedicándose a la consecución de los valores humanos por los que la mayoría de los hombres [sic] han luchado, consciente o inconscientemente, durante muchos siglos.[15]

Bajo este punto de vista, la educación en materia de ciudadanía se definía como un referente, no orientado a la defensa

[14] Harold Rugg, "The school curriculum and the drama of American life", en *Curriculum making: past and present*, 22º Anuario. Harold Rugg, comp. (Chicago: National Society for the Study of Education, 1927), p. 7.
[15] Theodore Brameld, "Philosophies of education in an age of crisis", *School and Society*, 65 (invierno de 1947), p. 452.

—sino más bien a la transformación— del orden social existente; por otro lado, a la labor de la enseñanza se la definía en torno a sus funciones sociales y políticas, más que en términos de una noción ahistorizada y apolítica del profesionalismo. De manera similar, el papel y el propósito de la escolaridad pública se vinculaba con un concepto de servicio público comprometido con consideraciones morales y políticas destinadas a beneficiar a grupos de la sociedad norteamericana que con frecuencia eran victimados y se hallaban subordinados.

Pero lo más importante era que los reconstruccionistas sociales entendían que la educación ciudadana no era meramente cuestión de informar a la gente o de proporcionarle a ésta habilidades críticas, sino que se trataba igualmente del aspecto de elegir entre opciones, basándose en consideraciones éticas y preocupaciones sociales. John Childs expresó bien esta idea en 1935.

Por más que nos esforcemos, jamás podremos reducir la educación al proceso escueto de la crítica. Y ello, por la simple razón de que la crítica, si ha de ser importante, implica el empleo de juicios normalizados, éticos, así como de valores sociales. Hay muchos educadores que creen que en una sociedad democrática debieran buscar activamente el nutrimento de las disposiciones emocionales e intelectuales de los jóvenes, que los instaran a colocar el bienestar de los muchos por encima de los privilegios de unos pocos. Al hacer esto, reconocen que están empleando a la escuela como una agencia positiva para inclinar a los jóvenes en favor de los valores éticos de la democracia social. Esto significa ir más allá de la mera crítica intelectual. Equivale a construir el trasfondo de valores y creencias, a partir del cual debe funcionar el proceso de la crítica.[16]

[16] John Childs, "Should the school seek actively to reconstruct society?" *Annals of the American Academy of Political and Social Science*, CLXXXII (noviembre de 1935), pp. 8-9. Desde luego, el acento que pone Childs en vincular la educación con los dictados y suposiciones de la democracia social no se debe confundir con una postura más radical en la que se argumentaría no sólo en favor de una transformación del control y la propiedad de los medios de producción, sino también en favor de una transformación en el terreno más amplio de la cultura y de la vida cotidiana. Posteriormente, George Counts reconoció que en su trabajo anterior había hecho demasiado hincapié en la cuestión de la reforma económica, pero en vez de extender su crítica radical de la economía a la vida diaria, al igual que muchos otros reconstruccionistas sociales adoptó una postura más liberal, en la cual casi se abandonaba por completo el acento en las

Además, la educación ciudadana trataba también sobre el hecho de facultar a los estudiantes a luchar contra las relaciones de poder y de privilegio que los transformaban, a ellos y a otros, en objetos e instrumentos de opresión. Extendiendo la creencia de Dewey en el sentido de que "la acción social inteligente es la que presenta una mayor promesa de una mejor sociedad",[17] los reconstruccionistas sociales argumentaban en favor de una política de individualidad social en la cual la educación ciudadana pudiera tener lugar no sólo en la escuela, sino también en la esfera social más amplia, por medio del albedrío político de los opositores públicos tales como los sindicatos obreros, las iglesias, las organizaciones vecinales, las revistas periódicas, etc. Bajo la lógica de esta postura se hallaba el hincapié en la relación que existe entre conocimiento y poder, entre el hacer y el actuar, y entre el compromiso y la lucha colectiva. Este concepto de educación ciudadana, y la filosofía pública de la que surgió, llegó a su apogeo durante la depresión, y prácticamente había ya pasado al olvido durante la década de 1950. El legado reconstruccionista, por más que no carezca de fallas, representa el intento más radical, de parte de los educadores, por desarrollar una filosofía pública y un concepto de educación ciudadana que hasta ahora se haya llevado a cabo en Estados Unidos. Desafortunadamente, a partir de los años cincuenta —al sobrevenir la guerra fría, la crisis del Sputnik y el creciente poder de la industria cultural en cuanto a dar forma a la opinión pública— este legado ha sido casi completamente ignorado por parte de los educadores contemporáneos, e incluso por aquellos que trabajan dentro de la tradición crítica.[18] Vale la pena reiterar que el hecho de considerar a la democracia como una esfera de lucha, a la vez que como un movimiento social, gana credibilidad teórica por medio del

cuestiones económicas, a consecuencia de la creciente desconfianza que sentían hacia cualquier forma de teoría marxista y radical. Véase George S. Counts, "A liberal looks at life", *Frontiers of Democracy*, 7:2 (1950), pp. 242-243.

[17] Herbert M. Kliebard, *The struggle for the American curriculum, 1893-1958* (Nueva York: Routledge and Kegan Paul, 1986), p. 468.

[18] Para un perceptivo comentario sobre el movimiento reconstruccionista social y la importancia que ha tenido en la teoría educativa radical, véase William B. Stanley, "The radical reconstructionist rationale for social education", *Theory and Research in Social Education*, 8 (invierno de 1981), pp. 55-77.

análisis de las formas que esa lucha ha asumido dentro de las
tradiciones históricas particulares. Esto hace que sea suma-
mente instructivo el examinar brevemente algunas de las
fuerzas que actúan sobre la sociedad norteamericana después de 1945 y que ayudan a redefinir tanto el papel que
desempeña la escuela pública de este país como la naturaleza de la propia ciudadanía, en oposición a los principios de
una democracia crítica. En este aspecto, resulta útil el trabajo de C. Wright Mills.

Mills ha sostenido que el período de la historia norteamericana posterior a 1945 reviste importancia porque marca la
transformación acelerada de una comunidad de públicos,
en la que la gente se organizaba para debatir y desafiar
cuestiones importantes de la vida pública, hacia una sociedad de masas que se caracteriza por un creciente analfabetismo político y una perspectiva nacionalista y unidimensional de la ciudadanía.[19] En muchos aspectos, el análisis de
Mills nos ayuda no sólo a explicar cuáles son las fuerzas que
intervienen en la redefinición del papel que desempeña la
educación ciudadana que se imparte en las escuelas, sino
también a ubicar algunas de las transformaciones ideológicas y materiales que cada vez con mayor frecuencia han
encasillado a la gente dentro de un conjunto de experiencias
y prácticas que, a su vez, han minado la noción emancipatoria de lo que significa el ser un ciudadano crítico y activo.
Desde el punto de vista de Mills, una de las fuerzas más
peligrosas que actuaban en la sociedad norteamericana era
la pujante industria de la cultura, en la que figuraban los
medios electrónicos de la televisión, el cine y la radio, así
como el ramo de los periódicos y revistas. Para Mills, así como
para teóricos como Herbert Marcuse, Theodore Adorno y
Max Horkheimer, la creciente centralización del poder en la
nueva industria de los medios de comunicación denotaba
un estrechamiento de la gama de ideas e interpretaciones a

[19] Véanse, especialmente, C. Wright Mills, *White collar: the American middle
classes* (Nueva York: Oxford University Press, 1951); *The power elite* (Nueva York:
Oxford University Press, 1956); *The sociological imagination* (Nueva York: Oxford
University Press, 1959); *Power, politics, and people: the collected essays of C. Wright
Mills*, Irving Horowitz, comp. (Nueva York: Oxford University Press, 1963).

las que podía recurrir el pueblo norteamericano.[20] Además, estos medios estaban adoptando formatos de programación y métodos de presentación que con frecuencia servían para estandarizar y trivializar la información. Esto era particularmente así en los medios que se ocupaban de las noticias, e igualmente en las películas de Hollywood con sus interminables fórmulas para la producción de géneros específicos. En cualquier caso, el resultado final era el surgimiento de un medio que parecía fomentar una nueva forma de analfabetismo, y que desvalorizaba la información y el debate importantes, en aras del oropel del espectáculo. La industria de la cultura, se aducía, había hecho algo más que socavar la posibilidad del debate público y serio respecto a una gran variedad de cuestiones, y también había pasado a ser un arma poderosa para la reproducción de los intereses ideológicos que reforzaban una creciente ideología de guerra fría y una ética de consumismo. Y por otro lado, remplazaba la necesidad de pensamiento crítico mediante un chovinismo desenfrenado y difuminaba la importancia de la responsabilidad moral mediante los placeres que movilizaba la industria de la publicidad.

Otra de las tendencias fue el surgimiento de las grandes metrópolis y la creciente influencia de la vida en las grandes urbes, aspectos que se aprovecharon, ambos, para minar las posibilidades de una acción comunitaria, así como las formas de vida social que son necesarias para desarrollar la vida pública. Además, la cada vez mayor invasión y colonización de la esfera privada durante el período posterior a la segunda guerra mundial, por parte de nuevos intereses económicos y políticos, todavía socavó más la posibilidad de que los trabajadores, de la fábrica o de las oficinas, desarrollaran las esferas públicas como extensiones de los barrios, las iglesias y otras instituciones similares que les proporcionaban las raíces necesarias para tener un sentido de lugar y de lucha. Este período se caracterizó por el éxodo en masa de las clases medias, que de la ciudad se trasladaban a los

---

[20] Entre los ejemplos clásicos figuran Herbert Marcuse, *One-dimensional man* (Boston: Beacon Press, 1964); Theodor Adorno y Max Horkheimer, *Dialectic of Enlightenment* (Nueva York: Herder and Herder, 1972 [edición original, 1944]).

suburbios, así como por una creciente separación entre el trabajo y la familia; además, hubo una retirada por parte de muchas personas, que, del mundo público de la política y la comunidad pasaban al mundo privatizado de la cultura de la televisión suburbana. Fred Pfeil capta el espíritu de esta transformación:

La transformación más notable... en Estados Unidos de la posguerra, tanto por lo que toca a la clase media como a la trabajadora, es precisamente la invasión y colonización del territorio de estas clases, que anteriormente había sido sacrosanto, mediante nuevas exigencias y preocupaciones económicas y políticas. En primerísimo lugar, me refiero aquí a esa red de estrategias y decisiones político-económicas que subyacen al desplazamiento de las masas que salen de las ciudades y se van a los suburbios durante las décadas de 1940 y 1950. La suburbanización y una vivienda pública urbana fuera del alcance de la gente fue la respuesta combinada de los intereses comerciales y estatales a la demanda popular de espacio accesible, potencialmente peligrosa, durante los años posteriores a la segunda guerra mundial, y demostró ser una solución extraordinariamente eficaz. Todas esas megalópolis y zonas delimitadas, ligadas por circuitos de vialidad y vías rápidas tendidas gracias a fondos federales, esos interminables circuitos de "unidades de vivienda" que se extendían alrededor de los decadentes núcleos de las ciudades, no sólo representaban unas jugosas fuentes de ingresos —buena parte de los cuales, por supuesto, quedaban garantizados por hipotecas y préstamos que el gobierno federal otorgaba a bajos intereses— para las huestes de especuladores y fraccionadores al distanciar literalmente de su lugar de trabajo a los obreros o empleados, al romper el núcleo familiar alejándolo de las redes más amplias del barrio, de los parientes y del clan, sino que también daban impulso al consumo, a la vez que encogían tanto la esfera pública como la privada. Las culturas del lugar de trabajo y del barrio, efectivamente, se secaron y desaparecieron; de manera que la "unidad" familiar atenuada se quedó en casa, en su propia sala de estar privada, mirando la televisión.[21]

Finalmente, al igual que Weber y Veblen, Mills opinaba que el auge de las estructuras burocráticas de poder ejecuti-

---

[21] Fred Pfeil, "Makin' floppy-floppy-boom PMC", en *The Year Left: an American socialist yearbook, 1985*, Mark Davis, Fred Pfeil y Michael Sprinker, comps. (Londres: Verso Books, 1985), p. 266.

vo destruía la posibilidad tanto de un discurso democrático como del ejercicio de los derechos democráticos basados en una filosofía pública crítica.

El auge de las estructuras burocráticas de poder ejecutivo, en los órdenes económico, militar y político, ha disminuido el uso eficaz de todas esas asociaciones voluntarias de menor envergadura que funcionan entre el estado y la economía, por un lado, y entre aquél y la familia, por el otro. Y no se trata únicamente de que las instituciones de poder se hayan convertido en entes de gran tamaño e inaccesiblemente centralizados; simultáneamente, han pasado a ser menos políticas y más administrativas. Éste es el gran cambio de marco dentro del cual el público organizado ha entrado en decadencia.[22]

Dentro de este contexto sociopolítico, durante el período de 1945 a 1980 se desarrollaron en Estados Unidos una gran variedad de modelos de ciudadanía, y la mayor parte de ellos se hallaba estructurada en torno a una lógica netamente conservadora o liberal. Aun cuando aquí ni siquiera podemos hacer un esbozo de estos enfoques, vale la pena señalar que ni siquiera en los modelos más liberales de educación ciudadana se abordaban las profundas desigualdades que subyacen a la estructura de las escuelas norteamericanas y a la sociedad estadunidense, y, en general, se sustituía el enfoque de resolución de problemas y de pensamiento crítico por una pedagogía dedicada a superar los problemas del sexismo, el racismo y el chovinismo.[23] Además, a pesar de haber surgido el movimiento radical estudiantil en la década de 1960 y el movimiento feminista en la de 1970, el lenguaje del individualismo una vez más vino a remplazar al lenguaje de la lucha colectiva a finales de los años setenta; y los intentos que se hicieron por comprender los problemas dentro de sus

---

[22] Mills, *Power, politics, and people*, p. 360.

[23] Traté esta cuestión más minuciosamente en Henry A. Giroux, *Teoría y resistencia en educación* (México: Siglo XXI, 1992 [edición original, 1983]), y especialmente en "Teoría crítica y racionalidad en la educación ciudadana", pp. 213-257. Véase también la excelente historia de la educación cívica en Estados Unidos y Suecia: de Tomas Englund, *Curriculum as a political problem: changing educational conceptions, with special reference to citizenship education* (Suecia; Chartwelt Bratt, 1986); William Stanley, *Review of research in social studies education, 1976-1983* (Boulder: ERIC Clearing House, 1985).

contextos histórico y socioeconómico se suplantaron por pedagogías orientadas a hacer que los estudiantes fuesen o buenos tomadores de decisiones o personas más avezadas en el lenguaje del debate público.

En todos estos casos, la naturaleza de la ciudadanía se traduce en el dominio de labores de procedimiento desprovistas de cualquier compromiso político tocante a aquello que es democráticamente justo o moralmente defendible. La lucha, en general, se reduce a la resolución de un problema o al hecho de ganar un debate. Se ha perdido con ello el imperativo de educar a los estudiantes a modo de que afirmen los principios morales con los que se renuncia a la injusticia social, y el de alentarlos a que participen en el mundo con objeto de cambiarlo. En suma, lo que a estos enfoques les falta es todo concepto de una filosofía pública que dé credibilidad a una forma emancipatoria de ciudadanía en cuya parte medular se coloquen la igualdad y la vida humana, y que haga equivaler a la democracia ya no con los privilegios, sino con los derechos democráticos que garanticen una participación significativa en las esferas política, económica y social de la sociedad. Al mismo tiempo, la democracia provista de significado, y el concepto de ciudadanía emancipatoria que la acompaña, apuntan hacia la construcción de nuevas sensibilidades y relaciones sociales que no permitiesen que en la vida cotidiana surgieran intereses políticos que diesen apoyo a relaciones de opresión y de dominio.

FORMACIÓN DEL CIUDADANO DE LOS OCHENTA

Huelga decir que la ideología dominante de ciudadanía no la imponen ni la aceptan automáticamente aquellos que toman posiciones por medio de sus discursos. A medio camino entre las necesidades que estos discursos intentan movilizar y las expresiones que finalmente asumen existe un terreno contradictorio de fuerzas mediadoras que cambian y modifican sus efectos y, en algunos casos, en realidad rechazan los intereses que llevaban como mira. Por ejemplo, las experiencias particulares de la vida cotidiana, las diversas formas de entender las cosas según el sentido común y una verdadera capacidad para el análisis crítico, a veces producen impresiones modificadoras de las ideologías dominantes, o acaso opuestas a éstas. De lo que se trata aquí es de reconocer que los efectos vividos de la ideología prevaleciente son siempre problemáticos y se los debe ver como objeto de investigación, en vez de meramente presuponerlos.

En el análisis que sigue sostendré que el poder de los medios para construir formas particulares de subjetividades y de ciudadanos reside en su capacidad para restringir el poder de otras consideraciones e imágenes, opcionales, en cuanto a lo que significa el ser un ciudadano. Esto, por ejemplo, es particularmente cierto en el caso de los niños que se han educado bajo el discurso de la cultura de masas y que nada saben de historia ni de otras formas de conocimiento. Tony Wagner, por ejemplo, nos hace notar que ciertas encuestas recientes revelan que la mayoría de los jóvenes de primero a tercero de secundaria creen que durante su vida va a ocurrir alguna forma de catástrofe mundial. Al mismo tiempo averiguó, gracias a sus debates con estudiantes de preparatoria de todas partes de Estados Unidos, que pocos de ellos opinaban que los adultos pudieran efectuar cambios en la democracia actuando como colectividad de ciudadanos. La cuestión está en que ninguno de estos alumnos había estudiado alguna interpretación de la historia en la cual las luchas sindicales, las de defensa de los derechos civiles o las pugnas feministas hubieran ejercido alguna influencia en cuanto a cambiar el rumbo de la historia humana. Además, todos estos estudiantes parecían incapaces de poner en tela de juicio una versión de la vida y la historia norteamericanas como la que sugiere una narrativa cultural ideal y carente de conflictos, una narrativa que en realidad oculta las contradicciones sociales que engendran formas de discriminación racistas, de clases específicas y hacia un determinado sexo.[24] Lo que resulta interesante en esta observa-

[24] Tony Wagner, "Educating for excellence on an endangered planet: peace studies refined", trabajo no publicado, Boston, Mass., 1986, 6 pp.

ción no es meramente la mezcla de desesperación y cinismo que demuestran los estudiantes, sino también el hecho de que casi ninguno de aquellos con los que habló Wagner pudo citar un solo ejemplo histórico en el que los ciudadanos, actuando juntos, hubieran generado cambios sociales importantes y mejorado la calidad de la vida. El estudio de Wagner arroja luz sobre las formas en que funciona la ideología dominante, a manera de organizar y legitimar las experiencias con el fin de que la gente quede situada dentro de una estrecha gama de discursos que limiten sus opciones en cuanto a producir otros puntos de vista y modos de ver el mundo.

A la educación ciudadana se la debe entender como una forma de producción cultural. Es decir, la formación de los ciudadanos ha de verse como un proceso ideológico por medio del cual nos experimentamos a nosotros mismos, a la vez que experimentamos nuestras relaciones con los demás y con el mundo, dentro de un sistema complejo y con frecuencia contradictorio de representaciones e imágenes. La educación ciudadana implica algo más que el simple análisis de los intereses que subyacen a formas particulares de conocimiento; interviene también en ella la cuestión de cómo funciona la ideología por medio de la organización de las imágenes, del espacio y del tiempo, para construir un tipo particular de sujeto y las relaciones particulares de sujeción o de dominio. Esto se ilustrará mediante un análisis de la reciente oleada de reformas educativas y por medio de las representaciones que de la ciudadanía surgen en la industria cinematográfica, así como en la de la televisión.

Escolaridad y lucha a partir de la educación ciudadana

Desde principios de los ochenta se ha presenciado una restructuración ideológica, tanto en las escuelas como en la sociedad en general, en torno al discurso de la ciudadanía. A este cambio lo caracteriza, por un lado, un lenguaje que se ha vuelto más conservador y nacionalista. Por el otro, la formación y regulación de la experiencia en torno a un concepto particular de ciudadanía, se está llevando a cabo en la actualidad de una manera más agresiva en las esferas culturales externas a las escuelas, y particularmente en un nuevo género de las películas de Hollywood, así como en los enfoques ideológicos que formula la programación televisiva.

Durante los últimos cinco años, la naturaleza y el carácter de la educación pública norteamericana ha sufrido un cambio ideológico de gran importancia. Este cambio se percibe de manera palmaria en la inercia que va adquiriendo el actual período de reforma educativa orientado a redefinir el propósito de la educación con el fin de eliminar la función cívica de ésta, en favor de una perspectiva de mercado definida dentro de límites muy estrechos. La esencia e implicaciones de esta postura las expresa muy bien Barbara Finkelstein:

Los reformadores contemporáneos parecen estar despojando a la educación pública de la misión utópica que tradicionalmente ha tenido, en el sentido de fomentar una ciudadanía crítica y comprometida que sea capaz de estimular el proceso de la transformación política y cultural, así como de refinar y extender los mecanismos de la democracia política... Todo parece indicar que los reformadores se imaginan a las escuelas públicas como instrumentos económicos, en vez de políticos. No forjan nuevas visiones de posibilidades políticas y sociales. En cambio, colocan a las escuelas públicas exclusivamente al servicio de la industria y de la cultura... Los reformadores han desarticulado sus llamamientos de reforma educativa, de aquellos que se hacen en busca de una redistribución del poder y la autoridad, así como del cultivo de formas culturales que ensalcen el pluralismo y la diversidad. Como si ya estuvieran cansados de la democracia política, los norteamericanos, por primera vez en los ciento cincuenta años de su historia, parecen estar dispuestos a efectuar una cirugía ideológica en sus escuelas públicas —cercenando por completo el vínculo que tienen con el destino de la justicia social y la democracia política, e injertándolas, por otro lado, con los intereses elitistas de las empresas, la industria, la milicia y la cultura.[25]

Lo que subyace al nuevo ataque conservador contra las

---

[25] Barbara Finkelstein, "Education and the retreat from democracy in the United States, 1979-198?", *Teachers College Record*, 86 (invierno de 1984), pp. 280-281.

reformas de la década pasada es un alejamiento respecto del concepto de vincular las escuelas con las cuestiones de equidad y justicia. Además, existe muy poca preocupación en cuanto a la mejor forma en que la educación pública pudiera ponerse al servicio de los intereses de diversos grupos de estudiantes, de manera que éstos lograsen comprender las fuerzas sociopolíticas que influyen en su destino y lograr algún control sobre ellas. De hecho, en las nuevas reformas educativas apenas si se hace mención del concepto de ciudadanía. En lugar de ello, se observa una preocupación por el patriotismo, que en este caso se hace sinónimo con los principios de la productividad económica y de la defensa nacional. Esto queda dolorosamente claro en uno de los documentos de reforma más importantes de los últimos diez años, *A nation at risk*. Con la mira de estructurar una justificación del apoyo público a la educación, en ese informe se aduce lo siguiente:

Hay otra dimensión del apoyo público, que ofrece la perspectiva de una reforma constructiva. El mejor vocablo para caracterizarla quizás sea simplemente la honrosa palabra de "patriotismo". Los ciudadanos saben intuitivamente aquello que algunos de los mejores economistas han demostrado mediante sus investigaciones: que la educación es uno de los principales motores del bienestar material de una nación... Los ciudadanos sienten también en su fuero interno que la seguridad de Estados Unidos depende principalmente del ingenio, la habilidad y el espíritu de un pueblo que se tenga confianza, hoy y mañana.[26]

Dentro de este discurso, con la preocupación que muestra respecto a los esquemas de responsabilidad, de prueba, de acreditación y de credencialización, la reforma educativa ha pasado a ser sinónima del hecho de convertir a las escuelas en "recursos de las empresas", así como en el de definir la vida escolar primordialmente en parámetros que midan la utilidad de dichos recursos, por lo que aportan al crecimiento económico y a la uniformidad cultural. En efecto, el

---

[26] The National Commission on Excellence in Education, *A nation at risk: the imperative for educational reform* (Washington, D.C.: United States Department of Education, 1983), p. 17.

cambio ideológico que se está elaborando mediante el actual movimiento de reforma de las escuelas apunta hacia una definición tan restringida de la escolaridad, que casi despoja por completo a la educación pública de una visión democrática en la que se preste consideración seria a las políticas de posibilidad y de ciudadanía. En otras palabras, la parte medular de este cambio ideológico constituye un intento por reformular el propósito de la educación pública en torno a un conjunto de intereses y relaciones sociales que definen el éxito académico casi exclusivamente en términos de los peores rasgos de la ideología dominante. En este caso, la educación, orientada a la autoformación y a la formación social, da paso a una perspectiva de la escolaridad reducida a los imperativos del autointerés empresarial, de la psicología industrial y de la uniformidad cultural. En la base de las relaciones sociales que dan forma interna a este concepto de la educación se halla una manera de ver al público como un agregado de consumidores que compiten entre sí y cuyo compromiso con la justicia, la libertad y la valía humana se definen primordialmente conforme a la lógica de consideraciones materiales y económicas. Lo que se ha perdido en esta perspectiva es una noción de la vida pública que adopte como principio organizador el lenguaje de la moralidad, del valor cívico y de la compasión social.

Resulta importante señalar que en el nuevo movimiento de reforma educativa el discurso de ciudadanía se ha reelaborado y reducido a un concepto de patriotismo vocingleramente más conservador. Así, las bases sobre las cuales tiene lugar la socialización política se han definido dentro de parámetros ideológicos más angostos. En este caso, surge una versión de educación ciudadana en la que los estudiantes rara vez se hallan frente a modos de conocimiento en los que se ensalcen las formas democráticas de vida pública, o que les proporcionen las habilidades que habrán de necesitar para efectuar un examen crítico de la sociedad en la que viven y trabajan. Bajo la tendencia predominante en la enseñanza y el aprendizaje —tendencia que en grado considerable es la que estructura la forma y el contenido de los planes de estudios de la mayor parte de las escuelas públicas—, se encuentran los principios de destreza, eficiencia y control.

Bajo la rúbrica de "calidad", el mayor reto que encara la reforma educativa, según el presidente Reagan, es el de elevar las calificaciones obtenidas en las pruebas de admisión a la escuela, matemáticas y verbales, en cuando menos cincuenta puntos en el transcurso de la próxima década. Esta argumentación lleva inherente una búsqueda de pedagogías que reafirmen la primacía de la autoridad tradicional por medio de un llamamiento a los modelos de responsabilidad tecnocrática. Dentro de esta perspectiva, la educación cívica ya no fomenta el desarrollo de ciudadanos que posean los atributos sociales y críticos como para mejorar la calidad de la vida pública. En vez de ello, a los maestros se les pide una vez más que alienten en sus alumnos el desarrollo de carácter, que les enseñen un sentido claro del bien y el mal, y que fomenten las habilidades del logro personal, las cuales, a su vez, se traducen en las virtudes del "trabajo arduo, la autodisciplina, la perseverancia, la industria, y el respeto por la familia, el aprendizaje y el país".[27] Este discurso invoca formas de autoridad institucional que poco dicen acerca de los aspectos de la equidad o la justicia social; constituye un punto de vista de la autoridad enraizado en un llamamiento no problemático a las reglas y a los imperativos de los éxitos de cada individuo. Dentro de este discurso no se habla, por ejemplo, de conflicto, ni se mencionan las "confusas" relaciones sociales del sexismo, el racismo y la discriminación de clases que subyacen en las relaciones escolares y del aula. Es el discurso de la armonía incómoda, aquel que suaviza los conflictos y contradicciones de la vida diaria haciendo un llamamiento a la tradición de la enseñanza y al desarrollo del carácter. Bajo este llamado a la armonía y la tradición se hallan una política de silencio y una amnesia ideológica. Es una pedagogía de chovinismo adornada con la jerga de los "grandes libros", que presenta un punto de vista de la cultura y de la historia como si éstas fueran una telaraña inconsútil, un almacén de grandes artefactos culturales. No hay en esto una política democrática de diferencia, puesto que den-

---

[27] Gary L. Bauer, "Teaching virtue", discurso ante la 50a Convención de la National Federation of McGuffey Societies, Miami University, Oxford, Ohio, 11 de mayo de 1986, p. 4.

tro de esta manera de ver las cosas, a la diferencia rápidamente se la etiqueta como un déficit, como "lo otro", como desviación que requiere de atención y control psicológicos. Mientras tanto, a los lenguajes, culturas, legados históricos de las minorías, de las mujeres, de los negros y de otros grupos subordinados, se los silencia bajo la rúbrica de la enseñanza de la versión dominante de la cultura y la historia norteamericanas, cual si con ello se realizara un acto de patriotismo. Dentro de este lenguaje, el llamamiento a las virtudes de antaño va acompañado por un llamado similar a la pedagogía de viejo cuño. Los maestros simplemente tienen que enseñar este almacenamiento de riqueza cultural; a los alumnos se les tiene que vigilar, examinar y medir de manera regular, con objeto de cerciorarse de que están logrando éxito, y los logros escolares se evalúan y despliegan en un conjunto vertiginoso de puntuaciones numéricas que se publican mensualmente en el periódico de la localidad. Claro está que nada se va a mencionar sobre las tasas del 70 al 80% de deserciones por parte de los alumnos puertorriqueños de los centros urbanos, ni de la tasa de 48% de los negros que abandonan la escuela o respecto al 65% de los indios estadunidenses que hacen lo propio. En este tipo de pedagogía tampoco se va a decir nada sobre aquellos maestros que se hallan sobrecargados de obligaciones a causa de las deplorables condiciones laborales, sobre los alumnos que se ven silenciados por administradores y maestros que opinan que aquéllos no cuentan, ni sobre los padres de los grupos subordinados que se ven ignorados por las administraciones escolares porque carecen de la debida aceptación cultural.

Tras el hincapié en el desarrollo del carácter y el patriotismo, que se hace en el nuevo movimiento de reforma de la educación, se encuentra el espectro de una ideología hegemónica que encomia el papel que desempeñan el experto, la racionalidad tecnocrática y una ética de guerra fría. Lo que resulta notable acerca de la nueva filosofía pública es que ésta contribuye a la elaboración de un conjunto de valores que subyacen a una versión del patriotismo que es fuertemente coherente con lo que Daniel Yankelovich llama nuestra filosofía social prevaleciente. Ese autor escribe:

La mejor forma de definir a la filosofía dominante que sostienen aquellos expertos de quienes más dependemos —economistas, analistas de la defensa, banqueros, industriales, periodistas, funcionarios gubernamentales— es decir que se trata de un sentido de la realidad basado en los "misiles y el dinero". En esta filosofía se supone que aquello que en realidad cuenta en este mundo es el poder militar y las realidades económicas, y que todo lo demás son sentimentalismos. Ha restringido sobremanera el dominio de lo real y ha transformado los grandes dilemas políticos y morales de nuestra época en estrechas cuestiones técnicas que encajan en el campo propio de la experiencia de los expertos. Este proceso de tecnificación de las cuestiones políticas las vuelve inaccesibles a la comprensión y al juicio públicos, porque el público existe precisamente en el dominio de la realidad que es excluida.[28]

Dentro del actual movimiento de reforma educativa, la lógica del autointerés, aunada a una racionalidad que coloca el conocimiento y el aprendizaje dentro de un marco lingüísticamente técnico, ha pasado a ser la marca de excelencia mediante la cual se define en Estados Unidos el significado de la "educación cívica". En este contexto, los alumnos aprenden poco acerca del lenguaje de comunidad y de asociación pública, de cómo crear y afirmar la narración de sus propias existencias, junto con las de otras personas que pertenecen a distintos ámbitos culturales, raciales y sociales, o de la forma en que se puedan equilibrar sus intereses propios como individuos con aquellos que atañen al bien público. La justicia queda fuera de la gama crítica de la nueva filosofía pública y de las formulaciones pedagógicas que la acompañan. Lo cierto es que la nueva filosofía pública poco tiene que ver con la educación cívica en el sentido emancipatorio de la práctica, que es aquel que hace hincapié en el aprendizaje cívico y en la responsabilidad pública como parte de la lucha por desarrollar capacidades humanas y formas sociales que extiendan, en vez de disminuir, las nuevas posibilidades de vida pública democrática; por el contrario, bajo el rubro de desarrollo del carácter y la regulación moral, dicha filosofía constituye la base para planes de estu-

---

[28] Daniel Yankelovich, "How the public learns the public's business", *Kettering Review* (invierno de 1985), p. 11.

dios que dan carácter sagrado a las virtudes del individualismo posesivo, la lucha por obtener ventajas y la legitimación de formas de conocimiento que restringen la posibilidad de la comprensión y la acción políticas. Cuando se invoca el lenguaje de la responsabilidad moral, como lo ha hecho, por ejemplo, el ex secretario de Educación William Bennet, con frecuencia se lo trivializa o se lo emplea como arma para reprender a aquellas tendencias ideológicas con las que está en desacuerdo. La práctica moral se vuelve importante para encarar el problema de las drogas que tenemos en las escuelas públicas de nuestra nación, o para fustigar al profesorado liberal en aquellos "bastiones del radicalismo" tales como la universidad de Harvard. Al mismo tiempo, a la práctica moral se la exorciza como base para abordar los casos de sufrimiento y desesperación que con frecuencia convierten a las escuelas en almacenes, zonas muertas y espacios, si se quiere decir así, para las minorías raciales y de clase. Este gobierno invoca el lenguaje de la moralidad para trivializarlo, para silenciar a los críticos de la sociedad, para amonestar la práctica intelectual crítica y para reducir a los maestros y educadores a porteros morales de un evangelismo al estilo reaganiano. Se debe señalar que éste no es el lenguaje del desarrollo del carácter, sino más bien el lenguaje del subdesarrollo del carácter, y tampoco nos hallamos tanto ante la práctica del desarrollo moral como frente a la práctica del autoritarismo moral. En parte, esto se puede ver en el intento, por parte de la administración Reagan, de otorgarle apoyo moral y político a Joe Clark, que es el director de la Eastside High School de Nueva Jersey. Clark obtuvo el apoyo de Bennett, así como de otros funcionarios, cuando puso en marcha un buen número de políticas escolares que al parecer hallaron eco en el gobierno de Reagan gracias al punto de vista que éste tiene en cuanto al liderazgo y la disciplina educativas. Una de las primeras cosas que hizo Clark fue dar a conocer su filosofía educacional mediante un letrero que puso en la puerta de su oficina: "Sólo hay una forma —la mía". Perfectamente coherente con esta actitud, Clark andaba por los corredores de su escuela, altavoz en mano, asaltando verbalmente a los alumnos que violaban o criticaban las políticas que había impuesto. Suspendió a centenares de estudiantes tildados de buscabullas, y cuando se le preguntó por qué se negaba a notificar al consejo escolar la suspensión de por lo menos sesenta alumnos, Clark replicaba con el siguiente argumento: "Estoy harto de parásitos, sanguijuelas y mutantes que nada quieren hacer por su propio mejoramiento." No menos dictatorial es la relación que Clark ha sostenido con los miembros de su personal docente. Ha intentado disciplinarlos denunciando por el sistema de sonido a algunos de los que discrepan con él, y ha amenazado con deshacerse de cualquier maestro que esté en desacuerdo con sus políticas. La relación de Clark con la Patterson Education Association es igualmente controvertida. En cierto informe se indicaba que "los representantes de la PEA han sido injuriados y se les ha llamado 'bastardos pusilánimes y cobardes', y uno de ellos, negro al igual que Clark, fue tachado de ser 'mitad hombre negro'".[29] La manera en que Clark enfoca la enseñanza parece ser congruente con su noción de liderazgo y queda parcialmente de manifiesto por medio de su hábito pedagógico de enseñar una nueva palabra de vocabulario por el sistema de altavoces de la escuela, todos los días. Clark defiende esta práctica aduciendo que los jóvenes negros e hispanos tienen que ganarse sus diplomas mediante un riguroso adiestramiento académico. Más recientemente, ha sido criticado por el Consejo de la escuela y también encara un posible juicio ante los tribunales por haber cerrado con cadenas las salidas de emergencia de la escuela en caso de siniestro, para impedir, según él, las actividades de vendedores de drogas y alborotadores.

¿Qué debemos pensar de un gobierno que otorga apoyo moral e intelectual a ínfimos demagogos educacionales del jaez de Joe Clark? Y de manera similar, ¿qué habremos de inferir de los actos que ha cometido la administración Reagan contra Patricia Lara, conocida periodista colombiana

[29] La filosofía de la educación de Clark, y los comentarios que ha hecho este autor, han sido ampliamente difundidos en la prensa popular. Para un comentario crítico sobre Clark, así como un compendio de los comentarios que más públicamente se le han citado, véase Stan Karp, "Tests and bullhorns", *Radical Teacher* (junio de 1986), pp. 11-15. El apoyo que el gobierno de Reagan le brindó a Clark resultó ser excesivo aun para algunos de sus más fervientes partidarios. Véase, por ejemplo, Albert Shanker, "Teaching to the tune of a bullhorn", *The New York Times* (17 de enero de 1988), p. 7.

que ha criticado la política estadunidense hacia América latina? Lara fue detenida y se le impide entrar a Estados Unidos bajo el pretexto de que "podría dedicarse a actividades subversivas". El hecho de que se nos presente a Joe Clark como un modelo de liderazgo administrativo, y las razones para la detención de Lara, nos proporcionan indicios importantes en cuanto a la forma en que el actual gobierno considera a los intelectuales —maestros, alumnos y otras personas que trabajan con las ideas y cumplen una función social que resulta esencial en cualquier sociedad libre. Estos acontecimientos, aparentemente insignificantes, no debieran ser tomados a la ligera por parte de los maestros y otras personas que estén convencidas de que el mejor aprendizaje ocurre en un medio de libre flujo de las ideas, y que la propia democracia es cuestión medular para que se efectúe tal intercambio.

En realidad, la nueva filosofía pública "posiciona" a los estudiantes dentro de un lenguaje de ciudadanía que representa una forma profundamente nociva de educación anticívica. Dentro de esta filosofía educacional, intervienen relaciones de poder en la distribución y legitimación de formas particulares de conocimiento, así como en la manera de organizar el tiempo y el espacio, a modo de educar al cuerpo y estructurar el tipo de carácter moral que acepta las virtudes de la pasividad, la obediencia y la puntualidad como normales y deseables. La sujeción a un tipo particular de autoridad y dominio se vuelve normalizada, por así decirlo, por medio de las rutinas diarias de la organización escolar y el aprendizaje en el aula. Bajo estas circunstancias no resulta difícil entender por qué la mayoría de los norteamericanos ni siquiera se toman la molestia de votar cuando hay elecciones nacionales. La política, aun definida en su más mínima expresión, no posee valor alguno como actividad o esfera públicas.

El patriotismo es actualmente una palabra clave, no sólo para la inculcación de conocimientos políticamente aceptables, sino también para administrar las necesidades y deseos dentro de formas de sociabilidad que contribuyan a estructurar patrones de hábito y carácter que sean congruentes con los intereses del estado. En la lógica del nuevo patriotismo, la racionalidad y la formación del carácter han pasado a ser consideraciones centrales para el desarrollo de formas de pedagogía mediante las cuales se eduque a las generaciones de los futuros ciudadanos. En muchos sentidos, el evangelismo que constituye la otra cara moral de la nueva filosofía pública se hace patente en un discurso que dio Ronald Reagan ante la Asociación Nacional de Evangelistas [*National Association of Evangelicals*] en 1984.

Veíamos los signos a todo nuestro alrededor. Años atrás, la pornografía, aun cuando era posible conseguirla, en su mayor parte se vendía "a trasmano". Hacia mediados de los años setenta ya se podía comprar prácticamente en cualquier farmacia del país. Antes, el consumo de drogas ocurría sólo entre un número limitado de adultos. Durante las décadas de 1960 y 1970, se extendió por toda la nación como una plaga, y afectó a niños al igual que a adultos. Gracias a las actitudes liberales, la promiscuidad se consideró como cosa aceptable, e incluso de buen gusto. De hecho, la propia palabra vino a remplazarse por la expresión "sexualmente activo"... Pero el Todopoderoso, que nos dio esta magnífica tierra, también nos concedió el libre albedrío —la facultad, sometida al designio divino, de escoger nuestro propio destino. El pueblo norteamericano decidió poner fin a ese prolongado declinar, y hoy nuestro país está presenciando un renacimiento de la libertad y de la fe —una gran renovación nacional.[30]

El patriotismo de celuloide en las películas de Hollywood y en la programación de la televisión

El punto de vista reaccionario sobre el patriotismo, que ha pasado a formar parte del movimiento de reforma educativa tanto en el plano estatal como en el federal de gobierno, halla su concepto correspondiente en un creciente número de películas de Hollywood y de programas de televisión. Estos últimos participan activamente en la conformación de un punto de vista de ciudadanía que encaja perfectamente con la ideología del nacionalismo y chovinismo de nuevo cuño. El patriotismo de celuloide es la tela cultural de donde habrá

---

[30] Citado en Marshall Blonsky, "Introduction: the agony of semiotics", p. xxxiii.

que cortar para que tengamos a los hombres, hijos y mujeres obedientes, "realmente norteamericanos" y que saben cuál es su lugar dentro de la sociedad. Dentro de estas elaboraciones ideológicas particulares, a los auditorios se los coloca dentro de una perspectiva cultural de Estados Unidos que halla ecos en los tres discursos entrelazados que denominaré de la manera siguiente: el nuevo anticomunismo, el síndrome del hijo obediente y el surgimiento de un nuevo varón.

Antes de adentrarnos en estos tres discursos ideológicos es importante recalcar que cualquier exposición sobre los medios de comunicación masiva debe tener como premisa el rechazo de las definiciones de ideología marxistas, ortodoxas y clásicas. En este caso, deseo sostener que la ideología no se puede reducir al caso determinante de lo económico, ni tampoco se puede definir de manera reductora como un simple ejemplo de "falsa toma de conciencia". No, la ideología necesita ser definida como la propia producción de significado, según queda éste estructurado y expresado en ideas, relaciones sociales, prácticas significativas, y dentro y por medio de la construcción de la experiencia. Vale la pena repetir lo que han dicho Judith Newton y Deborah Rosenfelt acerca de este concepto de ideología:

Lo que esto quiere decir... es que "la ideología no es necesariamente una expresión directa de los intereses de la clase [o el sexo] gobernante en todos los momentos de la historia, y que en ciertas coyunturas incluso puede desplazarse hacia contradicciones con esos intereses". Así, pues, la ideología no es un conjunto de distorsiones deliberadas que se nos impongan desde arriba, sino un sistema complejo y contradictorio de representaciones (discurso, imágenes, mitos) por medio de las cuales nos experimentamos también a nosotros mismos, puesto que la labor de la ideología es igualmente la de elaborar sujetos coherentes: "así, el individuo vive su sujeción (del sujeto) a estructuras sociales como una subjetividad (del sujeto) coherente, como una totalidad imaginaria".[31]

De manera similar, cuando sostengo que a los espectado-

---

[31] Judith Newton y Deborah Rosenfelt, "Toward a materialist-feminist criticism", en *Feminist criticism and social change*, J. Newton y D. Rosenfelt, comps. (Nueva York: Methuen, 1985), p. xix.

res se los "coloca" dentro de un discurso en particular, no estoy sugiriendo que éstos absorban directamente el mensaje ideológico que trasmite alguna película o práctica significativa en particular. Lo que argumento, por el contrario, es que la producción y reproducción de significado y de valores representa una elaboración ideológica tanto de sociabilidad como de subjetividad, una práctica significativa "que produce efectos de significado y de percepción, autoimágenes y posturas subjetivas de todos los que intervienen, de elaboradores y espectadores, y, por consiguiente, que resulta en un proceso semiótico en el cual el sujeto queda constantemente encarado a la ideología, así como representado e inscrito en ella".[32] Y sin embargo, aun cuando en una experiencia ideológica los espectadores siempre son intermediarios, *no lo son* desde una postura históricamente inocente. Por ejemplo, la imagen de las mujeres como objeto del deseo masculino se produce y refuerza, dentro de los medios de masas, valiéndose de un poderoso conjunto de ideologías patriarcales de gran envergadura. La influencia histórica de esta ideología patriarcal no sólo limita la forma en que las mujeres son conceptualizadas en las películas, por ejemplo, sino que limita igualmente el modo en que los auditorios median y responden ante esas imágenes. Expresado de manera más sencilla, las ideologías no simplemente se implantan en la subjetividad de los espectadores, sino que, a la vez que la respuesta de éstos puede ser históricamente abierta, las opciones que uno tiene se elaboran y limitan históricamente.[33]

[32]Teresa de Lauretis, *Alice doesn't: feminism, semiotics and cinema* (Bloomington: Indiana University Press, 1984), p. 37.

[33] De Lauretis aduce que las imágenes que se presentan en las películas producen contradicciones en los procesos y las subjetividades sociales. Y a continuación plantea una serie de preguntas importantes que proporcionan un punto de partida pedagógico para explorar estas cuestiones: "¿Mediante qué procesos las imágenes de la pantalla producen a los espectadores imágenes mentales sobre ella y fuera de ella, y les articulan el significado y el deseo? ¿Cómo se perciben las imágenes? ¿Cómo vemos? ¿Cómo atribuimos significado a lo que vemos? Y estos significados, ¿permanecen vinculados a las imágenes? ¿Qué sucede en el caso del lenguaje? ¿O del sonido? ¿Qué relaciones guardan el lenguaje y el sonido con las imágenes? Además de imaginar, ¿nos formamos también imágenes? ¿O se trata de la misma cosa? Y luego, claro, nos tenemos que preguntar: ¿qué factores históricos intervienen en la formación de imágenes? (Entre los factores históricos podrían figurar los discursos sociales, la codificación de géneros, las expectativas del auditorio, pero también la producción,

Hay cierto número de películas, como *Rambo, Rocky IV, White nights, Red dawn, Invasion U.S.A.* y *Moscow on the Hudson*, que se han estructurado en torno al discurso del anticomunismo. En estos filmes, el mundo por lo general se divide entre quienes aman la libertad y aquellos que no la aman. En los ejemplos citados, las imágenes, la edición de la película y el ritmo de las secuencias son más ingeniosos de lo que eran estos aspectos en las cintas semejantes de los cincuenta, pero los intérpretes son los mismos —la batalla se libra entre el mundo libre, encabezado por Estados Unidos, y los comunistas, representados por los soviéticos. Casi sin excepción, las exageraciones que estructuran a estas películas eliminan las complejidades de los acontecimientos y las historias que trasmiten. De manera similar, exhiben una postura condescendiente animada por un evangelismo moral que se aproxima a las exigencias de las Cruzadas. En estas películas queda muy claro lo que significa ser un ciudadano y un patriota: es ser un hombre que esté dispuesto a luchar contra las hordas que carecen de dios, con el fin de salvar todo aquello que es decente en el mundo "libre". En esto no hay opciones, ni tampoco se plantean reservas en cuanto a la interrelación entre los medios y los fines. La violencia de Rambo, el imperioso y estoico impulso de venganza de Rocky, la manera patológica en que Chuck Norris se quiere hacer el simpático mientras mutila a incontables enemigos, son aspectos, todos ellos, que tienen lugar contra una forma de comunismo en el que a los soviéticos se les pinta como menos que seres humanos. En *Rocky IV*, por ejemplo, al héroe pugilista, Drago, se lo pinta como un robot despiadado, lleno de esteroides y programado para ganar, así como para matar. De manera similar, en la película *White nights*, el agente de la KGB que determina el destino de Raymond, el norteamericano negro que desertó del ejército y se unió a los rusos, es un Mefistófeles político cuya crueldad sólo es igualada por su ciega devoción a los valores ideológicos del estado totalitario. Y así sucesivamente. En estas cintas, la des-

los recuerdos y la fantasía inconsciente.) Finalmente, ¿cuáles son las 'relaciones productivas' de la formación de imágenes en el terreno de la creación de películas y de contemplación de las mismas, es decir, en la calidad de espectador? —y ¿productivas de qué?, ¿productivas de qué modo? (*Ibid.*, p. 39.)

humanización tiene sus recompensas. No sólo funcionan a manera de posicionar a los espectadores dentro de una lógica que haga fácil ensalzar las ideologías del militarismo, el nacionalismo y el machismo, sino que además encarnan un proyecto cultural que efectúa una nueva interpretación de la historia remota, con la intención de aportar soluciones a crisis persistentes, a modo de limpiar cualesquiera dudas que aún queden en cuanto a la integridad de la política interna y externa norteamericana. Claro está que esto ofrece un ejercicio catártico colectivo para quienes necesitan ser redimidos, pero también representa la muerte de la conciencia histórica crítica, y, a las generaciones que se hallan a décadas de distancia de un suceso como la guerra de Vietnam, las ayuda a fomentar una poderosa forma de amnesia histórica. Naturalmente, algunas de estas películas contienen lo que a primera vista parecen ser contradicciones ideológicas progresistas. Rambo, por ejemplo, no sólo odia a los rusos, sino que también desdeña a la nueva ralea de burócratas de la inteligencia gubernamental con orientación hacia la computadora. Pero estas contradicciones quedan anuladas por medio de una gramática ideológica más profunda. En el caso de Rambo, su odio hacia las nuevas computadoras y los burócratas moralmente débiles, simplemente refuerza la imagen de su bondad moral preindustrial, su representación de las virtudes de una tradición que ya hace mucho tiempo que se perdió en Estados Unidos: aquella que en la actualidad representan los émulos de los dirigentes nacionales tales como Reagan, Weinberger y Bennett (Rambos de camisa blanca y traje azul).

La segunda categoría de película que promueve una forma de patriotismo de celuloide no se apoya tanto en la ideología del anticomunismo como en el elogio de ciertos rasgos que constituyen la versión del carácter y la virtud masculina "reales", según la ideología dominante. Éste es el material [*stuff*] que interviene en la formación del carácter, esto es, del "americanismo", a la manera de la cinta *The right stuff*. En los films tales como *Top gun* y *Iron Eagle* surge una nueva forma de adolescente/hombre, conformado por los *yuppies* militares de la década de 1980, los jóvenes cadetes que están decididos a poner las cosas en claro en cuanto al

papel que les corresponde desempeñar a los jóvenes norteamericanos, así como respecto a lo que significa amar al país
y regresar a la casa del padre. La trama de *Iron Eagle* se basa
en un piloto de *jet* norteamericano que es derribado y sometido a juicio por haber violado el espacio aéreo de una nación
del norte de África (Libia). Cuando el Departamento de Estado y el ejército se niegan a tomar medidas para rescatar al
piloto, el hijo adolescente de éste se confabula con un coro-
nel negro para robar un par de aviones F-16 y encargarse
ellos mismos del asunto. En la película se le da un nuevo giro
a la resistencia. En vez de desafiar la lógica del militarismo,
los jóvenes que figuran en esta cinta la respaldan, a través de
lo que parece ser un acto de superpatriotismo. Pero es una
resistencia que da resultado. Al final, papá es rescatado y su
hijo, Doug, es aceptado en la Academia de la Fuerza Aérea,
aun cuando tiene notas bajas. Claro que el hecho de que
Doug esté dispuesto a correr riesgos, así como a aliarse con
un miembro de un grupo subordinado, son aspectos que
encuentran eco entre ciertos auditorios. Pero el verdadero
atractivo de alta tecnología que aporta Doug es la introducción de música rock en la película. Todo parece indicar que
Doug no puede dar en un blanco a menos que tenga a James
Brown a todo volumen en el tocacasetes del F-16. El patriotismo de ala derecha no le tiene temor a integrar en su lógica
a la cultura popular.

Top gun trata también acerca del desarrollo del carácter y
el patriotismo entre ciertos jóvenes que han decidido resistir
por el bien de la *pax americana*. En este caso, el patriotismo
destaca la importancia de la competencia, del hiperlogro, y
de una forma de excelencia que ignora por completo todo
vestigio de comunidad y de solidaridad. La trama gira en
torno a un piloto y el amigo de éste, que son enviados a la
escuela más importante de la nación para adiestrarse en los
armamentos de los cazas de combate, en 1968. La expresión
top gun se refiere a la más alta recompensa pedagógica que
ofrece la escuela al piloto que obtenga las mejores notas de
la clase. El aprendizaje, en este caso, consiste en prepararse
para el combate, y gira en torno a unos jóvenes que enmarcan sus deseos sexuales alrededor de un cariño por la tecnología de los aviones a chorro de alta potencia, que hablan de

que "se les para" cuando ven a los *jets* en acción, y que aprenden a integrar todo vestigio de ética y de libre albedrío en la lógica de "hay que hacer el trabajo". En esta película se ensalza el modelo de la autoridad militar. El patriotismo y la ciudadanía giran en torno al amor por las máquinas bélicas, el respeto firme a la autoridad de los padres y un resentimiento profundo hacia cualesquiera formas de sociabilidad que socaven las virtudes de la competencia y el logro individual. En las películas como *Top gun* las mujeres son personajes de segunda categoría, que aparecen sin cara, sin sexo, y se entiende que se puede prescindir de ellas. Si acaso su presencia sirve para algo, es para sugerir que los hombres de la película son heterosexuales, a pesar del odio y la indiferencia que globalmente demuestran hacia las mujeres.

En muchos aspectos, la forma denigrante en que se retrata a las mujeres dentro del discurso del nuevo patriotismo queda reflejada en el resurgimiento del nuevo varón en muchas de las recientes series de televisión. El nuevo macho que aparece en los programas de televisión tales como *Miami Vice*, *Cheers*, *Remington Steele* y *Moonlighting* representa el retorno y la legitimación de un chovinismo no reconstruido. Tal como lo señala Peter J. Boyer, el nuevo varón norteamericano es

espontáneo, decidido, seguro de sí mismo. En la representación dramática de acción, sus antagonistas son sencillamente malos, y el héroe se ocupa de ellos conforme a este concepto: primero dispara y luego examina sus sentimientos, si es que llega a hacerlo. En la comedia, es un mujeriego.[34]

Aun cuando esta perspectiva no aborda directamente los temas relacionados con el patriotismo, lo que sí hace es reconstruir relaciones sociales en torno a formas de patriarcado y chovinismo que son esenciales para la noción de ciudadanía que actualmente las derechas están movilizando en los medios electrónicos. La ciudadanía, en este caso, conjunta un llamamiento a los valores tradicionales con una

[34] Peter J. Boyer, "TV turns to the hard boiled male", *The New York Times*, 16 de febrero de 1986, p. 1.

ideología que legitima un hipernacionalismo al estilo Reagan. Además, refuerza un regreso a formas de autoridad institucional que se niegan a tolerar la disensión, a la vez que fomentan relaciones sociales en las cuales se combinan el chovinismo y el sexismo, para redefinir el significado de la masculinidad y del poder.

Antes de abordar algunas cuestiones teóricas generales concernientes al desarrollo de una teoría crítica de la educación ciudadana, es importante reiterar que no por el hecho de que yo haya criticado ciertos intereses, por ser parte de la ideología de ciudadanía que predomina en la escuela y en los medios de comunicación masiva, ello deba sugerir que tales intereses ideológicos se absorben de manera relativamente simple y directa. En muchos sentidos, la ideología dominante sencillamente se hace eco de necesidades y experiencias que no sólo son ambiguas, sino que contienen también elementos de esperanza, de potenciales perdidos y de sueños frustrados. En algunos casos, las ideologías que caracterizan a las películas que he mencionado hablan de la necesidad de reafirmación, de la necesidad de tener voz y de crear figuras de tamaño superior al humano que articulen la frustración y la desesperación que experimentan muchas de las personas de nuestro país. La cuestión estriba, claro está, en que, por importante que sea el hecho de que dichas películas revelen los aspectos mistificantes de la cultura dominante, esto no se lleva lo suficientemente lejos. Una pedagogía verdaderamente crítica pondría también al descubierto las posibilidades, las necesidades y las esperanzas latentes que apuntan hacia la posibilidad de un análisis y una lucha más profundas.

POR EL BIEN DE LA DEMOCRACIA, ES PRECISO RECUPERAR
LA EDUCACIÓN CIUDADANA

Quiero terminar destacando una vez más y ampliando algunas de las consideraciones teóricas para el desarrollo de una teoría crítica de la educación cívica (cuyos aspectos específicos se abordarán en lo que resta del libro). Es medular, para una política y pedagogía de la ciudadanía crítica, la necesidad de reconstruir un lenguaje visionario y una filosofía pública que coloquen a la igualdad, la libertad y la vida humana en el centro de las nociones de democracia y ciudadanía. Hay cuatro aspectos de este lenguaje que merecen cierta consideración. En primer lugar, es importante que nos demos cuenta de que el concepto de democracia no se puede fundamentar en alguna noción ahistórica y trascendente de la verdad o la autoridad. La democracia es un "lugar" de lucha, y como práctica social adquiere forma propia mediante los conceptos ideológicos de poder, política y comunidad, que se hallan en competencia entre sí. Es importante reconocer esto, porque ayuda a redefinir el papel que desempeña el ciudadano como agente activo, en el cuestionamiento, la definición y la conformación de la relación que uno guarda con la esfera política y con el resto de la sociedad. Tal como lo han expresado Laclau y Mouffe, el concepto que introduce la sociedad democrática es que

la referencia a un garante trascendente desaparece, y con ella la representación de la unidad sustancial de la sociedad... Así, queda abierta la posibilidad de un proceso interminable de cuestionamiento: no hay ley que no se pueda perfeccionar, cuyos dictados no queden sujetos a debate, o cuyos fundamentos no se puedan poner en tela de juicio... La democracia da paso a la experiencia de una sociedad que no puede ser aprehendida ni controlada, en la cual se proclamará soberano al pueblo, pero en la cual su identidad jamás se dará de manera definitiva, sino que permanecerá latente.[35]

En esta postura está implícito un desafío, tanto al concepto liberal como al de derecha, del concepto de lo político. Es decir, la noción de lo político no se reduce al acento que ponen los liberales en cuanto a seguir las reglas de la legalidad y de los procedimientos administrativos. Y tampoco se reduce al punto de vista derechista en el sentido de que la política es un asunto privado cuyo resultado poco tiene que ver con la defensa de la economía de mercado libre y con una

[35] Ernesto Laclau y Chantal Mouffe, *Hegemonía y estrategia socialista* (Madrid: Siglo XXI, 1986), pp. 186-187.

definición individualista de los derechos y la libertad. Pero es importante recalcar que al redefinir la noción de lo político, la izquierda no puede simplemente rechazar de entrada la reciente convergencia de los puntos de vista que sobre la democracia han adoptado los neoliberales y los derechistas. En vez de ello, lo que debe hacer es "profundizarla y expandirla [la ideología liberal-democrática] en la dirección de una democracia radicalizada y plural".[36] Según Laclau y Mouffe, esto significa admitir la importancia de aquellos antagonismos fundamentales que existen entre las mujeres, diversas minorías raciales y sexuales y otros grupos subordinados que han abierto espacios políticos radicalmente nuevos y distintos, alrededor de los cuales se puede ejercer presión para extender los derechos y el discurso democráticos. El surgimiento de estas nuevas pugnas democráticas nos viene a demostrar la necesidad de una nueva perspectiva, revitalizada, del significado y la importancia del concepto de lo político. Benjamin Barber ha reforzado este punto de vista argumentando, correctamente, que la izquierda norteamericana tiene que fundamentar la noción de lo político en las tradiciones históricas que revelan el poder subversivo y dignificante del discurso democrático, a la vez que apoyan la importancia abarcadora de la autonomía del discurso político para comprender los aspectos importantes de nuestra vida diaria e influir en ellos. Dice:

La otra opción [que tiene la izquierda] es una revitalización de la autonomía de la política, así como de la soberanía de lo político por encima de los demás dominios de nuestra existencia colectiva. La tradición que produjo la Constitución norteamericana entendía que la igualdad cívica era la igualdad determinante. Conforme a esta tradición, mediante la política se puede rehacer el mundo, y el acceso a lo político, la igualdad política y la justicia política son los medios para alcanzar la igualdad económica y social. Las mejores armas de la izquierda siguen siendo la Constitución norteamericana y la tradición política democrática que ésta ha auspiciado.[37]

---

[36] *Ibid.*, p. 199.
[37] Benjamin Barber, "A new language for the left", *Harper's Magazine* (noviembre de 1986), p. 50.

Aun cuando Barber es demasiado moderado en cuanto a la naturaleza problemática del hecho de apoyarse en la Constitución de Estados Unidos como texto para la democracia radical (a pesar de lo que diga Robert Bork), sí reconoce que a la democracia se la tiene que ver como un movimiento social activo y basado en relaciones de poder ideológicas e institucionales que exigen una política vigorosa y participativa, impregnada de las tradiciones de una democracia jeffersoniana. Con objeto de volver a poner en el orden del día un concepto radical de democracia, la izquierda necesita desarrollar una vez más una noción de ciudadanía activa, que se pueda hacer prosperar enérgicamente frente a los portavoces liberales y conservadores "que instan a una mayor moderación de la democracia y a tomar medidas para que la población regrese a... un estado de apatía y pasividad, para que la 'democracia', en el sentido que ellos prefieren, pueda sobrevivir".[38] Para expresarlo en terminología radical, una ciudadanía activa no reduciría los derechos democráticos a la mera participación en el proceso de la votación electoral, sino que extendería la noción de los derechos a la participación en la economía, el estado y otras esferas públicas. Thomas Ferguson capta este sentimiento cuando observa que

los prerrequisitos de la democracia efectiva no son realmente el registro automático de los votantes o la votación del domingo, aun cuando estos aspectos resultarían útiles. Pero no, la base real de una democracia eficaz la constituyen fuerzas institucionales más profundas: sindicatos prósperos, fácil acceso a otros partidos, medios de difusión baratos y una red pujante de cooperativas y organizaciones comunitarias.[39]

En segundo lugar, un lenguaje radical de ciudadanía y democracia trae aparejado el fortalecimiento de los vínculos horizontales entre ciudadano y ciudadano. Esto exige una política de diferencia en la que se reconozcan las demandas, las culturas y las relaciones sociales de los diversos grupos,

---

[38] Noam Chomsky, *Turning the tide* (Boston: South End Press, 1985), p. 223.
[39] Citado en *ibid.*, p. 222.

como parte del discurso del pluralismo radical. Como una forma de este último, la categoría de la diferencia no queda reducida al individualismo posesivo del sujeto autónomo que se halla en el núcleo de la ideología liberal. Por el contrario, una política de diferencia, dentro de esta forma de pluralismo, se fundamentaría en diversos grupos sociales y esferas públicas cuyas voces y prácticas sociales singulares contienen sus propios principios de validez, al tiempo que comparten una conciencia y discurso públicos. En esta forma de pluralismo radical es de importancia primordial una filosofía pública que reconozca las fronteras entre los distintos grupos, el yo y los otros, y que al mismo tiempo cree una política de confianza y solidaridad que dé sostén a una vida común basada en principios democráticos que generen las precondiciones ideológicas e institucionales tanto para la diversidad como para el bien público.[40]

Y esto me lleva a mi tercera consideración. Un discurso de la democracia, revitalizado, no se debe basar exclusivamente en un lenguaje de crítica; aquel que, por ejemplo, limita su enfoque a las escuelas, eliminando las relaciones de subordinación y de desigualdad. Ésa es una preocupación política importante, pero tanto desde el punto de vista teórico como del político, resulta lamentablemente incompleta. Como parte de un proyecto político radical, el discurso de la democracia también requiere de un lenguaje de posibilidad, un lenguaje en el que se conjugue una estrategia de oposición con otra estrategia orientada a la construcción de un nuevo orden social. Tal proyecto representa simultáneamente una lucha concerniente a la tradición histórica, a la vez que la construcción de un nuevo conjunto de relaciones sociales entre el sujeto y la comunidad en general. Para decirlo de manera más específica, los demócratas radicales necesitan situar la lucha por la democracia dentro de un proyecto utópico; un proyecto que presuponga la visión del futuro fundamentada en un lenguaje programático de responsabilidad cívica y bien público. Ernst Bloch ponía mucha aten-

---

[40] Christopher Lasch, "Fraternalist manifesto", *Harper's Magazine* (abril de 1987), pp. 17-20.

ción a la importancia del impulso utópico del pensamiento radical, y el concepto que tenía sobre la producción de imágenes de aquello que "aún no" es, queda claramente plasmado en el análisis que hace de los ensueños.

Los sueños llegan de día al igual que de noche. Y ambas clases de sueño son motivadas por los deseos que tratan de hacer realidad. Pero los sueños diurnos, los ensueños, difieren de los nocturnos; puesto que el "yo" del ensueño persiste a todo lo largo de éste, consciente, privadamente, imaginando las circunstancias e imágenes de una mejor vida que se desea. El contenido del ensueño no es, como en el caso del sueño nocturno, un viaje de regreso a experiencias reprimidas y a sus asociaciones. Se interesa, hasta donde ello es posible, en un viaje irrefrenable hacia adelante, de manera que en vez de reconstituir aquello que ya no es consciente, se puedan establecer como fantasías de la vida y del mundo las imágenes de lo que aún no es.[41]

A mi entender, la insistencia de Bloch en cuanto a incorporar a la teoría radical el concepto utópico de las "posibilidades no realizadas" nos proporciona el fundamento para analizar y constituir teorías críticas de escolaridad y ciudadanía. En este caso, tanto la escolaridad como la forma de ciudadanía que ésta legitima se pueden desconstruir como un tipo de narrativa histórica e ideológica que ofrece una introducción, una preparación y una legitimación de las formas particulares de vida social en las cuales se otorga un sitio central a la visión del futuro, a un sentido de lo que podría ser la vida. Dado el antiutopismo fundamental que caracteriza a tan buena parte del discurso radical de nuestros días, la incorporación de una lógica utópica como parte de un proyecto de posibilidad representa un avance importante en repensar el papel que los maestros y otras personas pueden desempeñar en cuanto a definir la escolaridad dentro de un lenguaje de responsabilidad cívica y pública, un lenguaje en el que a las escuelas públicas se las considere a manera de esferas públicas democráticas comprometidas con formas

[41] Ernst Bloch, *The philosophy of the future* (Nueva York: Herder and Herder, 1970), pp. 86-87.

de políticas culturales orientadas a darles facultades a los estudiantes y a mejorar las posibilidades humanas.

En cuarto lugar, es preciso que los educadores definan las escuelas como esferas públicas en las que la dinámica del enfrentamiento popular y de la política democrática se pueda cultivar como parte de la pugna en pos de una sociedad democrática radical. Es decir, los educadores necesitan legitimar a las escuelas como esferas públicas democráticas, como lugares que proporcionan un servicio público esencial para la formación de ciudadanos activos, con objeto de defender a éstos del hecho de que desempeñen un papel central en el mantenimiento de una sociedad democrática y de una ciudadanía crítica. En este caso, la escolaridad se analizaría no sólo conforme a la manera en que reproduce las prácticas lógicas y sociales del capitalismo, sino también según su potencial para nutrir a la alfabetización cívica, a la participación ciudadana y a la valentía moral. Como principios pedagógicos que dan forma interna a capacidades humanas y prácticas sociales particulares, la alfabetización cívica y la participación ciudadana hallan expresión como formas de facultad moral y responsabilidad política orientadas a conformar las prácticas e instituciones de la sociedad en torno a un concepto democrático de la vida colectiva. La noción de participación ciudadana de que aquí se trata rebasa, con mucho, el concepto legal y abstracto de ciudadanía que se loa en las nociones de democracia que privan en las corrientes prevalecientes. Tal como lo señala Barbara Finkelstein,

los ciudadanos de una "sociedad justa y amigable"... son seres sociales que, en los papeles públicos que desempeñan, revelan su carácter y sus compromisos. Como ciudadanos, practican la facultad moral. Si las condiciones de la vida moderna impiden el ejercicio de la facultad moral —si la economía política la excluye, el gobierno deja de requerirla, la educación no logra modelarla— entonces la libertad y la justicia se ven amenazadas. Si las personas no pueden o no quieren identificar y socializar los compromisos personales al actuar públicamente, entonces dejan de ser ciudadanos. Se transforman en astutos racionalistas, o en meros funcionarios, y ya no son protectores de la justicia, la libertad o la dignidad. Como cuestión moral, sus compromisos para con la libertad, la justicia y la dignidad se vuelven o bien vacíos actos piadosos, o, lo que es peor, invocaciones demagógicas de retórica socialmente desconectada.[42]

Como parte de una filosofía pública democrática, una teoría de ciudadanía crítica debe comenzar a desarrollar funciones alternativas que los maestros, como intelectuales radicales, ejerzan dentro y fuera de las escuelas. Éste es un aspecto importante porque hace resaltar la necesidad de eslabonar la lucha política que tiene lugar dentro de las escuelas, con las cuestiones más generales de la sociedad. Al mismo tiempo, subraya la importancia de que los maestros empleen sus habilidades y conocimientos en una alianza con otras personas que estén tratando de redefinir el terreno de la política y de la ciudadanía como parte de una pugna colectiva más amplia y aliada a diversos movimientos sociales. Es preciso clarificar el papel que los intelectuales podrían desempeñar en dichos movimientos, y en especial con respecto a hacer lo político más pedagógico y lo pedagógico más político. Permítaseme ser más específico.

Como maestros críticos que laboramos en escuelas, podemos hacer lo *pedagógico más político* clarificando la manera en que la compleja dinámica de la ideología y el poder organiza las diversas experiencias y dimensiones de la vida escolar, a la vez que media en ellas. Uno de los posibles enfoques podría ser el de organizar una pedagogía radical de ciudadanía en torno a una teoría de educación crítica. La vinculación de la educación con la ciudadanía nos proporciona una manera de evitar que se tenga que desarrollar la educación cívica como una materia aparte, y al mismo tiempo inculca sus aspectos más importantes en todas partes de las diversas materias y disciplinas. Sería fundamental, en una pedagogía de educación crítica, que los estudiantes tuvieran la oportunidad de preguntarse cómo se constituyen los conocimientos en tanto que elaboraciones históricas y sociales. Además, a los alumnos se les puede dar la oportunidad de abordar la

---

[42] Barbara Finkelstein, "Thinking publicly about civic learning: an agenda for education reform in the '80s", en *Civic learning for teachers: capstone for educational reform*, Alan H. Jones, comp. (Ann Arbor: Prakken Publishers, 1984), p. 16.

cuestión de la forma en que los conocimientos y el poder se unen, frecuentemente de maneras contradictorias, para sostener y legitimar discursos particulares que definen un concepto de bien público. Esto sugiere que aquí entra todo; desde la crítica del contenido de los planes de estudio y las relaciones sociales dentro del aula, hasta la participación en luchas políticas acerca de cuestiones tales como la dirigencia escolar y el control del estado. Como parte del discurso de la democracia y de la ciudadanía emancipatoria, la educación crítica puede comenzar con análisis que se centren en dinámicas institucionales y en experiencias individuales o de grupo, conforme se manifiestan con todas sus contradicciones dentro de relaciones sociales particulares; además, la educación crítica puede proporcionar la base teórica para presentarles a los estudiantes los conocimientos y habilidades que necesitan para comprender y analizar sus propias voces y experiencias, históricamente elaboradas, como parte de un proyecto de acceso personal o social al poder. En esta manera de ver la educación resulta medular la comprensión del modo en que el conocimiento y la experiencia se estructuran alrededor de formas particulares de regulación intelectual, moral y social dentro de las diversas relaciones de poder que caracterizan a las escuelas, las familias, los lugares de trabajo, el estado y otras esferas públicas importantes.

Como parte de una teoría de ciudadanía, la educación se ocupa de desconstruir los conocimientos con el fin de que se entiendan más críticamente las experiencias y relaciones propias con la sociedad más amplia. De manera más específica, forma parte de una pedagogía crítica diseñada para entender mejor la forma en que las necesidades, la inversión emocional y el deseo son regulados como parte del proyecto hegemónico del estado, con el objeto de custodiar y controlar al cuerpo como sitio de vigilancia y servicio. Aun cuando esta cuestión ya se ha mencionado y se retomará en capítulos subsiguientes, vale la pena volver a hacer hincapié en que una política viable de ciudadanía tiene que hacer algo más que el simple hecho de tratar a la ideología como una manera de cuestionar los intereses que estructuran a formas particulares de conocimiento. La ideología está igualmente arraigada en aquellas experiencias sedimentadas que se aprenden, prácticamente, por medio de la movilización y la regulación del cuerpo y las emociones. La ciudadanía como pedagogía implica la movilización del conocimiento y de las relaciones sociales, que sirven, ambos, para organizar el cuerpo y las emociones dentro de regulaciones particulares de espacio y tiempo. Este punto de vista más amplio de la ideología representa una forma importante de aprendizaje que contribuye a la formación de subjetividades y tiene que convertirse en un objeto fundamental de investigación para cualquier teoría crítica de ciudadanía.

Reconstruidas en estas condiciones, la educación crítica y la educación ciudadana proporcionan la base racional para el desarrollo de las escuelas como esferas públicas democráticas. Es decir, en su calidad de esferas públicas democráticas, las escuelas pasan a ser lugares donde los estudiantes aprenden los conocimientos y las habilidades de ciudadanía dentro de formas de solidaridad que constituyen la base para construir formas emancipatorias de vida comunitaria. Lo que esto sugiere es que se necesita una filosofía pública que vincule el propósito de la escolaridad con el desarrollo de formas de conocimiento y de carácter moral en las que la ciudadanía se defina como una compactación ética, y no como un contrato comercial, y la adquisición de facultades críticas quede relacionada con modos de formación personal y social que alienten a las personas a participar críticamente en la conformación de la vida pública.

Una filosofía pública revitalizada también se debe fundamentar en un concepto de democracia basado en relaciones que fomenten la realización de comunidades desarrolladas en torno a formas de solidaridad que fomenten las prácticas de ciudadanía crítica y la calidad de la vida pública. Lo fundamental en esto es lo que significa ser hombre y ampliar las posibilidades humanas para el mejoramiento de la calidad de vida, a la vez que se extiende el significado de la libertad. Aun a riesgo de exagerar en este asunto, la educación cívica se debe organizar en torno a una filosofía pública que legitime y ponga las bases para el desarrollo de esferas públicas democráticas, tanto dentro como fuera de las escuelas. Debe dedicarse a la creación de ciudadanos capaces de expresar un liderazgo político y ético dentro de la sociedad en general. En este sentido, la filosofía pública apunta hacia un concepto de educación ciudadana que reivindique para sí las nociones de lucha, solidaridad y esperanza, alrededor de formas de acción social que expandan, en vez de restringir, el concepto de valor cívico y vida pública.

Como educadores, podemos ayudar a hacer que lo político sea más pedagógico uniéndonos a grupos y movimientos sociales externos a las escuelas, que pugnan por abordar muchos de los problemas y asuntos sociales importantes. Tales alianzas revisten importancia no sólo porque vinculan la lucha en favor de una escuela pública democrática con las preocupaciones y cuestiones más amplias de la sociedad, sino también porque ponen de manifiesto la posibilidad de que los intelectuales trabajen ya no meramente como intelectuales específicos de sus respectivos lugares de trabajo, sino igualmente como parte de un buen número de luchas separadas, pero no desconectadas, en las cuales pueden ser provechosas sus habilidades teóricas y pedagógicas. Para decirlo de otra manera, como educadores críticos nos podemos desplazar más allá de nuestra función social de maestros de escuelas públicas, privadas o de nivel universitario, a modo de poder aplicar y enriquecer nuestros conocimientos y destrezas, por medio de participaciones prácticas en esferas públicas de oposición, fuera de las escuelas.

Lo que subyace a esta redefinición de los maestros como críticos, tanto como maestros cuanto como educadores, es un concepto de ciudadanía que representa tanto la pugna respecto de la tradición como la construcción de un nuevo conjunto de relaciones entre la escuela y la comunidad en general. Esta labor lleva inherente la necesidad de reconstituir una filosofía pública que proporcione una base ética para definir el significado de democracia y la conformación del carácter alrededor de los intereses emancipatorios. Esto significa que la educación ciudadana tiene que fundamentarse en una filosofía pública que se ocupe de descubrir fuentes de sufrimiento y de opresión, a la vez que legitime aquellas prácticas sociales que defienden los principios de sociabilidad y comunidad orientados al mejoramiento de la vida humana.

En los capítulos que siguen trataré de generar un conjunto

de categorías que eslabonen crítica y posibilidad con la esperanza de llegar a un discurso teórico y programático que dé algún significado práctico a la idea de la escolaridad como una forma de política cultural. Estoy plenamente consciente de que mi contexto es casi exclusivamente norteamericano, pero creo que el discurso radical que proporciona este libro lo pueden utilizar los educadores de otros países; es decir, que puede ser críticamente apropiado y selectivamente aplicado al contexto específico en el que ellos laboran y luchan. No equivale esto a sugerir que daré recetas mágicas; admito, más bien, que cualquier discurso necesita cuestionarse, mediarse y apropiarse críticamente para poderlo emplear dentro de contextos específicos por parte de quienes ven en él algún valor. Este libro representa una manera particular de ver las cosas, una perspectiva de la teoría como forma de práctica, una práctica que rechaza el fetiche de definir lo práctico como el alejamiento de las preocupaciones teóricas. Por el contrario, la teoría como una forma de práctica apunta hacia la necesidad de construir un discurso crítico que constituya, a la vez que reordene, la naturaleza de nuestras experiencias y los objetos por los que nos preocupamos, a manera de mejorar y de dar aún más fuerza a las condiciones ideológicas e institucionales que precisa una democracia radical. El marco teórico que aquí se presenta no pretende una certidumbre absoluta; es un discurso que no ha concluido, pero que puede ayudar a iluminar aquello que es específico de la opresión, así como las posibilidades de una pugna y una renovación democráticas entre aquellos educadores que creen en el hecho de que a las escuelas y a la sociedad se las puede cambiar, y que sus acciones individuales y colectivas pueden influir en el cambio.

2

ESCOLARIDAD Y POLÍTICA DE LA ÉTICA: MÁS ALLÁ DE LOS DISCURSOS CONSERVADOR Y LIBERAL

Dentro de las ramificaciones contemporáneas de la teoría educativa radical surge una paradoja en torno a la relación que existe entre la ética, la política y la escolaridad. Por un lado, la teoría educativa radical ha manifestado una crítica profunda, a la vez que una indignación moral, hacia las injusticias sociales y políticas que se reproducen en las escuelas públicas norteamericanas. Por el otro, empero, no ha sabido desarrollar un discurso moral y ético sobre el cual pudiera fundamentar su propia visión de la sociedad y de la escuela.[1] Además, tampoco ha logrado elaborar una teoría

[1] La "paradoja de la moralidad" a la que me refiero se puede ver en lo que Steven Lukes llama la paradójica postura del marxismo hacia la moralidad. Kate Soper resulta ilustrativa sobre esta cuestión. "Por un lado, presenta la moralidad como algo que no es más que un prejuicio burgués, una forma de ideología que es social en cuanto a su origen, ilusoria en su contenido y que está al servicio de intereses de clase; por el otro, el marxismo implica continuamente, y a veces invoca explícitamente, conceptos y categorías morales, en la crítica que hace del capitalismo y en la defensa del comunismo. ...Y sin embargo, Marx con la misma constancia sugiere que todo el vocabulario moralizante y moral debe ser borrado por anticientífico y prejuiciante para la revolución proletaria. Y no es que tal incoherencia sea simplemente una peculiaridad de Marx, sino que se encuentra igualmente en la postura de Engels, de Lenin, de Trotski y ciertamente en la tradición marxista en general, en la cual la denuncia apasionada de los males del capitalismo siempre se ha combinado con polémicas igualmente feroces contra todos los puntos de vista éticos." (Kate Soper, *New Left Review*, 163 [mayo/junio de 1987], p. 103).

Yo empleo las palabras "moral" y "ético" a la manera que las ha definido Michel Foucault. "Moral" se refiere al código o regla prescriptivos que uno sigue para vivir dentro de una sociedad y una cultura particulares. Claro está que estos códigos no solamente se hacen cumplir, se median y se modifican externamente, sino que frecuentemente también se internalizan. Con la categoría de código moral no se quiere sugerir que este último sea homogéneo; el código moral de un individuo es a menudo un complejo de experiencias y discursos contradictorios, fragmentados y estratificados. "Ético" se refiere a la clase de persona que uno espera llegar a ser y de vida que uno aspira a alcanzar. Para una exposición sobre esta distinción, véase John Rajchman, "Ethics after Foucault",

de la ética que pudiera legitimar y proporcionar una mediación reflexiva sobre formas emancipatorias de pedagogía del aula. Atrapada en la paradoja de exhibir indignación moral sin contar con la ventaja de una teoría bien definida de la ética y la moralidad, la teoría educativa radical ha sido incapaz de desplazarse desde la crítica hacia una visión sustantiva. En otras palabras, los educadores radicales no han podido desarrollar un fundamento ético ni un conjunto de intereses sobre los cuales construir una filosofía pública que tome en serio la relación que existe entre la escuela y una vida pública democrática.[2] En efecto, la indignación moral con frecuencia se ha expresado en un lenguaje paralizado por el escepticismo e incapaz de moverse más allá de la limitada tarea de tabular y registrar el fracaso de la enseñanza norteamericana.[3] Esta perspectiva ha perdido de vista todo intento de recuperación y de estructuración basada en aquellas formas de subjetividad y de lucha colectiva arraigadas en una moralidad creativa, autotransformadora y mejoradora de la vida, que la cultura dominante tan activamente oculta y excluye siempre que le es posible.[4] Desprovista de un lenguaje de propósito moral, la teoría educativa radical ha sido incapaz de plantear un discurso teórico y un conjunto de categorías, como base para la construcción de formas de conocimiento, de relaciones sociales dentro del aula y de

Social Text, 13/14 (invierno/primavera de 1986), p. 172; además, es importante darse cuenta de que no estoy apoyando una postura contra la que Marx argumentó; a saber, que el hecho de admitir la importancia del desarrollo de un discurso de la ética y la moralidad no se debe equiparar al concepto idealista de que todas las luchas, conflictos y formas de opresión únicamente representan el choque de conceptos morales y se pueden resolver meramente en el campo de las ideas.

[2] Es importante hacer hincapié en que el concepto de esfera pública democrática, a que me refiero en este capítulo, no es de la misma índole que el de Walter Lippmann, sino que más bien deriva su significado de la noción que Gramsci tenía de sociedad civil, de la exposición que hace Habermas de esfera pública, y del trabajo que han efectuado sobre la esfera pública John Dewey, Stanley Aronowitz y otros. Se encontrará un repaso de esta labor en Henry A. Giroux, *Teoría y resistencia en educación* (México: Siglo XXI, 1992), especialmente en el último capítulo.

[3] Stanley Aronowitz y Henry A. Giroux, *Education under siege: the conservative, liberal, and radical debate over schooling* (South Hadley: Bergin and Garvey, 1983).

[4] Cornel West, "Fredric Jameson's Marxist hermeneutics", *Boundary 2*, 11:2 (otoño/invierno de 1982-1983), p. 191.

visiones del futuro que den s   ncia al significado de la
pedagogía crítica.

En muchos aspectos, el hecho de que los teóricos educativos radicales no hayan sabido desarrollar una teoría de la
ética, sustantivamente fundamentada, representa una hui-
da no sólo frente al discurso de la esperanza, sino con respecto al propio centro de la política. Es decir, al no haber desarrollado un lenguaje de moralidad y ética, la teoría educativa
radical ha concedido, en general, el terreno estratégico a un
punto de vista sobre la escuela y la sociedad que es fundamentalmente incapaz de definir un concepto de bien público. Se ha perdido la capacidad de definir un panorama
democrático o un punto de vista de autoridad, a partir de los
cuales se pudiera establecer una forma de política en la que
se combinaran las muchas virtudes "que se encuentran en
los lazos de amor, de amistad y de asociación con el compromiso de los valores liberales básicos de libertad, respeto y
autodeterminación".[5]

El hecho de que los teóricos de la educación radical no
hayan logrado formular criterios claros, a partir de los cuales se pueda argumentar a favor de formas particulares de
comportamiento ético, también ha traído como consecuencia la aparición de formas de investigación histórica que
obstaculizan nuestra comprensión de la manera en que los
movimientos sociales se desarrollan en torno a formas compartidas de discurso y de visión morales. En otras palabras,
los teóricos radicales han ignorado, por lo común, la necesidad política de iluminar las tradiciones y experiencias históricas que sirven para recobrar aquellas visiones y principios
morales que se han perdido y que dan significado a formas
de autotransformación y de transformación social. Lo que se
ha perdido en este caso es un concepto de la indagación
histórica que podría mostrar la manera en que la gramática
profunda de la responsabilidad moral y ética dio fuerza a los
movimientos sociales para combatir y luchar por los imperativos de una sociedad democrática y una noción liberadora de

---

[5] James Giarelli, "Review of *Education under siege*", *Harvard Educational Review*, 56:3 (agosto de 1986), p. 323.

la escuela pública. Así limitada, la indagación histórica muestra una fuerte tendencia a derrumbarse sobre un punto de mira del control social excesivamente determinado y en el que a las escuelas se las considera primordialmente como reflejos de la dominación capitalista. Lo que les falta a estas perspectivas es la comprensión adecuada de la forma en que la agencia moral y la política se unen para inspirar tanto un discurso de esperanza como un proyecto político que tomen en serio lo que significa entrever una vida y una sociedad mejores.

Al ignorar el papel central que desempeñan la moral y la ética en la lucha por la emancipación humana, los educadores radicales de hecho se han retirado del debate sobre la escuela, la política y los valores, que durante la última década ha venido ganando fuerza en Estados Unidos. Lo cierto es que cada día está más claro que una de las luchas más importantes por la hegemonía, que actualmente se está librando en la sociedad norteamericana, gira en torno a la cuestión de los valores morales que subyacen al sistema escolar. En medio del relativismo moral que se ha desatado, de la disolución de la vida pública democrática y del espectacular incremento del sufrimiento y la explotación de grupos subordinados de la sociedad estadunidense, la teoría educativa radical necesita desarrollar un *discurso y teoría morales de la ética.* Con el siguiente comentario, Murray Bookchin capta la urgencia de recuperar una postura ética radical:

La reafirmación de una postura ética pasa a ser medular para que volvamos a poseer una sociedad que tenga sentido, así como para recuperar un sentimiento del yo, de un realismo que esté más en contacto con la realidad que con el oportunismo, con las estrategias del mal menor y con los cálculos de ventajas frente a riesgos que defiende la sabiduría práctica de nuestra época. Los actos a partir de principios ya no se pueden separar de un intento maduro, serio y concertado por resolver nuestros problemas sociales y privados. El realismo más alto únicamente se puede alcanzar mirando más allá del estado de las cosas, hacia una visión de lo que debiera ser, y no sólo de lo que es. La crisis que encaramos en el terreno de la subjetividad humana y de los asuntos humanos en general es tan grande, y tan anémica su sabiduría recibida, que literalmente no seremos, si no realizamos nuestras potencialidades de ser más de lo que somos.[6]

De manera medular para la elaboración de una teoría crítica de la escuela en torno a tal postura ética, hay dos tareas que se deben llevar a cabo. En primer lugar está la necesidad de constituir una protesta contra aquellas prácticas ideológicas y sociales actuales que fomentan los mecanismos de poder y de dominación en el plano de la vida cotidiana; tal protesta significa superar la afrenta moral y ofrecer una explicación crítica de la forma en que, dentro de la dimensión inmediata y más amplia de la vida cotidiana, los individuos están constituidos como agentes humanos dentro de *distintos* discursos y experiencias éticos y morales. Esto saca a relucir importantes cuestiones concernientes no sólo a la manera en que las acciones y las polémicas se pueden problematizar en términos morales, sino también en cuanto al modo en que funcionan el lenguaje, las prácticas sociales, las ideologías y los valores, como parte del discurso de la dominación, con el objeto de legitimar a unas autoridades que tratan a los seres humanos como medios a la vez que reproducen relaciones de dominio, de fuerza y de violencia. Como lenguaje de protesta, la ética radical necesita proporcionar una contralógica a aquellas relaciones de poder e ideologías de la sociedad capitalista que enmascaran a una ética totalitaria y privan a la vida pública de un discurso ético crítico. En segundo lugar, la tarea de desarrollar una ética radical como parte vital de una teoría radical de la educación implica también la elaboración de una visión del futuro; visión que habrá de estar enraizada en la construcción de sensibilidades y relaciones sociales que den sentido a un concepto de vida comunitaria que entienda la democracia como una pugna por extender los derechos civiles y mejorar seriamente la calidad de la vida humana.

Es medular en este enfoque la necesidad de que los educadores críticos desarrollen una racionalidad moral sustantiva que vaya más allá tanto de la confianza conservadora en un

[6] Murray Bookchin, *The modern crisis* (Filadelfia: New Society Publishers, 1986), p. 8.

conjunto esencialista y apriorístico de principios morales, como del antifundacionalismo poco comprometido, tan prominente en diversas formas del pensamiento liberal posmoderno y posestructuralista. En oposición a estas posturas, los educadores necesitan desarrollar una moralidad provisional que corresponda a las prácticas sociales emancipatorias arraigadas en la experiencia histórica. Al discurso ético, en este caso, es preciso darle un referente histórico que incluya las consecuencias de lo que significó el tomar una postura emancipatoria respecto al horror del Gulag, del holocausto nazi, del régimen de Pol Pot, y de otros acontecimientos históricos. Tales sucesos no sólo traen a la mente imágenes de terror, de dominación y de resistencia, sino que también ofrecen ejemplos *a priori* en cuanto a los principios que es preciso defender, así como de aquellos que se deben combatir, en interés de la libertad y de la vida.[7] Para mi argumentación resulta esencial la hipótesis de que es posible construir un discurso crítico de la ética en torno a lo que yo llamo una moralidad radical provisional. Un enfoque de esta índole se halla vinculado con aquellas tradiciones culturales y políticas cuyo compromiso está históricamente fundamentado en formas de albedrío moral y en las relaciones sociales que les son concomitantes: el discurso de la democracia crítica, el discurso de una política emancipatoria de la experiencia y el discurso de la posibilidad y la esperanza. En oposición a ciertos puntos de vista marxianos de la historia como una trayectoria lineal y carente de ambigüedades en cuanto a la forma en que se desenvuelven los acontecimientos humanos, los educadores deben confrontar la incertidumbre de lo acaecido en la historia y desarrollar una moralidad provisional imbuida de una lectura francamente partidaria de la historia. Tal como lo daba a entender Walter Benjamin en su ensayo "Thesis on the philosophy of history",[8] la historia se debe construir desde el punto de vista de las víctimas. Para la teoría de la educación radical, esto

---

[7] Le debo a Stanley Aronowitz el que me haya hecho percibir esto.

[8] Walter Benjamin, "Thesis on the philosophy of history", en *Illuminations*, Hannah Arendt, comp. (Nueva York: Schocken Books, 1969).

representa una apropiación de la historia, impregnándola con el compromiso de democracia, justicia e igualdad. Es importante recalcar que los supuestos éticos que dan forma interna a una teoría de la educación progresista y crítica, y definen el proyecto político de ésta, deben situarse en una lectura selectiva de las tradiciones históricas críticas; además, la fuente de tales supuestos debe localizarse en la capacidad humana de mostrar valentía política, y no en la doctrina de la inevitabilidad histórica.

En lo que sigue, aduciré que el actual debate en torno a la ética, la escuela, la vida pública y la política se ha visto dominado primordialmente por discursos conservadores y liberales que comparten un antiutopismo en el que la historia queda abstraída del lenguaje y el discurso de la esperanza. Es este acento que se pone en el antiutopismo el que debe ser cuestionado y críticamente trascendido mediante otra noción de moralidad y de ética. Tras efectuar una crítica de estas posturas, desarrollaré en el siguiente capítulo una teoría de la autoridad fundamentada en la ética, y para ello me apoyaré en una lectura selectiva de los debates sobre la democracia y la escuela que tuvieron lugar entre los reconstruccionistas y los progresistas sociales durante los primeros años del siglo XX; también aprovecho selectivamente la literatura feminista y de la teología de la liberación sobre ética y comunidad. En cada caso examinaré la forma en que estas tradiciones ponen la base tanto para el desarrollo de una teoría de la ética radical como para la ampliación del significado y la práctica de una teoría crítica de la escuela y la pedagogía.

Cualquier intento por elaborar una teoría radical de la ética debe comenzar por reconocer dos cosas. La primera, que las formas dominantes de elaboración de teorías educativas durante la última década se han visto fuertemente influidas por formas de teoría moral que comparten ciertas características: abstracción con respecto a la vida cotidiana; una indeterminación y un relativismo que socavan la posibilidad de albedrío moral, y el hecho de negarse a vincular el discurso moral con un proyecto político emancipatorio. De diversas maneras, estas tendencias teóricas han afectado a los discursos políticos tanto de la derecha como de la izquierda y han hecho que sea cada vez más difícil elaborar otra teoría radical de la ética y la escuela, que se sustente en los imperativos políticos y sociales de la ciudadanía democrática. En segundo lugar, el creciente analfabetismo político entre las masas, el hecho de que la educación superior cada vez esté menos dispuesta a abordar los problemas de ciudadanía y vida pública a consecuencia de su cada vez mayor capitulación ante las demandas de investigación del mercado, y la creciente enajenación y desbarajuste de la vida pública, reforzados por las ideologías dominantes del individualismo, el consumismo y la racionalidad científica han exacerbado de manera profunda una declinación cualitativa del lenguaje y de las prácticas sociales de la escuela, la comunidad y la vida familiar.

Irónicamente, han sido los progresistas y liberales de la derecha, y no los de la izquierda, quienes han podido articular más clara y vigorosamente los problemas asociados con el rompimiento que se ha observado en esas áreas. La derecha ha reconocido claramente la necesidad de desarrollar un lenguaje de moralidad en su lucha por redefinir la visión ética y política que tiene de la escuela, la familia y la vida comunitaria.[9] Su éxito ha sido asombroso, por no decir inquietante. En el terreno religioso ha movilizado a millones de personas por medio del uso que ha hecho de la televisión para difundir el discurso del evangelismo y el fundamentalismo religiosos. Ha montado un ataque masivo contra el feminismo y contra el derecho al aborto, disimulando su embestida tras el lenguaje de la moralidad. Y ha lanzado otro ataque, que cada vez tiene más éxito, contra el "humanismo seglar" de las escuelas, con la intención de fomentar o bien la enseñanza del fundamentalismo religioso, o lo que la derecha llama la "educación del carácter".[10] En lo que sigue, me centro específicamente en el intento de la derecha por

---

[9] Véanse Christopher Lasch, "What's wrong with the right?" *Tikkun*, 1:1 (1986), pp. 23-29; Michael Lerner, "A new paradigm for liberals: the primacy of ethics and emotions", *Tikkun*, 2:1 (1987), pp. 22-28 y 132-136; Henry A. Giroux, "Public philosophy and the struggle for democracy", *Educational Theory*, 37:2 (1987), pp. 104-120.

[10] El ejemplo más reciente de esto es un fallo por parte del juez estadunidense de distrito y controvertido derechista W. Brevard Hand, quien ordenó que se

revitalizar el lenguaje de la moralidad en las escuelas públicas. A mi entender, esto no solamente representa un peligroso ataque contra los aspectos más fundamentales de la vida pública democrática y de las obligaciones de una ciudadanía crítica, sino que plantea un terreno de lucha al que tendrán que entrar los educadores radicales y progresistas, si se quiere que las escuelas provean alguna posibilidad futura de educar a los estudiantes a modo de que sean ciudadanos críticos y activos.

LA IDEOLOGÍA DE ALA DERECHA Y LA ÉTICA ESCOLAR

Desde el ascenso al poder del gobierno de Reagan, y especialmente desde el nombramiento de William Bennett como secretario de Educación, diversos portavoces del ala derecha, de dentro y de fuera del gobierno, se han mostrado muy agresivos en cuanto a fomentar un programa para las escuelas que vaya enfocado a la enseñanza de un conjunto particular de valores y virtudes morales. A pesar de la genuina diversidad entre estos grupos en el plano teórico, existe en sus proyectos políticos una unidad ideológica subyacente. Deseo centrarme en tres de estos puntos de convergencia: su restructuración de una mítica "edad de oro" con el fin de legitimar la enseñanza de valores específicos; la forma en que atacan los acontecimientos de la década de 1960 y el discurso de la equidad, y la crítica que hacen de los actuales programas de educación moral liberal que se imparten en las escuelas públicas.

En primer lugar, los ultraconservadores han estructurado un punto de vista de la historia, carente de problemáticas, en el cual se argumenta que las escuelas alguna vez actuaron como las defensoras morales de la sociedad y enseñaban las buenas y añejas "virtudes republicanas" que contienen tex-

prohibiera el uso de cuarenta y cuatro libros de texto en las escuelas públicas de Alabama, aduciendo que fomentan el humanismo secular como un sistema de creencias religiosas.

tos tales como los libros de lectura de McGuffey y el antiguo plan de estudios de los clásicos latinos.[11] Según los conservadores como Edward A. Wynne, la respuesta a los problemas educativos de hoy en día es un retorno al pasado mítico del siglo XIX con objeto de recobrar las virtudes norteamericanas tradicionales y trasmitirlas a los estudiantes por medio de lo que abiertamente llama adoctrinación.[12] Con un interesante juego de manos, Wynne se apropia de la crítica que la izquierda hace de las escuelas como instituciones de control social y justifica la enseñanza pública precisamente por esta característica. Esto es, para Wynne la socialización debe ser el enfoque central de la enseñanza, y la adoctrinación, el método pedagógico clave para educar a los estudiantes. La meta es cerciorarse de que estos últimos ocupen los lugares que les corresponden dentro del orden social y ocupacional. En palabras de Wynne, "La expresión 'control social' tal vez suene peyorativa para nuestros oídos modernos, pero simple y correctamente significa que las escuelas se preocupaban por afectar la conducta, en vez de trasmitir información o afectar los estados mentales".[13] De hecho, Wynne es infle-

[11] Para un ejemplo de esta postura, véase Franklin Parker, "Moral education in the United States", *The College Board Review*, 137 (otoño de 1985), pp. 10-15 y 30; esta postura es la que defienden también el ex secretario de Educación William Bennet, y John Silber, el presidente de la Boston University. Bennet y Silber son los principales portavoces de derecha en cuestiones educacionales, así como en otros aspectos políticos. De hecho, lo que resulta notable en la derecha, tal como queda ejemplificado en el discurso de Bennet y Silber, es el hecho de que con frecuencia vinculan públicamente sus puntos de vista sobre la educación con un gran número de otras cuestiones. No causa sorpresa, por ejemplo, ver que Bennet en un momento avala el famoso documental *Amerika*, basado en la guerra fría, y a la siguiente oración esté argumentando acerca de cuestiones educacionales. Y tampoco es sorprendente encontrar a Silber debatiendo algún aspecto particular de educación, para que luego cambie inmediatamente de tema y pase a defender, por ejemplo, la creación por su parte de un programa en el departamento de comunicaciones de la Universidad de Boston, destinado a adiestrar a rebeldes afganos en las habilidades periodísticas necesarias para que libren una guerra propagandística contra los soviéticos; o verlo establecer la defensa del Disinformation Documentation Center que él está desarrollando y que encabeza un ex espía checo. Estas preocupaciones más amplias ponen de manifiesto la perspectiva que la derecha tiene del mundo, y dejan al descubierto los intereses ideológicos que subyacen al punto de vista que adoptan acerca de la educación.

[12] Edward A. Wynne, "The great tradition in education: transmitting moral values", *Educational Leadership* (diciembre de 1986/enero de 1987), pp. 8-9.

[13] *Ibid.*, p. 6.

xible en cuanto a las virtudes pedagógicas de la adoctrinación: considera que las escuelas son lugares donde se deben trasmitir valores, en vez de que éstos se apropien, se pongan en tela de juicio y sean aceptados críticamente.

De manera similar, educadores como el secretario de Educación William Bennett y el superintendente de las escuelas públicas de California Bill Honig han instado a los maestros de dichos planteles a que retornen a una lectura conservadora de la historia y a la enseñanza de los valores tradicionales reconstruyendo los planes de estudios de las escuelas públicas en torno al concepto central de la formación del carácter. El comentarista de ala derecha Kevin Ryan opina que el aspecto más atractivo de la palabra "carácter", tal como la emplean Bennett y Honig, es que coloca la noción de socialización en el primer plano del discurso educativo. Dice:

En la década de los ochenta, a la cultura se la considera una vez más un logro humano que se les debe trasmitir a los jóvenes. Sin embargo, para trasmitir la cultura debemos darles a los jóvenes una introducción a sus principios éticos y valores morales. En otras palabras, buena parte de la escolaridad debe dedicarse vigorosamente a enseñarles a los jóvenes aquellas cosas que la sociedad ha aprendido acerca de cómo vivir juntos de manera civilizada.[14]

Los valores que figuran en la parte central de tal formación del carácter los ha aportado el secretario Bennett en la lista que hace de las características morales más deseables del gobierno de Reagan. Entre éstos están los siguientes: "consideración, amabilidad, honestidad, respeto por la ley, distinción entre el bien y el mal, respeto a los padres y a los maestros, diligencia, autosacrificio, trabajo arduo, imparcialidad, autodisciplina y amor a la patria".[15] Los intereses ideo-

[14] Kevin Ryan, "The new moral education", *Phi Delta Kappa* (noviembre de 1986), p. 231.

[15] William Bennet da una lista detallada de los rasgos morales que el gobierno de Reagan considera deseables, en la solicitud para becas bajo el Programa Discrecional del Secretario, U.S. Department of Education, CFDA núm. 84.122B, 1985, p. B2. En uno de sus discursos recientes sobre la enseñanza de valores en las escuelas públicas, el presidente Reagan argumentaba que dicha enseñanza de valores formaba parte de un retorno a los aspectos básicos, y para legitimar su opinión sugería que los educadores "recurrieran a la ética judeocristiana, y específicamente a los Diez Mandamientos". Véase Blake Rodman, "President hits

lógicos que estructuran estas virtudes quedan parcialmente reveladas en la pedagogía autoritaria que se ha ideado para enseñarlas. Se trata de una pedagogía marcada por un punto de vista rígido del conocimiento, un punto de vista no crítico de la historia norteamericana, y la negativa a desarrollar una teoría del aprendizaje gracias a la cual se les permita a los estudiantes hablar conforme a sus propias tradiciones y voces. La naturaleza subyacente de las prácticas y formas de poder sociales que tales virtudes llevan la mira de legitimar, también se puede observar en la forma en que la derecha ensalza los ochenta como el retorno a la normalidad, a un período de calma conservadora y de virtud patriótica. Hay una de estas loas de los años ochenta que vale la pena repetir en toda su extensión:

Una sociedad agotada por el cambio y la contienda interna parece ahora pugnar por un regreso a la normalidad. El presidente Carter, desalentado por el hastío de la nación y paralizado a causa de la crisis de los rehenes de Irán, fue remplazado en 1980 por un presidente popular y optimista: Ronald Reagan. La asistencia a las iglesias comenzó a incrementarse. La tasa de divorcios empezó a declinar. Volvió a entrar en boga el hecho de hacer "la tarea"; incluso el nihilista movimiento *punk* ha pasado a ser simplemente otra de las tendencias de la moda. Las principales cadenas de la televisión perdieron interés en Norman Lear y en el sondeo de las costumbres sociales; en vez de ello, regresaron a las comedias de situación acerca de familias que nos son conocidas, como "The Cosby Show" y "Family Ties". La economía nacional y el espíritu de la nación van viento en popa. Los héroes enajenados, existenciales, de la generación *Beat* y los jóvenes adultos articulados y rabiosos de los sesenta y los setenta han sido remplazados por *Yuppies* —y algunas veces transformados en éstos—, que tienen un ojo puesto en su avance profesional y el otro en el portafolio de sus valores bursátiles.[16]

Resulta extraño que esta descripción de los años ochenta esté saneada gracias a la característica de atolondrada codi-

road to spread message on school agenda", *Education Week*, 6:27 (1 de abril de 1987), p. 53. Para una exposición sobre este asunto, véase Robert Nash y Robert Griffen, "Balancing the private and public", *Harvard Educational Review*, 56:2 (1986), pp. 171-182, especialmente la p. 180.

[16] Ryan, "The new moral education", p. 231.

cia de la nueva moralidad *Yuppie*, o a la hipocresía chovinista que caracteriza a la política exterior de Estados Unidos. Es aterrador que dentro del punto de vista que la derecha tiene de la sociedad contemporánea haya un silencio indiferente acerca de la gente de las grandes ciudades que carecen de hogar, de la creciente división entre ricos y pobres en todos los niveles de la sociedad, de la diplomacia de las armas que se sigue en América central y del socavamiento de la legislación en las últimas tres décadas en el terreno de los derechos civiles. En una época de chovinismo militante, con su alabanza de las imágenes del bien y el mal al estilo Rambo, junto con un total desprecio por el sufrimiento históricamente acumulado, el punto de vista conservador de la historia y el ensalzamiento de las viejas virtudes republicanas no parece ser otra cosa más que una apología del *statu quo*, un ejercicio de "golpe político" en la era de los "buenos sentimientos" y "buenos tiempos".

Un segundo tema unificador del discurso de la derecha sobre la ética es el que se centra en un ataque a las reformas sociales y educativas de los años sesenta. Según este punto de vista, los trastornos y reformas educativos que caracterizaron a esa década diluyeron las normas académicas y nos legaron una grave declinación en cuanto al logro y la competencia académicos. La perspectiva de la derecha es que las reformas de los sesenta contribuyeron a que Estados Unidos perdiera su superioridad en la economía mundial, además de ser una de las causas de los grandes problemas internos y sociales de los años ochenta. Franklin Parker, por ejemplo, aduce que:

los derechos civiles, los defensores de la libertad, la libertad de expresión, las protestas estudiantiles, Vietnam, Watergate, la liberación femenina... Estos descoyuntamientos, además del aumento de la delincuencia y el consumo de drogas, manifestaban un descontento, una ira y un ansia de autodestrucción que todavía son incomprensibles.[17]

De manera similar, Wynne argumenta que los años sesen-

---

[17] Parker, "Moral education in the United States", p. 171.

ta causaron un derrumbe del consenso moral de la Gran Tradición, y que esto es especialmente "significativo ante el incremento... del desorden juvenil: suicidio, homicidio e hijos fuera del matrimonio".[18] Ryan amplía esta argumentación sosteniendo que los años sesenta contribuyeron al surgimiento de "un nuevo espíritu anti-autoridad" que aún vino a minar más la influencia y el poder de los maestros. A consecuencia de ello sobrevino una confusión moral entre los maestros, que los volvió débiles, y deliberadamente se replegaron para desempeñar el papel del técnico desventurado.[19] Ryan olvida que buena parte del deterioro que ha caracterizado el trabajo de los maestros durante los ochenta poco tiene que ver con las reformas de los años sesenta, mas sí mucho con la creciente centralización de los sistemas escolares públicos y con la pérdida del control que los maestros tenían sobre sus condiciones de trabajo. En parte, esto ha sucedido mediante la imposición de "modelos de estimación" de la enseñanza y de la evaluación. Los maestros también han perdido poder a causa de la estandarización de los planes de estudios de las escuelas, que ha llegado hasta la

[18] Wynne, "The great tradition in education", p. 4. En muchos aspectos, Wynne simplemente está reafirmando lo que el ex asesor presidencial de la Casa Blanca (y ex subsecretario de Educación) Gary L. Bauer ha venido diciendo durante los últimos cinco años. Las diatribas de Bauer contra los sesenta alcanzaron un nuevo nivel de ignorancia ideológica y política en un informe sobre la familia norteamericana que se le entregó al presidente Reagan en octubre de 1986. En él, y conforme lo reprodujo la revista *Education Week*, el equipo de trabajo que estuvo bajo la guía de Bauer afirma: "El daño social que sufrió Estados Unidos a causa del desenfreno juvenil [durante los sesenta y setenta] no se ha reparado —según manifiestan los miembros del grupo—. Ahora encaramos el orden del día que no se había desahogado: regresarles a los hogares de esta patria la autonomía que alguna vez fue suya, en una sociedad estable y segura, donde la familia puede generar y fomentar aquello que ningún gobierno puede jamás producir: norteamericanos que ejerzan responsablemente su libertad y, si es necesario, que la defiendan." (Tom Mirga, "Restore family stability, panel urges", *Education Week* [19 de noviembre de 1986], pp. 14 y 17).

Éstas son ciertamente palabras que nos hielan la sangre, por provenir de los voceros de un gobierno que está efectuando actos de terrorismo contra Nicaragua, que está erosionando las libertades civiles, comerciando con terroristas iraníes y minando la viabilidad de las escuelas públicas estadunidenses.

[19] Ryan, "The new moral education", p. 231. Para un lamento más reciente en cuanto a la forma en que la década de los sesenta, el feminismo y la música rock socavaron la versión de ala derecha del orden y la autoridad, véase Allan Bloom, *The closing of the American mind* (Nueva York: Simon and Schuster, 1987).

adopción, en muchos sistemas escolares, de los planes de estudios que ya vienen en "paquete", los llamados "a prueba del maestro". Si existe una crisis en la enseñanza, poco tiene que ver aquélla con el hecho de habernos apartado de los valores morales conservadores. Ira Shor habla de algunos de los problemas más inmediatos que han encarado las escuelas públicas.

En realidad, la crisis actual fue ocasionada por los recortes presupuestales, que nos dejaron con grupos demasiado grandes, edificios escolares deteriorados, materiales de trabajo escasos, programas educativos incapaces de permitirnos una cuidadosa formación de los aspirantes a maestros y departamentos académicos que se van haciendo viejos y a los que se priva de sangre nueva. Además, la política educativa de corte conservador de los setenta impuso deprimentes programas de aliento exclusivo al logro profesional y de retorno a las cosas elementales, haciendo que la vida del aula se volviera opaca, vocacional y excesivamente supervisada.[20]

La postura de Shor constituye un importante correctivo al ataque que lanza la derecha sobre las escuelas, pero padece igualmente por negarse a analizar las fuerzas de largo plazo que en Estados Unidos han contribuido a generar la crisis que se presencia en el sistema escolar público. El auge del cientificismo y el movimiento de eficiencia social de los años veinte, la creciente intromisión de la política del estado en la conformación de los planes de estudio, el anticomunismo de los años cincuenta, la influencia cada vez mayor de la psicología industrial en la definición del propósito de la escuela, el racismo, el sexismo y la discriminación de clases que se han reforzado por medio del incremento de las formas de seguimiento y examen, y el hecho de que los maestros no hayan logrado un adecuado nivel de control sobre sus condiciones laborales son, todos ellos, aspectos que en Estados Unidos cuentan con una larga tradición histórica y que es preciso incluir en cualquier análisis de los problemas que actualmente encaran las escuelas públicas.

Todo lo que aduce la derecha parece compartir el concep-

---

[20] Ira Shor, "Equality is excellence: transforming teacher education and the learning process", *Harvard Educational Review*, 56:4 (noviembre de 1986), p. 408.

to de que lo que anda mal en las escuelas es consecuencia de lo nuevo en ellas desde principios de los años sesenta. Claro está que lo nuevo ha sido, en parte, una serie de reformas escolares orientadas a dar fuerza a las minorías desamparadas y a vincular las cuestiones de igualdad con las de excelencia, como definición central del rendimiento y el éxito escolares. En realidad, el ataque de la derecha contra las reformas anteriores es simplemente un ataque apenas disfrazado contra el propio concepto de la equidad. La forma en que esa ala considera la excelencia queda definida estrechamente, a expensas de facultar a las minorías; da apoyo a formas de escolaridad que benefician a los niños blancos de las clases media y alta. Su perspectiva elitista de la escuela, que desfila bajo la dudosa bandera de la "meritocracia", fomenta tendencias antidemocráticas que se basan en el ensalzamiento de la uniformidad cultural, un punto de vista rígido de la autoridad, el hecho de que la escuela desempeñe el papel de mercado de trabajo y una perspectiva distorsionada en cuanto al éxito que tuvo el sistema escolar norteamericano con anterioridad a la década de los cincuenta.[21] El punto de vista que defiende la derecha en cuanto a la historia y la equidad no se ha salvado de un desafío.

La educación en masa, durante su primer medio siglo, no hace que los fracasos actuales aparezcan como excepcionales. Las cifras de deserción escolar que se citan en las encuestas urbanas que se llevaron a cabo a principios de la década de 1900 son casi idénticas a las que se mencionan en la encuesta realizada en Chicago entre 1979 y 1983, aun cuando la incidencia de dicha deserción era más probable hallarla en el nivel de primaria. Las descripciones de la escuela masiva tradicional presentan rasgos de desigualdad educacional que nos son familiares: intensa sobrepoblación, personal con

[21] Por ejemplo, en el plano federal, véase U.S. Department of Education, *What works: research about teaching and learning* (Washington, D.C.: GPO, 1986); para un pronunciamiento sobre esta cuestión, proveniente de intelectuales de ala derecha que estuvieron al servicio del gobierno de Reagan y que se han comportado como podía esperarse de ellos, véase *Developing character: transmitting knowledge*, Edward A. Wynne y Herbert J. Walberg, comps. (Posen: ARL Services, 1984); para un punto de vista representativo de los intereses corporativos, véase Research and Policy Committee of the Committee for Economic Development, *Investing in our children* (Nueva York: Committee for Economic Development, 1985).

exceso de trabajo y remuneración demasiado baja, instalaciones horrendas y deterioradas, libros de texto insuficientes y anticuados, hostilidad étnica y racial, y enormes diferencias en cuanto a fondos presupuestales. La socialización que ocurrió no fue una lección en valores democráticos, sino una denuncia convincente de las duras realidades de la competencia y la estigmatización social. Y una vez tras otra, el concepto de la meritocracia servía para llenar la zanja entre la práctica elitista y la promesa democrática, al justificar la aplicación de normas dobles y bajo la presunción de que los desfavorecidos eran deficientes, y no subatendidos.[22]

Otro de los temas que unifican el discurso de la derecha sobre la ética y la escuela es el que centra su ataque contra los modelos liberales de educación moral que han ejercido alguna influencia en los planes de estudios durante los últimos veinte años. La derecha ha tratado de desarrollar su propia teoría de educación del carácter, primordialmente por medio de un ataque contra tres enfoques liberales que revisten importancia en la enseñanza moral: el enfoque de la clarificación de valores; el enfoque kohlbergiano del razonamiento moral, y el enfoque de la ética aplicada.

El ataque más sostenido que ha lanzado la derecha ha sido el que se lanza contra el enfoque de la clarificación de valores, desarrollado por Sidney Simon y otros.[23] Conforme a este enfoque, a los alumnos se les pide que aclaren sus propios valores mediante un análisis de los puntos de vista, frecuentemente competitivos, sobre importantes cuestiones sociales como la pobreza, la guerra, la delincuencia y las drogas. El papel del maestro es el de un mediador que tiene la doble función de presentar los problemas y de dar claridad a las polémicas. Teórica e intelectualmente, el enfoque de la clarificación de valores es burdo y constituye un blanco fácil para la crítica de ala derecha. Este enfoque fracasa a causa de un buen número de razones. Los conservadores

[22] Ann Bastian, Norm Fruchter, Marilyn Gittell, Colin Greer y Kenneth Haskins, "Choosing equality: the case for democratic schooling", *Social Policy*, 15:4 (primavera de 1985), p. 35.
[23] Louis Raths, Merrill Harmin y Sidney Simon, *Values and teaching*, 2a. ed. (Columbus: Charles E. Merrill, 1978). Se puede encontrar un ejemplo aplicado de este trabajo en Sidney B. Simon, Robert C. Hawley y David D. Bretton, *Composition for personal growth* (Nueva York: Hart Publishing, 1973).

aducen que al defender la libre elección como base para la enseñanza y el desarrollo de los valores morales, los teóricos de la clarificación de valores terminan por apoyar una pedagogía carente de contenido, que tácitamente avala la neutralidad de valores. Es decir, a los estudiantes no se les dan criterios mediante los cuales puedan discriminar entre valores distintos y que estén en competencia. Los conservadores también le achacan a la clarificación de valores el hecho de que ignore lo que la derecha considera una verdad absoluta, a saber, que "la sensibilidad moral y la conciencia social se aprenden, en buena medida, leyendo y debatiendo a los clásicos".[24] Otra de las críticas que se enderezan contra el enfoque de la clarificación de valores es que éste oscurece la importante distinción entre los valores morales y los no morales. A la elección entre distintos estilos de peinado, por ejemplo, se le otorga la misma importancia moral que a las opciones que tiene la gente en cuanto a la cuestión del aborto. Nada hay de original en esta crítica, y en muchos aspectos simplemente hace las veces de trasfondo polémico para que la derecha proponga su propio orden del día en lo concerniente a la ética y la escuela.

La segunda tradición de educación moral que ataca la derecha es el enfoque que da Lawrence Kohlberg al razonamiento moral. A diferencia del enfoque de clarificación de los valores, la perspectiva de Kohlberg se desarrolla en torno a un discurso teórico complejo y sistemático. Aun cuando esta postura presenta fallas profundas, el ataque que los críticos de derecha enderezan contra Kohlberg es frecuentemente trivial y simplista. Más adelante, en este mismo capítulo, expondré mi propia crítica a la postura de Kohlberg.

El enfoque cognitivo-desarrollista de Kohlberg sostiene que el razonamiento moral está enraizado en el desarrollo de las habilidades cognitivas de una persona, conforme ésta pasa de bajas etapas de complejidad a otras más altas. Según Kohlberg existen seis etapas de desarrollo moral-cognitivo, y la educación debe ayudar a los estudiantes a alcanzar la etapa más alta que sea compatible con sus estructuras físicas

---

[24] Christina Hoff Sommers, "Ethics without virtue", *The American Scholar*, 53 (verano de 1984), p. 382.

y cognitivas. Subyace a este enfoque del razonamiento moral la tarea pedagógica de fomentar el conflicto cognitivo por medio del examen de dilemas morales particulares.[25] Se supone que valiéndose del repetido examen de estos dilemas, los estudiantes aprenderán a razonar en etapas más altas de pensamiento moral. Cuando aplica su enfoque a los estudios sociales, Kohlberg nos ofrece un importante comentario sobre la estructura del mismo, a la vez que critica un tipo de educación moral que es similar a los actuales enfoques de la derecha.

El antiguo educador cívico se basaba en la trasmisión de verdades incuestionables de hecho, así como en valores consensuales igualmente incuestionables, a un niño que era pasivamente receptivo... A modo de contraste con la trasmisión de valores consensuales, los nuevos estudios sociales se han basado en la concepción que tenía Dewey del proceso de evaluación [que] postula la necesidad de centrarse en situaciones que no sólo son problemáticas sino también controvertidas... Estos objetivos nacen del reconocimiento deweyano de la educación social como un proceso cuyo resultado son formas de interacción social. La preocupación deweyana en cuanto a la acción no queda representada por un conjunto de objetivos conductuales a manera de una bolsa que contenga virtudes. Queda reflejado en una participación activa en el proceso social. Esto significa que al propio salón de clases se lo debe ver como una arena en la cual tiene lugar, en microcosmos, el proceso social y político.[26]

Los ataques que la derecha le lanza a Kohlberg se centran en el hincapié que éste hace en el proceso, a expensas del contenido —es decir, en el razonamiento moral, a diferencia del aprendizaje de virtudes específicas. Y algo que guarda

[25] Lawrence Kohlberg, "The philosophy of moral development" (Nueva York: Harper and Row, 1981). Se puede encontrar un repaso de la literatura sobre clarificación de valores y desarrollo moral en Barry Chazan, *Contemporary approaches to moral education* (Nueva York: Teachers College Press, 1985); John Martin Rich y Joseph L. Devitis, *Theories of moral development* (Springfield: Charles C. Thomas, 1985). Como libro crítico sobre las distintas posturas teóricas en cuanto a educación moral, véase Henry A. Giroux y David Purpel, *The hidden curriculum and moral education* (Berkeley: McCutchan Publishing, 1983).

[26] Lawrence Kohlberg, "Moral development and the new social studies", *Social Education* (mayo de 1973), p. 37.

relación con esto último es la afirmación en el sentido de que
el enfoque de Kohlberg fomenta una injustificada falta de
respeto por la autoridad. Christina Hoff Sommers llega incluso a sostener que Kohlberg ataca indiscriminadamente
todas las formas de autoridad establecidas y con ello contribuye a la constantemente creciente pérdida de autoridad
que se observa en las escuelas. Argumenta de la siguiente
manera: "Kohlberg no ve ninguna necesidad de cuestionar
su hipótesis en el sentido de que la autoridad establecida es
intrínsecamente sospechosa. De cualquier modo, resulta irónico que en la actualidad, cuando los maestros con autoridad son tan raros, los teóricos de la educación como Kohlberg planteen que la propia autoridad es un mal que debe
combatirse."[27]

El ataque contra Kohlberg prosigue con la afirmación de
que los estudiantes universitarios de nuestros días manifiestan formas de un "relativismo a medias", así como de confusión moral. Sommers, por ejemplo, se apoya en su propia
experiencia como educadora para documentar la estupidez
moral de la actual generación. Dice que cuando le preguntó
a una alumna si "consideraba que Nagasaki era el equivalente moral de un accidente de tráfico, ésta le replicó, 'desde un
punto de vista moral, sí'".[28] Otro ejemplo típico nos lo proporciona John Weiss, quien afirma que en los recientes seminarios sobre historia celebrados en la universidad de Cornell, sólo "tres de cada 50 estudiantes entendieron una
referencia al Sermón de la montaña, y únicamente ocho de
un grupo de 75 conocían el libro de Job".[29] La respuesta
de Sommers a lo que ella considera un ejemplo de nihilismo
y confusión morales no toma en cuenta la ética que subyace
al pensamiento y el comportamiento estudiantil, pero sí
revela los intereses ideológicos que estructuran su propia
postura. Afirma que:

Es justo decir que muchos estudiantes universitarios se hallan

---

[27] Sommers, "Ethics without virtue", p. 386.
[28] *Ibid.*, p. 387.
[29] John Weiss, citado en Robert Marquand, "Moral education: has 'values
neutrality' left students adrift?", *The Christian Science Monitor*, viernes, 30 de
enero de 1987, B2.

completamente confundidos en cuanto a la moralidad. Lo que necesitan urgentemente son algunos cursos honestos sobre filosofía moral y una introducción cabal y sin tapujos a la tradición moral occidental —que es algo que quizás nunca se les haya ofrecido antes.[30]

Sommers no ve que haya contradicción alguna entre adoctrinar sin problemáticas a los estudiantes con el almacén de valores éticos y culturales al que generosamente llama la "tradición moral occidental", y el concepto de que, como precondición para todo comportamiento moral, las personas deben ser capaces de pensar críticamente acerca de los principios que dan forma a sus decisiones y a los actos de los demás. El albedrío moral, según su punto de vista, queda reducido al proceso de la trasmisión moral, y al aprendizaje se lo trata, a la manera reduccionista, como la "recepción" de valores morales. Hace a un lado la importante cuestión pedagógica de si los estudiantes obtienen su educación moral como cosa de verdad recibida, o como parte de un enfrentamiento inteligente y un diálogo reflexivo en el que se toman en consideración los efectos dinámicos interrelacionados de clase social, sexo, raza, poder e historia de la vida de aquéllos. En vez de ello, se centra inmutablemente en los conocimientos y virtudes particulares que se consideran importantes para "trasmitir". Lo que extrañamos en esta perspectiva es alguna preocupación por la relación que haya entre el contenido de los valores tradicionales que se van a enseñar, la pedagogía que se vaya a emplear y la importancia del contenido y la forma para dar sostén y promoción a los imperativos de la vida democrática. De hecho, la derecha se opone a la noción de la educación moral como precondición para enfrentarse críticamente con la sociedad en general con objeto de fomentar y mejorar las posibilidades del hombre. En general, los conservadores consideran que este concepto emancipatorio es una amenaza para el punto de vista que tienen de la política y del albedrío humano.

La forma en que la derecha desdeña el hecho de considerar al albedrío moral como un fundamento, a la vez que como

---

[30] Sommers, "Ethics without virtue", p. 387.

un producto de la lucha social y colectiva, se aprecia más claramente cuando examinamos la tercera área de la educación moral que se halla bajo el ataque de la derecha: el enfoque de la ética aplicada que cada vez gana más adeptos en las universidades. Los cursos universitarios en los que los estudiantes debaten las consecuencias éticas de los principios y acciones que conforman áreas tales como la medicina, el derecho, el trabajo social y la enseñanza, en la actualidad se hallan bajo el ataque de la derecha, ya porque fomenten una injustificada falta de respeto hacia la autoridad establecida, o ya porque desvíen la atención con respecto a la adquisición y la práctica de virtudes individuales específicas. En este caso, la crítica social se hace a un lado y el juicio ético se reduce al mundo de las virtudes recibidas, sancionándose todo ello mediante una lectura fuertemente distorsionada de la historia norteamericana y, de nuevo, etiquetándola de manera simplista como la Tradición occidental.

Se observa un silencio asfixiante en la perspectiva ética global de la derecha, cuando se trata de los problemas que enfrenta la sociedad norteamericana. Sin ofrecer crítica alguna, o muy escasa, sobre la forma en que las actuales instituciones sociales, políticas y económicas contribuyen a la reproducción de condiciones educativas y sociales desiguales, la derecha hace caso omiso de la manera en que el poder, la ideología y la política actúan sobre las escuelas a manera de minar los valores básicos de democracia y comunidad.[31] Las cuestiones concernientes a las formas de discriminación de clase, raza y género se ignoran tranquilamente para poder alabar una mítica edad de oro de la historia norteamericana. A las virtudes individuales se las elogia como la base del comportamiento moral, pero estas virtudes, en el mejor de los casos, simplemente se convierten en una apología cómoda y casi totalmente transparente del *statu quo*. En vez de analizar las demandas de la ciudadanía crítica, la derecha se atrinchera en un pasado al que exalta, con el fin de reafirmar el punto de vista de la autoridad y la moralidad tradicionales como la mejor esperanza para la estabilidad social y para la reconstrucción de las escuelas como bastiones de la

[31] Lerner, "A new paradigm for liberals".

moral y como reguladores del orden existente. Conforme a esta postura, las capacidades individuales se adaptan, de modo muy conveniente, a las formas sociales existentes.[32] Aquello que se ensalza desmesuradamente como virtudes individuales pasa a ser la base de una pedagogía y una ideología que excluyen el lenguaje de la crítica social y el discurso de la posibilidad. La moralidad se convierte en la bandera de un discurso que se repliega hacia un pasado no problemático con el fin de conseguir un apoyo incuestionable para las instituciones y los valores sociales que predominan en la actualidad.

Al señalar un reciente estudio conservador en el que se argumenta que los jóvenes que abrazan los valores tradicionales son mejores estudiantes, Roger Simon hace resaltar la ideología reaccionaria que está presente en este discurso sobre la ética y el carácter.

Un ejemplo claro de la reducción de las capacidades mediante las formas, lo encontramos en la argumentación en el sentido de que "los jóvenes que 'abrazan' los valores 'tradicionales' son mejores estudiantes de preparatoria", destacando las reformas escolares que recalcan lo que se llama el "desarrollo del carácter". Lo que aquí significa "desarrollo del carácter" es un angostamiento particular de las capacidades humanas, con el fin de que se ajusten a formas particulares. Tal postura se apoya en estudios que examinan la relación que existe entre los valores de los estudiantes y el éxito que éstos tienen en preparatoria, tratando de identificar aquellas capacidades humanas que mejor se ajustan a las actuales formas de sistemas escolares. Luego, los resultados de tales estudios se interpretan a manera de identificar la norma deseada —el sentido deseado de identidad, de valores y de sensibilidad— que los estudiantes deben desarrollar para resolver su problema de logro académico. A quienes no consiguen exhibir o "desarrollar" tales capacidades se los ve como deficientes, como carentes de un carácter apropiado, simplemente como de menor valía. Llevado hasta su conclusión lógica, tal carácter humano deficiente ¡se considera como un peligro! Y sin embargo, una vez más, estamos ante una comunidad que convierte en naturales las formas sociales históricas que posee

[32] Este aspecto lo desarrollan teórica e históricamente Philip Corrigan y Derek Sayer en *The great arch: English state formation as cultural revolution* (Nueva York: Basil Blackwell, 1985).

—ensalzándolas como la epifanía de la moralidad— y que considera como defectuosas todas las versiones de posibilidad humana que no concuerdan con el requisito de tales formas.[33]

Lo cierto es que Simon argumenta correctamente que cualquier discurso de la ética que limite las capacidades individuales a las formas sociales existentes, que se han vuelto incuestionables, poco tiene que ver con el discurso del acceso al poder personal y social. Philip Corrigan ha explorado la cuestión como aspecto central de una política de la educación de la izquierda radical.

[Las formas sociales] son siempre espacios de lucha relativa a las distintas capacidades humanas a las que, por supuesto, dan forma. Pero siempre hay una cuestión moral acerca de estas formas —y a mí me parece muy necesario que se debata la moralidad, tema que durante demasiado tiempo ha asustado a los marxistas... La cuestión moral referente a las formas sociales no implica un sentimentalismo acerca de las capacidades humanas; éstas siempre muestran la tendencia a devenir. No, la cuestión moral simplemente pregunta: ¿esta o aquella forma, alientan, hacen posible, permiten que distintas capacidades humanas se realicen, se practiquen? O, ¿tal o cual forma, inhabilita, estropea, niega, diluye, distorsiona dichas distintas capacidades? Por formas sociales simplemente quiero dar a entender las maneras en que las acciones sociales tienen que llevarse a cabo, la pauta regulada de lo normal, lo esperado y lo obvio, los rasgos predominantes que precisamente se dan por descontado en un determinado tipo de sociedad. Quedan incluidas aquí también las categorías de pensamiento y de emoción concernientes a la acción social, las creencias en cuanto a medios y fines, etc. Las formas no son conjuntos perfectos de acción o de categorías, y es imprescindible que se entienda que tienen efectos diferentes. Así, si vamos a debatir acerca de la forma estandarizada de la familia, luego no podemos guardar silencio acerca de las consecuencias de la forma para las distintas edades, pero tampoco podemos aislar esa forma de su contexto y regulación. Lo que ocurre allí está vinculado con lo que acaece en las escuelas, en los lugares de trabajo, en las formas de comunicación cultural, etcétera.[34]

---

[33] Roger Simon, "Empowerment as pedagogy", *Language Arts*, 64:4 (1987), p. 373.

[34] Philip Corrigan, "The politics of feeling good: reflections on Marxism and cultural relations", trabajo inédito, 1984, pp. 5-6.

Extendiendo el punto de vista de Corrigan, una perspectiva radical de la ética necesita desarrollar una moralidad provisional que ofrezca la oportunidad de cuestionar y examinar las capacidades individuales, a manera de que éstas puedan servir para cuestionar y fomentar las posibilidades inherentes en todas las formas sociales. Dentro de esta perspectiva, la ética se convierte en algo más que el discurso del relativismo moral, o que una trasmisión estática de la historia cosificada; pasa a ser, en cambio, un enfrentamiento continuo en el que las prácticas sociales de la vida cotidiana son cuestionadas con respecto a los principios de autonomía individual y vida pública democrática, no a modo de verdad recibida, sino como un enfrentamiento constante para sostenernos y luchar dentro de un proyecto de posibilidad que mejora, en vez de disminuir, las tradiciones de democracia, comunidad y esperanza. Pero si los educadores radicales quieren desarrollar un punto de vista defendible de la autoridad basada en una moral provisional que fomente la autonomía individual dentro de los confines de la vida pública democrática, tendrán que hacer algo más que cuestionar y rebasar el intento de la derecha por elaborar un discurso de la ética. Deberán igualmente lidiar con algunos de los credos básicos del discurso liberal prevaleciente sobre la ética y la educación, así como con el más reciente asalto filosófico contra todas las formas de autoridad moral, que tan en boga se ha puesto en ciertas corrientes particulares del pensamiento posmoderno. Antes de tratar estas cuestiones, analizaré primero la postura liberal.

LIBERALISMO, MORALIDAD Y LA EVASIÓN ANTE UNA POLÍTICA DE LA VIDA COTIDIANA

La muy difundida postura liberal sobre filosofía moral y ética de la educación es la principal heredera del doble proyecto de la Ilustración orientado a vincular la razón con la libertad, así como a asociar el progreso social con el creciente desarrollo de la racionalidad científica. Emulando a la filosofía de la historia, tanto de la Ilustración como la marxiana ortodoxa, los teóricos liberales de la filosofía moral consideran que existe una correlación directa entre el progreso en cuanto al dominio de la naturaleza y el desarrollo y dominio de la ciencia al servicio del avance social. A riesgo de simplificar en demasía esta postura, deseo argumentar que los puntos de vista liberales sobre la moralidad son evidentes en grado óptimo con respecto a la profesionalización de la teoría social y la filosofía pública dentro de la vida académica, por un lado, y en el hecho de que cada vez nos apoyamos más en un discurso formalizado de los derechos y procedimientos, por el otro. En la parte medular de mi postura se halla la hipótesis de que la fe liberal en la razón, la ciencia y la racionalidad instrumental ha desempeñado un papel determinante en cuanto a cambiar el discurso liberal alejándolo de la política de la vida cotidiana, a la vez que ha fundamentado sus análisis en el ensalzamiento de las cuestiones de procedimiento, en vez de las sustantivas.

El hecho de que el discurso liberal evade la política y la vida cotidiana es evidente de manera especial en la creciente legitimación de la ideología del profesionalismo dentro de la universidad. Esta ideología se expresa particularmente en el crecimiento de los paradigmas analíticos de la corriente principal de la filosofía, incluyendo a la filosofía de la educación que se define de manera más estrecha.[35] La teorización académica en el campo de la filosofía tiende a reducir la teoría a los imperativos de la claridad lingüística, así como a reducir la lógica a una demanda de congruencia para la verificación empírica. Dentro de esta tendencia ideológica, el rigor epistemológico y el estatus académico trabajan bajo la sombra de las ciencias naturales y adoptan un lenguaje de indagación metodológica y racionalidad instrumental que desmoraliza y despolitiza a la relación que existe entre la ética, la sociedad y la educación. Por ejemplo, los teóricos

---

[35] Para una excelente exposición sobre este asunto, véase Edward T. Silva y Sheila A. Slaughter, *Serving power: the making of the academic social science expert* (Westport: Greenwood Press, 1984); Thomas S. Popkewitz, *Paradigm and ideology in educational research* (Filadelfia: Falmer Press, 1984), y "Professionalization of knowledge and policy legitimation: social science during the formative years of schooling", trabajo inédito, 1987.

liberales que pertenecen a la tradición analítica convierten en fetiche a la clarificación con un lenguaje preciso, así como a la minuciosa localización de afirmaciones contradictorias dentro de una argumentación. Al proceder así, con frecuencia terminan divorciando la naturaleza y las aplicaciones de tales técnicas de cualquier autocomprensión del proyecto político que les da forma, así como de su propio empleo del lenguaje, la experiencia y el conocimiento. Divorciada de un proyecto emancipatorio de adquisición de facultades críticas, la indagación metodológica, empleada de esta manera, queda herméticamente sellada. Es incapaz de desarrollar un marco de trabajo teórico en el que la ética y la moralidad se entiendan como principios y prácticas que se constituyen por medio de la relación entre el conocimiento y el poder, por un lado, y consideraciones sociales, culturales, políticas y económicas de mayor envergadura, por el otro. Por consiguiente, los teóricos liberales no sólo han diluido la potencia del discurso moral dentro de la universidad, sino que también han socavado la promesa de la universidad en el sentido de que sirviera como esfera pública donde la crítica y el debate se institucionalizaran para cumplir con la función de crear intelectuales capaces de unir la visión y la sensibilidad ética en una fuerza política movilizadora. En el análisis que hace de la tradición analítica predominante y en la corriente principal de la filosofía de la educación, Jim Giarelli plantea un comentario sobre el fracaso de este proyecto:

Los últimos cuarenta años no han sido amables para con este proyecto. Desde mediados de siglo, la tendencia principal en la filosofía de la educación, por ejemplo, busca un incremento del profesionalismo. Esclavizados por el paradigma analítico, los análisis lingüísticos pasaron a ser de rigor, y el toque de clarín era la claridad conceptual... Según todas las evidencias, parece claro que los filósofos de la educación, con su búsqueda de estatus y rigor profesionales, han renunciado a ocupar un lugar en la conversación sobre la educación pública. Entre los principales eruditos norteamericanos, la teoría de la educación se ha reducido, en gran medida, a un subconjunto de la psicología, y, de manera similar, la política educativa ha pasado a ser un subconjunto de la teoría organizativa, de la ciencia administrativa y de la estadística. La ética de la educación, además, se ha vuelto una forma de negocio —metáfora adecuada—

para los profesionales de la ética que aplican principios provenientes de una tradición de la filosofía moral al "problema" de la educación concebido abstractamente —tradición, quisiera agregar, que ni siquiera se explica a sí misma. En el mejor de los casos, la creencia de que los conceptos clarificados y los programas de investigación más refinados técnicamente propiciarán mejoras sustanciales en la educación y la vida cultural es un ejemplo de esperanza no crítica.[36]

Lo que resulta interesante, a la vez que irónico, del discurso liberal sobre la moralidad y la ética es que, al mismo tiempo que da credibilidad a la importancia de que se eduque a los maestros, a los estudiantes y demás para que se conviertan en agentes morales, también propone un concepto fuertemente abstracto y pasivo de los derechos y de la justicia de procedimientos. Este acento se puede observar claramente en el trabajo de John Rawls y Kenneth A. Strike, quienes no demuestran interés alguno por desarrollar una teoría de la ética que aliente a la gente a hablar conforme a sus propias historias, tradiciones y experiencias personales.[37] En esta variante de la teoría ética, la voz y la especificidad histórica y contextual no son categorías centrales. Desde una perspectiva de esta índole, el concepto de justicia no se define mediante resultados sustantivos, sino más bien mediante un llamamiento fetichista al proceso adecuado. En este trabajo, con frecuencia se pierden de vista las complejas relaciones de poder, al igual que los problemas concretos de la actual vida social y educativa de la sociedad capitalista. El resultado de todo ello es a menudo poco más que una alabanza simplista del individualismo y la ciudadanía, dando por sentada la capacidad del estado capitalista y de su lógica de mercado concomitante para abordar el sufrimiento de los grupos subordinados y marginados. El atractivo que subyace a este particular discurso de la ética está en que se centra en la imparcialidad de las reglas que rigen a la sociedad actual, pero en este punto de vista está ausente cualquier

---

[36] Giarelli, "Review of *Education under siege*", pp. 319-320.

[37] Kenneth A. Strike, *Educational policy and the just society* (Urbana: University of Illinois Press, 1982); John Rawls, *A theory of justice* (Cambridge: Harvard University Press, 1971); véase también Ronald Dworkin, *Taking rights seriously* (Cambridge: Harvard University Press, 1977).

reto a la viabilidad moral y política de la sociedad que legitima tales reglas. Strike ejemplifica esta postura:

Para los liberales, el estado existe con el fin de que regule la competencia entre los individuos por la obtención de sus bienes privados... El concepto liberal del estado le prohíbe a éste tener una noción pública de lo bueno, así como usar su poder para imponer a sus ciudadanos algún concepto del bien. La función legítima del estado se debe entender a manera de que regule la competencia entre los individuos por la obtención de bienes privados. La teoría de justicia de un estado liberal lleva la intención de formular las reglas básicas que rigen esta función del estado. Tal teoría especifica aquello que debe contar como imparcialidad en las reglas conforme a las cuales los individuos cooperan y compiten entre sí en la persecución de sus propios fines.[38]

En el trabajo de Strike, al igual que en el de Rawls, una orientación abstracta hacia los derechos y los procedimientos legales viene a reforzar un acento normativo en el consenso racional. Dentro de esta perspectiva, el hincapié en la justicia procesal les indica a las personas cómo ordenar su vida y cuál debe ser su relación con el estado. Es importante señalar, como lo ha hecho Seyla Benhabib, que el punto focal de esta perspectiva está en el concepto de libertad, pero no en las cuestiones concernientes a qué constituye la vida buena. Además, la categoría de libertad, tal como se plantea en este punto de vista, se basa en nociones de justicia y de consenso racional que se han definido procesal y no sustantivamente. Por consiguiente, es muy poco lo que nos dice "acerca de aquellas cualidades de las historias de las vidas individuales y de las formas de vida colectivas que las hacen satisfactorias o insatisfactorias".[39] Vale la pena repetir que en esta perspectiva es muy poco el esfuerzo que se hace por situar concretamente metas formales y liberales en las historias, tradiciones culturales y experiencias reales que constituyen las comunidades de personas. En otras palabras, el enfoque ético en los derechos procesales ignora la densidad

---

[38] Strike, *Educational policy and the just society*, p. 248.
[39] Seyla Benhabib, "The utopian dimension in communicative ethics", *New German Critique*, 35 (primavera de 1985), p. 84.

moral de los públicos reales o posibles y de las esferas públicas. Termina por centrarse en el "sujeto" cosificado que aparentemente carece de una historia social en la que haya participado, o en una comunidad cuyos derechos y leyes han surgido de las luchas morales y políticas de seres humanos que han vivido dentro de construcciones específicas de tiempo, historia y espacio. El "otro" de este punto de vista de la ética no es una entidad concreta, sino un vehículo transparente y vacío para escoger un conjunto de reglas con preferencia a otros. Y sin embargo, el otro concreto, por su propia definición, no es una abstracción reducida a acciones de la esfera pública, sino que se trata de seres humanos reales que se definen a sí mismos por medio de discursos, necesidades, deseos, comunidad y dignidad. El otro concreto entraña, como mínimo, un discurso ético en el que las voces de los grupos subordinados, junto con los sonidos del sufrimiento y de la lucha colectiva humanos no quedan silenciados. En un sentido realmente liberal, los derechos formales remplazan una política de diferencia por la virtud del consenso, y, al hacerlo, logra pasar por alto la moralidad sustantiva de la vida cotidiana. Fred Siegel ha argumentado correctamente que este modelo rawlsiano de la ética y la justicia le dice a la gente cómo vivir, pero hace caso omiso de la dinámica que interviene en aquellas comunidades que luchan por establecer formas de democracia como modo de vida. Bajo esta postura, afirma Siegel, se halla un discurso decididamente antiutópico que aísla a los individuos, debido a que es capaz de vincular la ética con la dinámica vivida de la vida democrática.

La sociedad moderna se encuentra dividida entre una vida privada romántica y una esfera pública burocrática, pero esa escisión queda parcialmente aliviada gracias a los lazos familiares y de asociación, que cierran la brecha. No obstante, durante los años sesenta eran muchos los que veían precisamente en estos lazos de familia, iglesia y barrio la fuente de los problemas de la nación. El rawlsianismo exhibe una hostilidad similar hacia esas formas institucionales intermedias. Al igual que el utilitarismo, está ideado para una sociedad de extraños: una masa de individuos aislados que celebran un contrato entre sí y con el estado que procura que se cumpla.

Para Rawls, la sociedad es la relación de cada individuo con la ley; los individuos no sostienen relaciones no-contractuales entre sí.[40]

El hincapié en la racionalidad abstracta que da forma al discurso sobre los derechos y la justicia es igualmente evidente en el trabajo de Lawrence Kohlberg, Jürgen Habermas y otros.[41] En este caso se construye un discurso de la ética en torno a normas de racionalidad que se hallan implícitas en formas de acción comunicativa. Mediante un llamado a las teorías del desarrollo humano que se hallan arraigadas en la psicología científica, la teoría de la moralidad del "derecho natural" de Kohlberg plantea un punto de vista optimista sobre la educación como base para mejorar la habilidad cognitiva de los estudiantes, que se percibe como la precondición para incrementar su capacidad para el razonamiento moral. Como es bien sabido, Kohlberg aduce que existe una secuencia invariable y universal de etapas en el desarrollo del juicio moral. Estas etapas se pueden desarrollar problematizando cuestiones morales particulares y evaluando la forma en que los estudiantes responden a ellas, y luego haciendo que éstos entren en polémicas que no se hallen demasiado apartadas de sus propios niveles de razonamiento cognitivo y moral.[42] Aun cuando Kohlberg reconoce que los seres humanos se desarrollan gracias a la interacción mutua por medio del empleo del lenguaje y el diálogo, su ética discursiva no es menos cosificadora que el acento que ponen en los derechos de procedimientos y la justicia por los que abogan Rawls y Strike. Kohlberg separa también el discurso sobre la ética y la

[40] Fred Siegel, "Is Archie Bunker fit to rule? Or: How Immanuel Kant became one of the founding fathers", *Telos*, 69 (otoño de 1986), p. 27.

[41] Lawrence Kohlberg, *The philosophy of moral development* (Nueva York: Harper and Row, 1981). Se puede encontrar una colección representativa de esta literatura en *Adolescents' development and education: a Janus knot*, Ralph Mosher, comp. (Berkeley; McCutchan Publishing, 1979). Véanse también Barry Chazan, *Contemporary approaches to moral education* (Nueva York: Teachers College Press, 1985) y John Martin Rich y Joseph L. Devitis, *Theories of moral development* (Springfield: Charles C. Thomas, 1985); Jürgen Habermas, *The theory of communicative action* (Boston: Beacon Press, 1983).

[42] Se puede hallar un ejemplo particular de este enfoque en Ronald E. Galbraith y Thomas M. Jones, *Moral reasoning: a teaching handbook for adapting Kohlberg to the classroom* (Minneapolis: Greenhaven Press, 1976).

moralidad de las luchas, voces y experiencias compartidas que constituyen una política de diferencia en la vida cotidiana. La pedagogía de Kohlberg no nos da una comprensión, o muy poca, de la forma en que la voz y la historia se unen dentro de las constantes relaciones asimétricas de poder que caracterizan al rejuego entre las culturas dominantes y las subordinadas. La argumentación práctica, en este caso, pasa a ser la base de una pedagogía y teoría de la ética que ignora el modo en que se forman los individuos por medio de las condiciones materiales que constituyen la otra cara de la cultura. Para Kohlberg, así como para quienes comparten su postura, la virtud de la racionalidad científica y el funcionamiento de la lengua se convierten en la base para encarar los dilemas morales abstractos y mejorar el razonamiento moral. Conforme a este punto de vista, a la historia se la separa del razonamiento moral y se deja olvidado el lado oscuro de la racionalidad científica. Además, este enfoque concede una alta prioridad al consenso, cercenando así la posibilidad de desarrollar una política de diferencia que admita la especificidad de los grupos desposeídos.

Lo que se pasa por alto en esta perspectiva, tal como lo ha señalado Horkheimer, es que el discurso de la ética se refiere igualmente a la naturaleza de la felicidad y la buena vida. Y esto último no se puede separar de la cuestión del modo en que se desarrolla una humanidad socializada dentro de condiciones ideológicas y materiales que, o bien permiten, o impiden el mejoramiento de las posibilidades humanas. Horkheimer nos da el referente para una alternativa a la postura kohlbergiana, al aducir que es importante escudriñar la historia con objeto de recordar el sufrimiento del pasado, y que a partir de este recuerdo se debe desarrollar una teoría de la ética en la cual la solidaridad, la simpatía y la protección pasen a ser las dimensiones centrales de una práctica social informada.[43]

[43] Max Horkheimer, "Ethics and critical theory", *Telos*, 69 (otoño de 1986), pp. 85-118. La insistencia de Horkheimer en que desarrollemos un discurso ético que mire de frente a la historia con el fin de que sea testigo del legado de sufrimiento y de lucha, para que revele las condiciones objetivas del mal, queda vigorosamente ejemplificada en lo que Terrence Des Pres llama la literatura del *superviviente-como-testigo*. Para Des Pres, empero, la importancia de esta

Para resumir esta sección, quiero recalcar que ni el discurso sobre los derechos ni el razonamiento moral cognitivo logran situar una teoría de la ética en un concepto de la vida buena que preste atención a las aspiraciones y esperanzas de aquellos grupos subordinados y marginales que ocupan contextos históricos y sociales particulares. En la parte medular del paradigma liberal se encuentra la noción de que nos podemos dirigir al individuo, como ciudadano poseedor de derechos, y lo podemos entender, fuera del complejo vivido, conexo, de las relaciones humanas. Una teoría radical de la ética debe rechazar esta postura, como punto de partida para el desarrollo de una teoría crítica de la educación. En vez de ella, los educadores debieran vincular una teoría de la ética y la moralidad con una política en la que pasen a ser fundamentales la comunidad, la diferencia, el recuerdo y la conciencia histórica. Procediendo de esta ma-

literatura reside no sólo en su revelación de los horrores inmencionables e impensables de la historia, sino también en la circunstancia de que pone los "gritos" y las voces de los sobrevivientes en una conciencia colectiva que testimonia el hecho de la supervivencia, así como el de la esperanza y la lucha. Des Pres ofrece un comentario fuerte respecto a la importancia que tiene el revivir aquellas voces que han sobrevivido a una historia para la cual el grito de dolor se traduce en la lucha por las posibilidades emancipatorias. Dice textualmente: "Y al igual que cualquier testigo, el superviviente ofrece testimonio en aquellas situaciones en que el juicio moral depende del conocimiento de lo que acaeció. Por medio de él [sic] quedan verificados los acontecimientos en cuestión y su realidad se vuelve válida ante los ojos de los demás. El superviviente como testido, por consiguiente, encarna un proceso sociohistórico fundamentado no en el deseo de justicia (¿qué puede significar la justicia cuando de lo que se trata es de genocidio?), sino en la participación de todos los seres humanos en el amor por la vida y por el futuro. 'Yo quiero que el mundo lea esto y tome la resolución de que nunca jamás se debe permitir que vuelva a suceder', es la conclusión a la que llega uno de los supervivientes de Auschwitz. 'Creo que es mi deber —dice otro— hacerle saber al mundo, basándonos en experiencia de primera mano, lo que puede ocurrir, lo que ocurre, lo que tiene que ocurrir cuando a la dignidad humana se la trata con un cínico menosprecio'. Ésta es una actitud que ciertamente expresan con frecuencia los supervivientes. La suposición es en el sentido de que el bien y el mal sólo se ven claros retrospectivamente; que la visión moral depende de la asimilación del pasado; que el hombre como tal no puede ignorar los recuerdos. La sabiduría depende del conocimiento y se adquiere a un precio terrible. Proviene de la toma de conciencia, y después, de la respuesta que se dé a los hechos y acontecimientos por los que ya han pasado los hombres. La conciencia, según lo expresa Schopenhauer, es 'el conocimiento del hombre tocante a lo que ha hecho'." (Terrence Des Pres, *The survivor: an anatomy of life in the death camps* [Nueva York: Washington Square Press], pp. 51-52).

nera, pueden comenzar la tarea de desarrollar un discurso
ético en el cual las satisfacciones y necesidades humanas,
radicales y utópicas, junto con la previsión de la buena vida, se
puedan estructurar en torno a aspectos de lucha históricamente informados y culturalmente específicos. Seyla Benhabib
señala tanto la base como la importancia de una tarea de esta
índole, al exponer la manera en que el concepto del "otro
concreto" se puede incorporar a una teoría de la ética.

El punto de vista del "otro concreto", en cambio, exige que conside-
remos a todo ser racional como un individuo que posee una historia, una identidad y una constitución afectivo-emocional concretas.
Al asumir este punto de vista nos abstraemos de aquello que constituye nuestros aspectos comunes y tratamos de comprender la
naturaleza distinta del otro. Tratamos de entender las necesidades
de los otros, sus motivaciones, lo que buscan y lo que desean.
Nuestras relaciones con el otro se rigen por la norma de la recipro-
cidad complementaria: cada uno tiene el derecho a esperar y a
asumir del otro formas de comportamiento por medio de las cuales
el otro se sienta reconocido y confirmado como un ser individual
concreto, con necesidades, talentos y capacidades específicas. Nuestras diferencias, en este caso, nos complementan, en vez de excluir-
nos mutuamente. Las normas de nuestra interacción son generalmente privadas, y no institucionales. Son normas de solidaridad,
de amistad, de amor y de cuidado o protección. Tales relaciones
exigen, de diversas maneras, que yo haga, y que tú esperas que yo
haga, frente a tus necesidades, más de lo que se exigiría de mí como
persona poseedora de derechos. Al tratarte conforme a las normas
de solidaridad, amistad, amor y cuidado, yo confirmo no sólo tu
humanidad, sino también tu individualidad humana. Las categorías morales que acompañan a tales interacciones son las de la
responsabilidad, el nexo y el afán de compartir. Los sentimientos
morales correspondientes son los del amor, el cuidado, la simpatía
y la solidaridad, y la visión de comunidad incluye las necesidades y la solidaridad.[44]

Lo que resulta de interés particular en esta postura para
una teoría de la moralidad y la ética es la manera en que se
preocupa por la materialidad de la interacción humana, es
decir, por las necesidades humanas conformadas dentro de

[44] Benhabib, "The utopian dimension in communicative ethics", pp. 93-94.

las configuraciones sociales y políticas existentes. En este punto de vista, el marco moral de la política y la vida diaria queda arraigado tanto en las condiciones y formas materiales de solidaridad que apuntan hacia una vida mejor, como en aquellos principios y máximas formales que contribuyen a actualizar los que Agnes Heller ha denominado los valores universales de la vida y la libertad.[45] Es decir, una teoría radical de la ética no sólo abrazaría una política del otro concreto basada en las normas de solidaridad, simpatía, cuidado, amistad y amor, sino que también pugnaría por definir aquellas máximas que fuesen necesarias para contar con una moralidad provisional con objeto de discernir la adecuación moral (esto es, la bondad, la maldad y la indiferencia moral) de normas y reglas particulares. Tales máximas formarían parte de un intento continuo por proporcionar lo que Michael Lerner ha llamado una

visión [en constante avance] de una comunidad moral norteamericana. Tal visión debiera ser idealista y no pragmática. Debiera pintar una imagen de lo que la vida debería ser, y tendría que insistir en que los programas prácticos deben ser medidos conforme al grado en que tienden a crear este tipo de sociedad.[46]

Agnes Heller en realidad ha tratado de iniciar un proyecto de dicha índole. Aun cuando no deja de plantear problemas, su lista de máximas prohibitivas e imperativas ofrece un punto de partida para debatir cuál debiera ser la naturaleza de tales máximas, como parte de un discurso radical de la ética:

a. Las máximas prohibitivas son:

1. No escoger normas que no se puedan establecer de manera pública.
2. No escoger normas cuya observancia implique —por razones de principio— el empleo de otros seres humanos como meros medios.

---

[45] Agnes Heller, "The basic question of moral philosophy", *Philosophy and Social Criticism*, 1:11 (verano de 1985), p. 57.

[46] Michael Lerner, "A new paradigm for liberals: the primacy of ethics and ʌmotions", *Tikkun*, 2:1 (1987), p. 136.

3. No escoger normas que no todo el mundo esté en libertad de escoger.

4. No escoger como normas morales (normas obligatorias) aquellas cuya observancia no sea una meta en sí misma.

b. Las máximas imperativas son:

1. Otorgar igual reconocimiento a todas las personas, como seres libres y racionales.

2. Reconocer todas las necesidades humanas, salvo aquellas en cuya satisfacción interviene el uso de otras personas como medios, por definición.

3. Respetar a las personas únicamente con base en sus virtudes y méritos (morales).

4. Guardar la dignidad humana en todo lo que hagamos.[47]

El desarrollo de una moralidad provisional, orientada a señalar como adecuado el hecho de denominar a ciertas normas emancipatorias y a otras represivas, representa un reto importante para los educadores dedicados a la elaboración de un punto de vista de la autoridad y la pedagogía crítica fundamentado en una teoría radical de la ética. No menos desafiante es la necesidad de reconstruir y críticamente apropiar aquellas tradiciones de protesta históricamente constituidas, que podrían ofrecernos la base para la organización de las experiencias cotidianas en torno a un lenguaje que fomentase las necesidades radicales y las sensibilidades emancipatorias. En efecto, una de las tareas más importantes de una teoría crítica de la educación es la de analizar de qué manera las experiencias constituidas históricamente pueden contribuir a la elaboración de un discurso ético *que posea* una intención política emancipatoria. Es decir, un discurso que pueda proporcionar la base para la organización y el sostenimiento de una comunidad de esferas públicas inextricablemente conectadas a formas de adquisición personal y social de facultades críticas, que extiendan el proyecto de la posibilidad humana y de la futura felicidad colectiva. Está inherente en este proyecto ético/político una noción blochiana del "aún no", un punto de vista

---

[47] Heller, "The basic question of moral philosophy", p. 57.

del futuro que apropia y modifica, en vez de denunciar, una
moralidad fundamental provisional. Y sin embargo, si se
desea que una moralidad provisional pase a ser el aspecto
central de una teoría radical de la ética, los educadores tendrán que enderezar algunos asaltos teóricos —como los que
se están efectuando, que son importantes— contra todas las
formas de fundacionalismo que está desarrollando en la
actualidad la filosofía posmoderna.

LA FILOSOFÍA POSMODERNA Y EL ABANDONO DE LA ÉTICA

El temple cultural de la última década se ha visto marcado
por un rompimiento radical con los principios unificadores
y la lógica hegemónica que han caracterizado a las tradiciones principales más antiguas de la filosofía. Los principios
totalizadores y objetivadores de la filosofía moderna, que se
caracterizan, en parte, por sus metanarrativas de la historia,
su fe en la teleología de la ciencia, su firme creencia en la
marcha lineal del progreso industrial, su defensa del sujeto
humano como un racionalista integrado y unificado, y su
confianza en las "intenciones" de un determinado texto, se
encuentran en estado de profunda crisis. Diversas tendencias de posmodernismo, posestructuralismo y neopragmatismo han declarado la guerra a todas las categorías de tras-
cendencia, de certidumbre y de fundamentalismo. A los
primeros principios se los ve ahora como meras reliquias de
la historia. El sujeto unificado, que era el gran baluarte de las
esperanzas tanto liberales como radicales en cuanto al futuro, actualmente se halla diseminado entre los procesos de
valorización y descentramiento. Por otro lado, el ataque contra el fundamentalismo ha traído como consecuencia una
infatuación metodológica unilateral con la desconstrucción
no sólo de verdades particulares, sino del concepto mismo
de verdad como categoría epistemológica. Todos los intentos
por definir una noción de verdad capaz de sostener un proyecto político que encare, en vez de que simplemente dese-
che la historia y el significado, han pasado a ser sospechosos

y a formar parte "del bagaje que el posestructuralismo trata de abandonar".[48] Dentro de esta nueva filosofía, la subjetividad y la ética frecuentemente se las deja vacías mediante la indeterminación del lenguaje, el ensalzamiento de la diferencia y el juego de los significantes. Lo más notable de esta tendencia de la filosofía posmodernista, tanto en su vertiente liberal como en la radical, es que se rehúsa a vincular el lenguaje de la crítica con un proyecto político viable. Escapar del fundamentalismo es a menudo y al mismo tiempo escapar de la política.

Esto no equivale a sugerir que todas las proyecciones teóricas que caracterizan a la filosofía posmoderna deban necesariamente ser condenadas mediante un trapazo totalizador, como se ha hecho, por ejemplo, en los recientes ataques por parte de Fredric Jameson y Perry Anderson.[49] Existe un buen número de elementos oposivos de la filosofía posmoderna que constituyen intervenciones críticas importantes contra las ideologías culturales dominantes del capitalismo tardío. El acento que ponen en la importancia de la diferencia, el conflicto y la especificidad no se puede echar a un lado ante la negativa de ciertas versiones del marxismo y de la teoría liberal predominante a admitir las coyunturas, escisiones y contextos que van a contrapelo con sus teorías "sobretotalizadoras".[50] El incesante ataque contra la teoría de correspondencia de la verdad, la hiperracionalidad del positivismo y el pulcro concepto de un sujeto humano unificado y centrado, son aspectos que *han* puesto la base para un lenguaje más poderoso de la crítica, en el terreno de la filosofía posmoderna. Pero aquí es donde comienza el problema, porque la filosofía posmoderna en muchos casos se halla tan comprometida con la demolición del edificio ideológico de significado y certidumbre que no ha sabido desarrollar nin-

[48] Frederic Jameson, "Postmodernism, or the cultural logic of state capitalism", *New Left Review*, 146 (julio-agosto de 1984), p. 61.
[49] Perry Anderson, *In the tracks of historical materialism* (Chicago; University of Chicago Press, 1984); véase también *Ibid.*
[50] Terry Eagleton, "Marxism, structuralism, and post-structuralism", *Diacritics* (invierno de 1985), p. 5. Para un análisis bien equilibrado del posmodernismo, véase Mas'ud Zavarzadeh y Donald Morton, "The nostalgia for law and order and the policing of knowledge", *Syracuse Scholar* (primavera de 1987), pp. 25-71.

gún proyecto moral, ético o político firme, mediante el cual pudiera justificar su anulación del texto, del sujeto, de la verdad y de otros terrenos semejantes que han sido los edificios tradicionales de significado y albedrío. Esta loca danza por medio de las construcciones tradicionales de significado, historia y subjetividad aparece a veces como un remolino de discurso teórico complejo que causa destrozos, pero que no lleva otro propósito más que el de seguir adelante.[51]

Tal como lo han señalado por demás un buen número de críticos, la filosofía posmoderna adolece de bastantes problemas teóricos importantes.[52] En la parte medular de mucha de la filosofía posmoderna se observa un desmesurado

[51] Claro está que esto no es válido en cuanto a la teorización posestructuralista que están llevando a cabo un buen número de teóricas feministas, tales como Luce Irigaray, Julia Kristeva y Teresa de Lauretis, quienes han realizado significativos avances en el análisis del discurso patriarcal, la sexualidad femenina y la representación visual en las artes; por otro lado, los trabajos más recientes de Michel Foucault, Gilles Deleuze, Félix Guattari, Jacques Donzelot y otros, comienzan a abordar el concepto del proyecto político. Véase, por ejemplo, el trabajo de Foucault sobre la *Historia de la sexualidad* (México: Siglo XXI, 1977-1987), 3 vols.

[52] Los críticos siguen sin ponerse de acuerdo en cuanto a la utilidad conceptual de la palabra "posmodernidad". Por lo común, este vocablo se asocia con el trabajo de pensadores tales como Nietzsche, Heidegger, Saussure, Peirce, Frege, Wittgenstein, Lyotard, Derrida y Foucault, por mencionar algunos. La palabra se asocia también a menudo con los movimientos actuales del arte y la arquitectura de vanguardia. No sólo tenemos una "situación" posmoderna que se refiere a la crisis contemporánea de la cultura de masas, sino que también contamos con una teoría social posmoderna para que nos ayude a desconstruir y desenmarañar las complejidades de la mencionada situación. No obstante, los teóricos sociales y los filósofos posmodernos con frecuencia han sido criticados a causa de su discurso despolitizado. Tal vez donde mejor queda ejemplificada la desilusión que se está gestando en torno a la teoría social posmoderna es en las críticas recientes que han expresado Michel Foucault y otros escritores posestructuralistas. Peter Dews, por ejemplo, habla del concepto de poder de Foucault diciendo que se trata de un éter metafísico omnipresente, que permea todas las relaciones y prácticas socioculturales. Véase Peter Dews, "Power and subjectivity in Foucault", *New Left Review*, 144 (marzo/abril de 1984), p. 91; véanse también John Rajchman, "Foucault's dilemma", *Social Text*, 8 (invierno de 1983/1984), pp. 3-24, y "Ethics after Foucault", *Social Text* 13/14 (invierno/primavera de 1986), pp. 165-183. Véase igualmente Keith Gandal, "Michel Foucault: intellectual work and politics", *Telos*, 67 (primavera de 1986), pp. 121-134. A diferencia de Dews, Gandal llega convincentemente a la conclusión de que "[Foucault] nos proporciona un ejemplo de activismo que es táctico y ético, así como una práctica intelectual en la que se emplea el análisis histórico para establecer estrategias posibles y para crear problemas que necesitamos desesperadamente" (p. 134). Yo comparto la postura de Gandal y también el

hincapié en el descentramiento del sujeto y la psique humanos. Este acento unilateral en la demolición del sujeto moná-
dico burgués autónomo, se traduce en la muerte del sujeto y,
con ella, en el abandono de cualquier noción de albedrío
humano determinado y de lucha colectiva. Al carecer de un
referente humano y subjetivo, este deslizamiento teórico
hacia un juego cosificado de los significantes y de las estrategias desconstruccionistas también cobra su precio al borrar
la propia historia. En las palabras de Fredric Jameson,

Con ello, el propio pasado queda modificado: lo que alguna vez
fue... la genealogía orgánica del proyecto burgués colectivo, ha
pasado a ser mientras tanto una vasta colección de imágenes, un
multitudinario simulacro fotográfico. El poderoso lema de Guy
Debord es ahora incluso más apropiado para la prehistoria de una
sociedad despojada de todos los espectáculos. Apegándose fielmente a la teoría lingüística posestructuralista, el pasado como "referen-

punto de vista de Rajchman en el sentido de que el trabajo de Foucault, y en
especial el más reciente, constituye un proyecto político.
   Uno de los debates más loables, en torno al giro que se le ha dado al posmodernismo en la teoría social, ha sido el acalorado intercambio entre Lyotard
y Habermas. Este último ha llegado al punto de tachar a Foucault, a Lyotard y a
Deleuze de "noeconservadores", debido a que no ofrecen explicaciones teóricas
respecto a las direcciones sociales particulares que adoptan en sus obras. Para
excelentes comentarios acerca de este intercambio y otras controversias que
rodean al concepto de "posmodernidad", véanse todos los artículos de *Praxis
International* 4, 1 (abril de 1984), o el libro, basado en esos artículos, de Richard
Bernstein, comp., *Habermas and modernity* (Cambridge: MIT Press, 1985); otra
excelente serie de artículos sobre la situación posmoderna se encuentra en *New
German Critique*, 33 (otoño de 1984); para una exposición sobre la postura de
Derrida, véase Henry Staten, "Rorty's circumvention of Derrida", *Critical
Inquiry*, 12:2 (1986), pp. 453-461, y la respuesta de Rorty, "The higher naturalism
in a nutshell: a reply to Henry Staten", *Critical Inquiry*, 12:2 (1986), pp. 462-466.
Yo recomendaría el siguiente material: Jackson Lears, *No place of grace:
antimodernism and the transformation of American culture, 1880-1920* (Nueva York:
Pantheon Books, 1981); David Frisby, *Fragments of modernity* (Cambridge: MIT
Press, 1986); Hal Foster, comp., *The anti-aesthetic: essays on postmodern culture*
(Port Townsend: Bay Press, 1983); John Fekete, comp., *The structural allegory:
reconstructive encounters with new French thought* (Minneapolis: University of
Minnesota Press, 1984); Jean-François Lyotard, *The postmodern condition: a report
on knowledge* (Minneapolis: University of Minnesota Press, 1979); Arthur Kroker
y David Cook, *The postmodern scene* (Nueva York: St. Martin's Press, 1986).
También han aparecido una buena cantidad de números especiales sobre el
debate posmoderno/modernista en *Telos, New German Critique, Theory, Culture
and Society* y *Social Text*.

te" se encuentra a sí mismo cada vez más encerrado, y luego se ve borrado del todo, sin dejarnos más que textos.[53]

Lo más inquietante es no solamente que haya un lenguaje unidimensional de la crítica que mantenga juntas a las muchas ramificaciones ideológicas de la filosofía posmoderna, sino que la brutalidad de su carácter fundamentalmente antiutópico socava cualquier posibilidad de desarrollo de algún proyecto político potencialmente progresista y sustantivo. Sin un lenguaje capaz de recuperar y reconstruir la historia, la reconstitución de la subjetividad en torno a una noción funcional de la voluntad y el albedrío humanos, y el desarrollo de un proyecto político basado en un discurso de la posibilidad, la filosofía posmoderna se presenta en oposición a cualquier proyecto que lleve la intención de fomentar la crítica y la esperanza al servicio de una ética y una filosofía política vinculadas con la estructuración de una democracia radical.

La filosofía posmoderna, y en especial la variante liberal norteamericana, ha tendido a sacrificar el desarrollo de un discurso pedagógico de la ética, el albedrío y la política, en aras de un lenguaje de la crítica orientado a la demolición de toda pretensión del conocimiento en cuanto a certidumbre y primeros principios. El ataque contra el fundacionalismo, el "mito de lo dado", y todos los demás códigos culturales que hacen un llamamiento a las normas eternas o transculturales, también ha sido sometido a un vigoroso ataque mediante la variante norteamericana de neopragmatismo que se está desarrollando con el trabajo de Richard Rorty.[54] La versión rortyana del antifundacionalismo liberal posmo-

[53] Jameson, "Postmodernism", p. 66.
[54] Véanse las siguientes obras de Richard Rorty: *Philosophy and the mirror of nature* (Princeton: Princeton University Press, 1979); *Consequences of pragmatism: essays, 1972-1980* (Minneapolis: University of Minnesota Press, 1982); "The contingency of language", *London Review of Books*, 8:7 (17 de abril de 1986), pp. 3-6; "Deconstruction and circumvention", *Critical Inquiry* (septiembre de 1984), pp. 11-15; "Habermas and Lyotard on postmodernity", en *Habermas and modernity*, Richard Bernstein, comp. (Cambridge: MIT Press, 1985), pp. 161-176; "The priority of democracy to philosophy", manuscrito inédito, 1986; "Solidarity or objectivity?" en *Post-analytic philosophy*, John Rajchman y Cornel West, comps. (Nueva York: Columbia University Press, 1985), pp. 3-19.

derno no se restringe a un lenguaje de crítica que menosprecie cualquier llamado a la esperanza o a la defensa de un conjunto de relaciones sociales y de visión de comunidad. Al contrario, Rorty apoya la noción modernista de proseguir la tradición de la fe ilustrada en la razón y el diálogo, como base para la vida comunitaria. Para Rorty, la tradición ilustrada en su apogeo representa una forma de liberalismo cultural en la que la comunidad es la encarnación de la virtud socrática de la conversación progresiva. El posmodernismo de Rorty es también evidente en su argumentación en el sentido de que la tradición filosófica occidental tiene que ser frenada a toda costa, puesto que privilegia los conceptos de necesidad, universalidad, racionalidad y objetividad, y al hacerlo, mina la creación de las comunidades dialogales, y también impide que prosiga la conversación de la humanidad. Por esta razón, el anclaje de la verdad en cualquier forma de fundacionalismo se desecha en favor del concepto de conversación, que no se defiende ni como epistemología ni como axiología, sino como práctica en sí.

Es de importancia primordial, para entender el punto de vista que Rorty tiene de *conversación, comunidad* y *política*, la forma en que rechaza de plano cualquier intento de fundamentar los propios juicios. Para Rorty, ni el propósito ni el valor que la conversación tenga para la humanidad son cosas que deban evaluarse, puesto que esta última requiere de ciertos criterios de juicio, y todos los juicios están teñidos por las certidumbres que dan forma a las tradiciones autoritarias.[55] Alejado de los dominios del poder y la política, para Rorty el conocimiento es cuestión práctica y de civilidad, y su virtud es simplemente su propia existencia. De modo similar, la sociedad también se despolitiza cuando se convierte primordialmente en un lugar o modelo para un enfrentamiento conversacional. Es extremadamente revelador el punto de vista que tiene Rorty del intelectual en la sociedad. La naturaleza ideológica de la "conversación de la humanidad" de Rorty comienza a poner de manifiesto sus propias amarras ideológicas, conforme el papel que desempeña

[55] Cornel West, "The politics of American neo-pragmatism", en *Post Analytic Philosophy*, p. 266.

el intelectual en esta perspectiva se describe como el del héroe en todos aspectos, dispuesto "a ofrecer un punto de vista
sobre prácticamente cualquier cosa".[56] Disponible como ar-
chivo humano de cualquier tradición no problemática,

él [sic] pasa rápidamente de Hemingway a Proust, de allí a Hitler y
a Marx, a Foucault y a Mary Douglas, y a la situación actual en el
sureste de Asia y a Gandhi y a Sófocles. Es alguien que recita
nombres, que emplea nombres como los citados para referirse a
conjuntos de descripciones, a sistemas de símbolos, a maneras de
ver. Su especialidad es la de encontrar grandes similitudes y diferencias entre grandes retratos, entre intentos por ver la forma en
que las cosas se entrelazan.[57]

Éste no es el intelectual que se halla en deuda con el
concepto del compromiso sartreano o la lucha marxiana. En
la perspectiva de Rorty, el intelectual queda reducido a ser
simplemente un miembro algo privilegiado de la comunidad, al servicio de la conversación; un miembro sin política,
sentido visionario ni conciencia. Lo que más sorprende acerca del punto de vista que tiene Rorty de la conversación y la
comunidad es el pluralismo idealizado al que da apoyo.
Tratada como simples convenciones, y no como prácticas
sociales que tienen lugar dentro de relaciones asimétricas de
poder, la noción de conversación queda imbuida con una
falsa igualdad que se desliza por encima del problema de
cómo los intereses específicos y las relaciones de poder estructuran realmente las condiciones materiales e ideológicas en las cuales realmente se estructuran las conversaciones. ¿Quién participa en la conversación? ¿Quién controla las
condiciones del diálogo? ¿Quién queda fuera? ¿Cuáles son
los intereses que se sostienen, más allá de la virtud abstracta
del diálogo socrático? ¿Las narraciones de quién se distorsionan o marginan? ¿Cómo puede uno decidir entre previsio-
nes competitivas de vida comunitaria, según quedan encarnadas en las distintas ramificaciones de la conversación?
El conservadurismo cultural de Rorty hace caso omiso de
estas preguntas, y al hacerlo nos proporciona una versión

---

[56] Rorty, *Consequences of pragmatism*, p. xxxix.
[57] *Ibid.*, p. x.

de la filosofía posmoderna que es fundamentalmente antiutópica en el sentido de que socava y despolitiza el proyecto
deweyano de vincular la voluntad pública con la idea de la
democracia radical. Alfonso J. Damico explora las implicaciones del repliegue de Rorty respecto de la política y de su
negativa a enlazar la noción de conversación y comunidad
con la democracia experimental de los públicos organizados
de manera consciente.

Rorty [sostiene]... que "lo importante es nuestra lealtad hacia otros
seres humanos que se aferran unos a otros contra la oscuridad, y no
nuestra esperanza de lograr que las cosas se enderecen". Claro está
que éste es un sentimiento cuya mejor complementación se encuentra en la complacencia y el quietismo políticos. Hay ahí, pues,
también un sentido en el que Rorty despolitiza la voluntad pública.
Desde la perspectiva desconstruccionista de Rorty, uno no puede ni
cuestionar los propósitos, ni estimar el valor de la conversación de
la humanidad, por la vigorosa razón de que no posee ni propósitos
ni méritos —más allá del hecho de que es simplemente nuestra
virtud... Lo cierto es que esto sugiere que algo de irracional hay en
las dudas que retan decididamente las creencias y valores compartidos y validados por las convenciones del momento. Si la práctica
del juicio requiere de ciertos criterios de juicio que no reproduzcan
simplemente la práctica actual, resulta difícil ver de qué forma los
ciudadanos rortyanos podrán evaluar las disputas e insatisfaccio-
nes, y responder a ellas, cuando el propio significado que se asocia
a los diversos conceptos de los méritos establecidos como normas
se halla en controversia entre los propios conversacionalistas. Hay
un "dado esto y dado lo otro" en la conversación rortyana que
otorga un apoyo generalizado a la práctica en sí, pero que deja en la
oscuridad aquello que ocurre dentro de la propia práctica y más
allá del alcance de la deliberación crítica o política.[58]

Aun cuando el antifundacionalismo de Rorty posee cierto
valor en el sentido de que alienta el cultivo de una actitud
crítica hacia todas las tradiciones y códigos intelectuales que
se legitiman a sí mismos mediante una u otra forma de
trascendentalismo, a la postre termina por no ofrecer ningún fundamento ético ni político conforme al cual se pudie-

---

[58] Alfonso J. Damico, "The politics after deconstruction: Rorty, Dewey, and
Marx", manuscrito inédito, 1986, p. 14.

ran poner en tela de juicio el sufrimiento y las contradicciones inherentes a la sociedad moderna, ni exhibir la valentía moral y política necesarias para luchar por una sociedad sin explotación. A fin de cuentas, la conversación y el relativismo moral de Rorty se convierten en la conversación particular del académico liberal, es decir, en una conversación alejada, insular y apologética. De hecho, lo que empieza como un ataque contra todas las formas de fundacionalismo, termina por ser algo sintomático de un tipo particular de impotencia intelectual y moral característica del antiutopismo tan desenfrenado de la academia norteamericana. Cornel West no anda demasiado equivocado cuando sugiere que el antifundacionalismo de Rorty puede ser ligeramente radical por la amenaza que plantea a la legitimación de la lógica de las tradiciones filosóficas de la academia, pero ciertamente no plantea amenaza alguna al papel mucho más importante que la universidad pudiera desempeñar como esfera pública, crítica y autónoma capaz de retar, en vez de adaptarse, a la más amplia sociedad dominante. Según lo expresa West,

el neopragmatismo de Rorty nos ofrece, no una perspectiva sacudidora del Occidente moderno, sino más bien un síntoma de la crisis que existe en el estrato profesional altamente especializado de los trabajadores de la educación de los departamentos de filosofía de las universidades. El radicalismo antiepistemológico, así como el antiacademicismo esteticista de Rorty..., por más que estén preñados de ricas posibilidades, siguen siendo polémicos y, por ende, estériles. Se niegan a dar nacimiento a la prole que conciben. Rorty encamina a la filosofía hacia el complejo mundo de la política y la cultura, pero confina su enfrentamiento a la transformación de la academia y a la apologética del Occidente moderno.[59]

Aun cuando en el trabajo de Rorty hay un aspecto ligeramente subversivo, a la postre cae presa del discurso de la apologética. Es decir, en congruencia con el antiutopismo que caracteriza a buena parte de la teoría social posmoderna, Rorty anula el carácter, los métodos y la dinámica de la dominación y el poder en torno a una conversación y una

[59] West, "The politics of American neo-pragmatism", p. 268.

comunidad que oculta más de lo que revela. La diferencia y la ética, en esta postura, se construyen como indiferentes al sufrimiento humano y a la lucha colectiva. Y por el contrario, el poder, la lucha y la transformación quedan anulados dentro de una ideología de pluralismo que presupone una sociedad no contaminada por las inequidades de la dominación y la explotación capitalistas. El neopragmatismo de Rorty deja poco espacio para un discurso ético y una práctica social que cuestionen las condiciones políticas más allá de las convenciones de los encuentros conversacionales. Ahora la esperanza se ve desplazada con respecto a la lucha política y la legitimidad ética, y, según el punto de vista de Rorty, queda reducida al juego de las interpretaciones que subyacen la vida comunitaria. Tal como lo señala Rebecca Comay,

La "esperanza"... se convierte, en Rorty, en el alegre deseo de que sigamos avanzando tal como vamos... La "comunidad" —liberada de las presunciones globales— pasa a ser simplemente el lugar donde estamos. La "historia" —liberada del arjé y el telos restrictivos— se convierte en la continuación de lo mismo... Y la filosofía, despojada de la arrogancia crítica, pasa a ser la alegre afirmación del "ahora".[60]

Si se quiere que los conceptos de discurso moral y visión política se conviertan en algo más que otra ramificación flotante dentro de la comunidad de las conversaciones sociales, los educadores críticos tendrán que desplazarse más allá de las limitaciones teóricas e ideológicas que subyacen a los diversos enfoques derechistas y liberales frente a las cuestiones afines de la educación escolar, la moralidad y la autoridad. Tal como están las cosas, aun aquellos educadores radicales que han reconocido la necesidad de elaborar un discurso crítico moral y ético, han permanecido atrapados dentro de una problemática decididamente liberal. Por ejemplo, Landon Beyer y George Wood asumen una postura francamente rortyana al argumentar que un discurso moral depende de la comunidad interpretativa de la que forma

---

[60] Rebecca Comay, "Interrupting the conversation: notes on Rorty", *Telos*, 69 (otoño de 1986), p. 124.

parte.[61] El problema de esta postura es que no logra entender la forma en que los seres humanos están constituidos
histórica y materialmente dentro de los discursos morales,
ni qué es lo que significan estos discursos en lo que se refiere
a cómo sostienen o retan a las fuerzas de dominación o de
libertad. Para decirlo de manera sencilla, las bases de un
discurso ético no se habrán de hallar en su construcción
interpretativa, sino en la cuestión de cómo afectan al significado y a la calidad de la vida.

En el trabajo de Jo Anne Pagano[62] se puede encontrar un
tratamiento teóricamente mucho más refinado de la enseñanza escolar y la ética. Esta autora reconoce que en el fondo
de todos los discursos educacionales que se hallan en competencia existen intereses y desacuerdos morales. Pero no
acierta a vincular esta deducción con un proceso pedagógico
cuya naturaleza es sustantiva, en vez de ser procesal. Supo-
niendo que un punto de vista moral equivale a una imposición pedagógica, sostiene que los educadores no necesitan
especificar un contenido moral. En este caso, el aprendizaje
de la responsabilidad moral se hace pasar del mundo real de
los compromisos y la solidaridad al proceso de ofrecerles
a los estudiantes distintos puntos de vista y dejarlos que
escojan ellos mismos el discurso moral que se ajuste a sus
propias vidas y experiencias. Una pedagogía crítica tiene que
empezar desde la postura opuesta, y en vez de ocultar los
intereses que constituyen el discurso moral propio o aquellos que estructuran el sufrimiento y la explotación dentro
de la historia, un educador crítico puede demostrar su valentía moral valiéndose de un contenido que dé significado real
a la acción ética, a la vez que les permita a los estudiantes
leer, debatir y alinearse con discursos morales que se hagan
incidir en las cuestiones que se convierten en objeto legítimo
de polémica. Aun cuando un maestro no pueda exigirle a un
estudiante que no sea racista, este maestro, o maestra, ciertamente puede someter tal postura a una crítica que la ponga
de manifiesto como un acto de irresponsabilidad política y

---

[61] Landon Beyer y George Wood, "Critical inquiry and moral action in
education", *Educational Theory*, 36:1 (1986), pp. 1-14.

[62] Jo Anne Pagano, "The schools we deserve", *Curriculum Inquiry*, 17:1 (1987),
pp. 107-122.

moral relacionado con prácticas sociales y sociohistóricas más generales. Esto se puede hacer dentro del espíritu del debate y el análisis, espíritu que aporta las condiciones pedagógicas para que los estudiantes aprendan a teorizar, a la vez que afirman y cuestionan las voces por medio de las cuales esos mismos estudiantes hablan, aprenden y luchan. Aquí se debe mencionar una restricción importante. Las posturas que los estudiantes frecuentemente articulan no se han forjado en una sola representación coherente del mundo. Tales puntos de vista forman parte de un conjunto de discursos más profundo y fluido, que a menudo coloca a los estudiantes ante diversas relaciones con el mundo, complejas y contradictorias. Las percepciones de los estudiantes se hallan frecuentemente llenas de múltiples y conflictivas "inversiones afectivas" y semánticas.[63] Esto sugiere, claro está, que las voces de los estudiantes necesitan ser exploradas por los educadores radicales, en cierto nivel, según sus contradicciones semánticas inherentes; un ejemplo de esto sería el de analizar la tensión ideológica que revela el estudiante que afirma que cree ser un "buen" ciudadano, pero también expresa observaciones racistas o sexistas acerca de las mujeres. En otro nivel, las voces estudiantiles se pueden examinar valiéndose de las contradicciones que surgen entre la inversión emocional que estructura la respuesta de un estudiante determinado respecto de alguna cuestión, y el obvio fracaso de cualquier defensa racional de tal postura. Por ejemplo, bien puede ocurrir que sea una política de placer la que estructure la respuesta y la defensa por parte de un estudiante de una película que éste reconozca abiertamente como promotora de una ideología sexista o racista. En ambos ejemplos, la voz pasa a ser un terreno de cuestionamiento y de lucha en el cual los conocimientos y el poder, por un lado, y la subjetividad y el deseo, por el otro, son los que proporcionan la base para analizar la forma en que los discursos y subjetividades contradictorios y particulares se desarrollan, regulan y se ponen en tela de juicio, así como la

---

[63] El concepto de una política de inversión moral se encuentra desarrollado en Lawrence Grossberg, "Teaching the popular", en *Theory in the classroom*, Cary Nelson, comp. (Urbana: University of Illinois Press, 1986), pp. 177-200.

manera en que los conocimientos y el deseo se pueden estructurar a modo de o bien cerrar o bien permitir las posibilidades de generar formas de vida democrática.

Es importante señalar aquí que los educadores debieran considerar la defensa de su labor teórica, tanto como una consecuencia de las facultades que poseen cuanto como parte de una pugna continua en pos de la liberación. Esto es particularmente necesario si se quiere contrarrestar la afirmación de tipo rortyano que hacen ciertos educadores, en el sentido de que los teóricos críticos no tienen ningún derecho a imponerles a otros sus "constructos de lenguaje".[64] Definitivamente, esto es algo más que una tergiversación en cuanto al papel que desempeñan los educadores críticos; en realidad, guarda más relación con una postura teóricamente imperfecta que representa nada menos que una evasión frente a la política seria y una apología del *statu quo*. Es teóricamente defectuosa porque confunde los intereses ideológicos inherentes al desarrollo de un proyecto político crítico (o de cualquier otra índole) con la estrategia pedagógica que se deba emplear respecto de éste. Más específicamente, los educadores tienen la responsabilidad moral y ética de desarrollar un punto de vista de la autoridad radical que legitime formas de pedagogía crítica orientadas tanto a la interpretación de la realidad como a la transformación de ésta.[65] Pero de lo que aquí se trata no es simplemente de una lucha respecto de la autoridad y la producción, distribución y transformación del significado, sino también de la igualmente importante labor de cambiar aquellas formas de poder económico y político que fomentan el sufrimiento y la explotación humanos. El desarrollo de un lenguaje de oposición tiene que ser juzgado en el contexto de un proyecto teórico que les proporcione a los maestros, los estudiantes y a otras personas la posibilidad de lecturas alternativas de sus

---

[64] Se puede hallar un ejemplo típico de esta postura en C.A. Bowers, *The promise of theory* (Nueva York: Teachers College Press, 1984); *Elements of a post-liberal theory of education* (Nueva York: Teachers College Press, 1984).

[65] "Los filósofos sólo han interpretado el mundo de diversas maneras; de lo que se trata es de cambiarlo." Undécima tesis sobre Feuerbach, Cuadernos de 1844-1845, en *Writings of the young Marx on philosophy and society*, Lloyd D. Easton y Kurt H. Guddart, comps. (Garden City: Doubleday, 1967), p. 402.

propias experiencias, así como de la naturaleza de la realidad social más general. Además, los proyectos políticos de oposición, al igual que cualquier otra postura política, deben ser objeto de constante debate y análisis. Por otro lado, el hecho de tener una postura teóricamente "correcta", a nadie le da el derecho de imponer esa postura a otra persona de tal manera que ello sirva para silenciarla. Con esto sale a relucir la cuestión de cómo construir una pedagogía crítica que pueda tanto afirmar como extender la posibilidad del acceso al poder en forma personal y social, a modo de crear las condiciones, en Estados Unidos, para una democracia que tenga sentido. Tal como lo expresa Noam Chomsky, "una democracia con sentido presupone la capacidad del pueblo común para juntar sus limitados recursos, para formar y desarrollar ideas y programas, colocarlos en el orden del día del debate político y actuar en su apoyo".[66] Aquí, la cuestión está en cómo podrán los educadores poner en claro sus propios compromisos políticos, a la vez que desarrollan formas de pedagogía congruentes con el imperativo democrático de que los estudiantes aprendan a elegir, a organizar y a actuar conforme a sus propias creencias. En parte, Paulo Freire habla de esta cuestión de un modo dialéctico, al reconocer que la naturaleza política de la propia educación significa que los maestros deben asumir una postura y hacérsela clara a sus estudiantes, pero al mismo tiempo tales educadores tienen que reconocer que el hecho de su compromiso propio no les da el derecho a imponerles a sus estudiantes alguna postura en particular. Según Freire,

Debido a que la educación es asunto de política, jamás es neutral. Cuando tratamos de ser neutrales, como Pilatos, damos apoyo a la ideología dominante. Al no ser neutral, la educación tiene que ser o liberadora o domesticadora. (Sin embargo, también reconozco que probablemente nunca la experimentamos puramente como una cosa o la otra, sino más bien como una mezcla de ambas). Así, es preciso que admitamos que somos políticos. Ello no significa que tengamos el derecho de imponerles a los estudiantes aquello por lo que políticamente hemos optado. Pero sí tenemos el deber de no ocultar cuál ha sido nuestra opción. Los estudiantes tienen derecho

---

[66] Noam Chomsky, *Turning the tide* (Boston: South End Press, 1985), p. 221.

a saber cuál es nuestro sueño político. Y entonces están en libertad de aceptarlo, rechazarlo o modificarlo. Nuestra labor no es la de imponerles a ellos nuestros sueños, sino la de retarlos a que tengan sus propios sueños, a que definan sus preferencias, mas no que las adopten de manera no crítica.[67]

Freire deja en claro que la tensión entre la producción de un proyecto de postura, o político, teórico y radical, y la práctica pedagógica que lo debe acompañar es una cuestión importante que necesita hacerse problemática. En el hecho de sujetar tal postura al concepto reduccionista de que todo lenguaje de oposición es una forma de imposición cultural se olvida, curiosamente, la manera en que la ideología construye la experiencia dentro de relaciones de poder asimétricas, así como que nuestra negativa a mencionar el sufrimiento y la explotación humanos que originan ciertas formaciones sociales y culturales constituye, en parte, la postura que, a la postre, presta apoyo, mediante su silencio e ignorancia, a la propia dinámica de la opresión. En muchos aspectos, el argumento que frecuentemente expresan los educadores de la corriente principal, en el sentido de que cualquier forma de discurso de oposición representa, por *défault*, una imposición de los puntos de vista de uno sobre los de alguna otra persona, es similar a la opinión de la clase dominante del siglo XIX en el sentido de que uno no podía alzar la voz, ni luchar políticamente, ni promover la crítica social, porque con ello se violaban los códigos "caballerescos" de la urbanidad. El resurgimiento de un discurso de esta naturaleza entre ciertos académicos me parece a mí vergonzoso, a la vez que perfectamente apropiado para quienes se han integrado plenamente a la dinámica ideológica de la educación superior. Tal discurso, no solamente ignora la naturaleza política de toda enseñanza escolar y de toda pedagogía, sino que representa también una apología de las formas de pedagogía que, mediante sus afirmaciones de neutralidad, meramente expresan los intereses del *statu quo* y la lógica de las ideologías dominantes.

---

[67] "Reading the world and reading the word: an interview with Paulo Freire", *Language Arts*, 62:1 (1985), pp. 17-18.

En el capítulo siguiente paso a una postura más programática en cuanto al discurso y a la pedagogía de la moral y la ética. Desarrollo allí una teoría de la autoridad y la ética emancipatorias, en torno a la hipótesis de que existen tradiciones de protesta que nos proporcionan un marco de trabajo teórico para el desarrollo de una sensibilidad moral y un conjunto de experiencias pedagógicas coherentes con la idea de la democracia radical y el punto de vista emancipatorio de la vida comunitaria. Trato de reconstruir posturas teóricas que les pueden proporcionar a los educadores las bases para constituir experiencias estudiantiles dentro de formas de autoridad y de discurso moral que ejemplifican la importancia de la democracia crítica como forma de vida, la práctica ética como un discurso de solidaridad y de cuidado del prójimo, y la esperanza como precondición importante para un utopismo radical.

3

AUTORIDAD, ÉTICA Y POLÍTICA DE LA ENSEÑANZA ESCOLAR

Vivimos en una época en que la democracia se halla en retirada. En ninguna otra parte es esto más obvio que en el debate actual que rodea a la relación entre la escuela y la autoridad. Al igual que en el caso de la mayor parte de las cuestiones referentes a las escuelas públicas durante la década de los ochenta, los nuevos conservadores se han apoderado de la iniciativa y han argumentado que la actual crisis de la educación pública se debe a que se ha perdido la autoridad. El llamamiento a la reconstitución de la autoridad, conforme a los lineamientos conservadores, va aunado a la acusación en el sentido de que la crisis de la enseñanza se debe, en parte, a una crisis más general de la cultura, que se presenta como una crisis "moral espiritual". El problema lo articula claramente Diane Ravitch, quien sostiene que la omnipresente "pérdida de autoridad" tiene su origen en ideas confusas, normas vacilantes y relativismo cultural.[1] Como forma de legitimación, este punto de vista de la autoridad hace un llamado a una tradición cultural establecida, cuyas prácticas y valores parecen estar más allá de la crítica. La autoridad, en este caso, representa una versión idealizada del Sueño Norteamericano que nos trae reminiscencias de la cultura decimonónica dominante, en la cual "la tradición" se hace sinónima del trabajo arduo, de la disciplina industrial y de la alegre obediencia. Hay sólo un pequeño paso entre esta

[1] Se puede encontrar una serie de escritos más recientes sobre este punto de vista en Diane Ravitch y Chester E. Finn, Jr., "High expectations and disciplined effort", en *Against mediocrity*, Robert Fancher y Diane Ravitch, comps. (Nueva York: Holmes and Meier, 1984); Diane Ravitch, *The schools we deserve* (Nueva York: Basic Books, 1985); Thomas Sowell, *Education: assumptions vs. history* (Stanford: Hoover Press, 1986); Allan Bloom, *The closing of the American mind* (Nueva York: Simon and Schuster, 1987).

forma de ver el pasado y la nueva visión conservadora de las escuelas como crisoles en los cuales hay que forjar a los soldados industriales que habrán de sacar fuerza de los imperativos de la excelencia, la competencia y el carácter patriotero. De hecho, para los nuevos conservadores el aprendizaje se asemeja a una práctica mediada por una fuerte autoridad del maestro y una disposición del alumno a aprender las cosas elementales, ajustarse a los imperativos del orden social y económico, y exhibir lo que Edward A. Wynne llama las metas morales tradicionales de "la prontitud, la veracidad, la cortesía y la obediencia."[2]

Lo más sorprendente respecto al nuevo discurso conservador sobre la enseñanza escolar es la forma en que se rehúsa a vincular la cuestión de la autoridad con la retórica de la libertad y la democracia. En otras palabras, lo que le falta a esta perspectiva, así como a otras perspectivas más críticas, es algún intento por reinventar un punto de vista de autoridad que exprese un concepto democrático de vida colectiva; un concepto al que dé cuerpo una ética de solidaridad, de transformación social y de una visión imaginativa de ciuda-

---

[2] Edward Wynne, "The great tradition in education: transmitting moral values", *Educational Leadership*, 43:4 (diciembre de 1985), p. 7. El conservadurismo de Wynne se halla muy alejado de la forma meditada en que Hannah Arendt definió el carácter "conservador" de la educación. Vale la pena repetir aquí las palabras de Arendt: "Básicamente, siempre somos educadores en un mundo que se halla descoyuntado o que se está descoyuntando, ya que ésta es la situación humana fundamental, en la cual el mundo es creado por manos mortales para que le sirva de hogar a otros mortales. Debido a que el mundo lo hacen los mortales, se desgasta, y puesto que continuamente cambia sus habitantes, corre el riesgo de convertirse en tan mortal como ellos. Para preservar al mundo contra la mortalidad de sus creadores y habitantes, es preciso volverlo a enderezar. El problema es simplemente el de educar de tal manera que realmente siga siendo posible un enderezamiento, aun cuando, por supuesto, nunca se pueda garantizar. Nuestra esperanza siempre pende de lo nuevo que trae cada generación; pero precisamente porque sólo podemos basar nuestra esperanza en esto, destruiremos todo si tratamos de controlar lo nuevo de tal forma que nosotros, los viejos, podamos dictar la forma que habrá de adoptar. Precisamente por el bien de aquello que hay de nuevo y de revolucionario en cada niño, la educación debe ser conservadora; debe preservar esta novedad e introducirla como cosa nueva a un mundo viejo, el cual, por revolucionarias que puedan ser sus acciones, siempre se encuentra, desde el punto de vista de la nueva generación, caduco y al borde de la destrucción." (Hannah Arendt, "What is authority?" en *Between past and present* [Nueva York: Penguin Books, 1977], pp. 192-193.)

danía.[3] Yo creo que el punto de vista establecido en cuanto a la autoridad nos dice muy poco acerca de lo que anda mal en las escuelas. Lo que sí hace, en cambio, es plantearles un reto a los educadores para que ideen un punto de vista de la autoridad y la ética distinto y emancipatorio, como elementos centrales de una teoría crítica de la enseñanza escolar. Agnes Heller plantea bien el problema cuando sostiene que "de lo que se trata aquí no es del rechazo de todas las autoridades, sino de la calidad de la autoridad y del procedimiento mediante el cual ésta se establece, se observa y se pone a prueba".[4] Las observaciones de Heller sugieren un doble problema que los educadores críticos deberán encarar. En primer lugar, van a necesitar un lenguaje reconstruido de la crítica, con objeto de desafiar a la actual ofensiva conservadora sobre la educación. En segundo lugar, será preciso que construyan un lenguaje de la posibilidad que proporcione el andamiaje teórico para una política del aprendizaje práctico. En ambos casos, el punto de partida para tal reto se centra en el imperativo de desarrollar un punto de vista dialéctico de la autoridad y la ética que pueda simultáneamente servir como referente para la crítica y proporcionar una visión programática para el cambio pedagógico y social.

David Nyberg y Paul Farber señalan la importancia de que el concepto de autoridad se plantee como una de las preocupaciones medulares de los educadores, al sugerir que "esta cuestión de la postura que deba uno asumir respecto de la autoridad es el fundamento de la ciudadanía educada: por mucho que se diga, el relieve que se le dé siempre será poco".[5] Quiero ampliar este punto de vista aduciendo que si bien todos los educadores tienen una visión, implícita o explícita, de quiénes debieran ser las personas y cómo debie-

[3] Para una crítica excepcional sobre esta postura, véase Barbara Finkelstein, "Education and the retreat from democracy in the United States, 1979-198?", *Teachers College Record*, 86:2 (invierno de 1984), pp. 275-282; Maxine Greene, "Public education and the public space", *Educational Researcher* (junio-julio de 1982), pp. 4-9.

[4] Agnes Heller, "Marx and the liberation of humankind", *Philosophy and Social Criticism*, 3/4 (1982), p. 367.

[5] David Nyberg y Paul Farber, "Authority in education", *Teachers College Record*, 88:1 (otoño de 1986), p. 1.

ran actuar dentro del contexto de una comunidad humana, la base de la autoridad mediante la cual estructuran la vida del aula se halla enraizada, a la postre, en cuestiones de ética y de poder. El aspecto primordial de mi preocupación es el desarrollo de un punto de vista de la autoridad y de la ética que defina a las escuelas como parte de un movimiento de avance y de lucha por la democracia, y a los maestros como intelectuales que legitiman, a la vez que les dan a los estudiantes los primeros elementos para una forma de vida en particular. En ambos casos, deseo armar un punto de vista de la autoridad que legitime a las escuelas como esferas públicas democráticas, y a los maestros como intelectuales transformadores que trabajan para hacer realidad sus puntos de vista de comunidad, de justicia social, de delegación de poderes y de reforma social. En pocas palabras, quiero ampliar la definición de autoridad y de ética, a manera de que incluya y legitime las prácticas educativas que vinculan a la democracia, la enseñanza y el aprendizaje práctico. La naturaleza sustantiva de esta labor toma como punto de partida la intención ética de iniciar a los estudiantes en un discurso y un conjunto de prácticas pedagógicas que fomenten el papel que desempeña la democracia dentro de las escuelas, a la vez que aborden aquellas instancias de sufrimiento y de desigualdad que forman parte de la vida cotidiana de millones de personas, tanto en Estados Unidos como en otras partes del mundo.

Al desarrollar mi argumentación me centro en cierto número de consideraciones. En primer lugar, hago un breve repaso de algunas posturas ideológicas importantes en cuanto a la relación de autoridad y enseñanza. En segundo lugar, desarrollo una racionalización teórica para otorgarles a los conceptos de autoridad y ética un papel central en la teoría y la práctica educativas. En tercer lugar, presento argumentos en favor de un punto de vista radical de la ética y la democracia, y para ello me apoyo primordialmente en una lectura selectiva de los debates sobre la democracia, la escuela y la ética, que sostuvieron John Dewey y algunos prominentes reconstruccionistas sociales durante la primera mitad del siglo XX. Me centro en esta tradición particular de protesta y debate con objeto de recuperar y reconstruir un discurso que vincule a la democracia y la escuela con una política de riesgo, de lucha y de posibilidad. Después de ello, me apoyaré selectivamente en ciertos aspectos de la teoría feminista y de la teología de la liberación, con el fin de redefinir la manera en que se pueden formular la autoridad y la ética para reconstruir el papel que los maestros podrían desempeñar como intelectuales dedicados a la crítica y la transformación tanto de las escuelas como de la sociedad en general. En cuarto lugar, presento el esbozo teórico, a grandes rasgos, de una pedagogía transformativa que es congruente con un panorama emancipatorio de la autoridad y la ética. En quinto lugar, defiendo la idea de que el concepto de autoridad tiene que ser desarrollado dentro de un lenguaje que sea sensible a un conjunto más amplio de formaciones y prácticas económicas, políticas y sociales, a fin de que los maestros se salgan de sus fronteras académicas y establezcan alianzas con otros grupos progresistas. En la parte medular de esta postura se halla el punto de vista de que los educadores necesitan desarrollar un panorama emancipatorio de la autoridad, como parte de un movimiento social que avanza y cuyos propósitos son tanto analizar como sostener la lucha en pos de formas críticas de educación y de democracia.

LA AUTORIDAD COMO TERRENO DE LEGITIMACIÓN Y DE LUCHA

La mejor manera de entender el concepto de autoridad es considerarlo una construcción histórica conformada por diversas tradiciones que se hallan en competencia y que contienen sus propios valores y puntos de vista respecto al mundo. En otras palabras, el concepto de autoridad, al igual que cualquier otra categoría social importante, no posee ningún significado universal que simplemente esté en espera de ser descubierto. Como foco de intensas batallas y conflictos entre perspectivas teóricas que compiten entre sí, su significado ha cambiado frecuentemente según el contexto teórico en el que se ha empleado. Dados estos significados y asociaciones cambiantes, se hace necesario cuestionar la forma en que el concepto ha sido tratado por parte de las tradiciones ideológicas precedentes, si queremos redefinir su significado para una pedagogía crítica. Idealmente, un análisis de esta índole debería tomar en consideración el estatus de las aseveraciones de verdad que reflejan los puntos de vista particulares de autoridad, así como los mecanismos institucionales que legitiman y sostienen su versión particular de la realidad. Sólo entonces se hace posible analizar la autoridad dentro de tan diversas tradiciones ideológicas, con el propósito de revelar tanto los intereses que encarnan como el conjunto de relaciones de poder a las que dan apoyo. Aun cuando dentro de los límites de este capítulo resulta imposible hacer un análisis detallado de las diversas maneras en que la autoridad se ha desarrollado dentro de tradiciones educacionales que han competido entre sí, daré realce a algunas de las consideraciones teóricas más importantes que son inherentes a los análisis conservador, liberal y radical, ya que es contra el trasfondo de este conjunto general de críticas donde se puede situar una argumentación en favor de la importancia que tiene el hecho de desarrollar un punto de vista emancipatorio de la autoridad en el discurso de la educación.

En el nuevo discurso conservador, a la autoridad se le da un significado categórico y con frecuencia se la relaciona con cuestiones que encuentran eco en la experiencia popular. Como ideal que a menudo incorpora intereses reaccionarios, esta postura legitima un punto de vista de la cultura, la pedagogía y la política que se centra en los valores y normas tradicionales. Conforme a esta perspectiva, la autoridad presenta una rica mezcla de temas resonantes, en los que los conceptos de familia, nación, deber, confianza y normas, equivalen con frecuencia a un platillo recalentado de consenso y reproducción cultural parsonianos. Desde el punto de vista educacional, los conocimientos que se imparten en la escuela quedan reducidos a una selección no problemática de las tradiciones predominantes en la cultura "occidental". En vez de considerar a la cultura como un terreno de conocimientos y prácticas que se hallen en competencia, los conservadores enmarcan a la "cultura" dentro del eje de la certidumbre histórica y la representan como un almacén de bienes que se guardan como tesoros, que se han constituido en canon y que allí están listos para "traspasárselos" a los estudiantes que los merezcan.[6] No debe sorprendernos, pues, que la enseñanza en este caso se reduzca a menudo al proceso de trasmitir un cierto cuerpo de conocimientos sagrados, quedando el aprendizaje del estudiante limitado escuetamente a "dominar" lo "básico" y las normas apropiadas de comportamiento.

En tanto que los nuevos conservadores consideran la autoridad como un conjunto de valores y prácticas categóricos e inherentemente tradicionales, los educadores de izquierda han adoptado la postura contraria, casi sin excepción. Según este punto de vista, la autoridad frecuentemente se asocia a un autoritarismo carente de principios, y la libertad es algo que se define como un escape de la autoridad en general. Bajo esta perspectiva, a la autoridad se la considera generalmente equivalente a la lógica de la dominación. Esta postura la han repetido incesantemente los críticos de la educación radical, quienes con frecuencia describen a las escuelas como fábricas, prisiones o almacenes de los oprimidos. Por ejemplo, en las décadas de 1960 y 1970 hubo críticos de la educación radical, tales como Jerry Farber, que sostenían que la autoridad de los maestros en el aula no era otra cosa más que una compensación por la falta de poder que la mayoría de ellos experimentaban en otros aspectos de su vida. En palabras de Farber,

a los maestros les FALTAN huevos... el salón de clase les ofrece un ambiente artificial y protegido, en el que pueden ejercer su afán de poder. Es posible que el vecino posea un auto mejor que el mío..., que mi esposa me domine; la legislatura del Estado podrá cagarse en mí; pero en el aula, maldita sea, los estudiantes van a hacer lo que yo digo —o se atendrán a las consecuencias. El título es un arma

[6] Se pueden encontrar críticas sobre esta postura en William V. Spanos, "The Apollonian investment of modern humanist education: the example of Mathew Arnold, Irving Babbitt, and I.A. Richards", *Cultural Critique*, 1 (otoño de 1985), pp. 7-22; Henry A. Giroux, David Shumway, Paul Smith y James Sosnoski, "The need for cultural studies: resisting intellectuals and oppositional public spheres", *Dalhousie Review*, 64:2 (verano de 1984), pp. 472-486.

muy poderosa. Tal vez no la traigamos en la cadera, potente y rígida como la pistola de un policía, pero a la larga es más poderosa.[7]

Hay un fuerte elemento de verdad en la crítica marxiana que afirma que las escuelas contribuyen a la reproducción del *statu quo*, con todas las desigualdades que le son características; no obstante, es sencillamente inexacto sostener que las escuelas son meramente agencias de dominación y reproducción, y que todas las formas de autoridad solamente sirven para mantener tal dominio. Este discurso no entiende ni las contradicciones y luchas que caracterizan a las escuelas, ni la manera en que se podría emplear la autoridad en interés de una pedagogía crítica. Además, este tipo de crítica radical de la enseñanza escolar y la autoridad no sólo es burdamente reduccionista, dada su perspectiva unidimensional de la enseñanza, la socialización y el poder dentro de la escuela; también encarna un punto de vista particular y sexista de la autoridad. Es decir, la naturaleza patriarcal de esta crítica de la autoridad es evidente en el lenguaje que emplean los críticos como Farber, así como en el hecho de que complacientemente se nieguen a reconocer que el tipo de autoridad de la que hablan, casi sin excepción, representaba una forma de poder que ejercían los varones. En consecuencia, los críticos radicales que ejercen este tipo de crítica a menudo refuerzan, sin darse cuenta, la noción sexista de que las mujeres no son lo suficientemente listas o inteligentes como para legitimar formas de autoridad basadas en su escolaridad, inteligencia y práctica en el aula. Durante los últimos años, los teóricos feministas han criticado este punto de vista "radical" de la autoridad, así como las prácticas sexistas que ha ayudado a reproducir. Por otro lado, en años más recientes, los educadores feministas han tratado de desarrollar un punto de vista de la autoridad que sea coherente con los principios pedagógicos feministas. Susan Friedman nos ofrece un análisis sucinto tanto del problema de la autoridad conforme a los maestros feministas, como del intento por redefinir su significado según la pedagogía crítica feminista.

---

[7] Jerry Farber, *The student as nigger* (Nueva York: Pocket, 1969), p. 121.

Tanto a nuestros estudiantes como a nosotras mismas se nos ha socializado a manera de que creamos (frecuentemente en un plano no consciente) que cualquier especie de autoridad es incompatible con lo femenino. Eso, fundamentalmente, es lo que hace el patriarcado en su definición de la mujer: negarles a las mujeres la autoridad de sus experiencias, perspectivas, emociones y hasta de su propia mente. La negación del intelecto es particularmente decisiva para el escolástico y el educador que resulta ser mujer... Conforme tratamos de avanzar hacia un territorio que culturalmente se ha definido como perteneciente a los varones, necesitamos una teoría que reconozca, en primer lugar, el hecho de que a las mujeres se les niega androcéntricamente toda autoridad, y en segundo, que nos indique la manera de poder hablar con una voz auténtica no basada en la tiranía.

...Estoy argumentando... lo inadecuados que son la autoridad masculina (por estar basada en la opresión) y lo femenino (por estar basado en la opresión). Debemos desplazarnos más allá de ambos modelos pedagógicos para desarrollar un aula basada en la 'autoridad' que el feminismo radical les ha otorgado a las mujeres gracias al proceso de subvertir y transformar la cultura patriarcal... Ahora, la pedagogía feminista necesita basar más completamente la enseñanza en el aula, en los logros del movimiento. En nuestro afán por ser no jerárquicas y tolerantes, en vez de tiránicas y despiadadamente críticas, a veces hemos participado en la denegación patriarcal de la mente de las mujeres. Con nuestra afirmación radical y necesaria en el sentido de que el maestro feminista debe validar lo personal y lo emocional, en ocasiones hemos ignorado la igualmente necesaria validación del intelecto. Dentro de nuestra sensibilidad ante la psicología de opresión en las vidas de nuestros estudiantes, a menudo nos hemos negado la autoridad que tratamos de fomentar en nuestros estudiantes.[8]

Los comentarios de Friedman recalcan el fracaso de los educadores radicales en cuanto a apropiarse de un punto de vista de la autoridad que sea capaz de constituir la base de un discurso tanto crítico como programático, dentro de las escuelas. Una de sus consecuencias es que los demócratas radicales se ven privados de un punto de vista de autoridad que

[8] Susan Stanford Friedman, "Authority in the feminist classroom: a contradiction in terms?" en *Gendered subjects: the dynamics of feminist teaching*, Margo Culley y Catherine Portuges, comps. (Londres: Routledge and Kegan Paul, 1985), pp. 206-207.

permita el desarrollo de una estrategia teórica mediante la cual las fuerzas populares pudieran llevar a cabo una lucha política dentro de las escuelas, con el fin de acumular poder y conformar una política escolar. Y tampoco hay ningún indicio de la forma en que las feministas, los negros u otros grupos pudieran elaborar un concepto de autoridad que fuese congruente con la naturaleza de su opresión y del sentido de historia y poder que están desarrollando. La ironía de esta postura es que la política de escepticismo de la izquierda se traduce en un discurso antiutópico y sobrecargado, que socava la posibilidad de cualquier tipo de acción política programática.[9]

Los teóricos liberales de la educación son los que han ofecido el punto de vista más dialéctico de la relación que existe entre autoridad y educación. Esta tradición queda ejemplificada por Kenneth D. Benne, quien no sólo ha argumentado en favor de un punto de vista dialéctico de la autoridad, sino que ha tratado igualmente de poner de manifiesto la importancia que éste reviste para una pedagogía crítica. Benne comienza por definir la autoridad como "una función de situaciones humanas concretas en las cuales una persona o un grupo, al realizar algún propósito, proyecto o necesidad, requieren de guía o dirección provenientes de una fuente externa a dicha persona o grupo... Cualquier relación funcional de esta índole —que es una relación triádica entre sujeto(s), portador(es) y campo(s)— es una relación de autoridad".[10] Refina esta definición general insistiendo en que la base de las formas específicas de autoridad se puede hallar, respectivamente, en llamamientos separados a la lógica de las reglas, los conocimientos de los expertos y la ética moral de la comunidad democrática. A continuación Benne aboga vigorosamente por fundamentar la autoridad educacional en las prácticas éticas de una comunidad que se tome la

---

[9] Este punto de vista sobre la teoría educativa racional y sus diversas representaciones se analiza de manera global en Stanley Aronowitz y Henry A. Giroux, *Education under siege: the conservative, liberal, and radical debate in schooling* (South Hadley: Bergin and Garvey, 1985).

[10] Kenneth D. Benne, "Authority in eduation", *Harvard Educational Review*, 40:3 (agosto de 1970), pp. 385-410; se puede hallar otro ejemplo clásico de la postura liberal en Paul Nash, *Authority and freedom in education* (Nueva York: Wiley, 1966).

democracia en serio. Simultáneamente, señala las fortalezas y debilidades de la autoridad basada ya en reglas o ya en la pericia, pero argumenta de manera correcta que las formas superiores de autoridad deben estar enraizadas en la moralidad de la comunidad democrática. La argumentación de Benne es importante no sólo porque ofrece una definición funcional de autoridad, sino también porque señala los modos en que ésta puede resultar útil para desarrollar una pedagogía más humana y crítica. Al mismo tiempo, ilustra algunas de las debilidades que son endémicas de la teoría liberal y que es preciso superar, si se quiere que el concepto de autoridad se reconstruya en bien de una pedagogía emancipatoria.

Aun cuando Benne hace un llamamiento a la ética y a los imperativos de una comunidad democrática, da muestras de una comprensión inadecuada de la forma en que el poder está asimétricamente distribuido dentro de las distintas comunidades y entre éstas. Al no explorar esta cuestión, es incapaz de arrojar luz sobre la manera en que el fundamento material e ideológico de la dominación trabaja en contra de la noción de una auténtica comunidad por medio de formas de autoridad que activamente producen y sostienen relaciones de opresión y de sufrimiento. En otras palabras, Benne plantea una teoría dialéctica formal de la autoridad, que, en última instancia, se mantiene apartada de las prácticas sociales que viven los estudiantes. Por consiguiente, nos quedamos sin obtener una idea del modo en que funciona la autoridad como práctica específica dentro de escuelas a las que han dado forma las realidades históricas de la clase social, la raza, el género y otras poderosas fuerzas socioeconómicas que a veces impiden que surjan formas auténticas de autoridad dentro de la educación pública. Para expresarlo de manera sencilla, el análisis de Benne reproduce las deficiencias de la teoría liberal en general; es decir, recalca indebidamente los aspectos positivos de la autoridad y, al hacerlo, termina por ignorar aquellas "confusas telarañas" de las relaciones sociales que encarnan formas de lucha e impugnación. Al negarse a admitir las relaciones de dominio y de resistencia, lo que hace Benne es abstraer y desconectar la naturaleza de autoridad del concepto de la escuela como lugar de impugnación. Se nos deja con un concepto de autoridad atrapado en el dominio cosificado de las formalidades abstractas.

Además, Benne nos ofrece una comprensión muy escasa de la forma en que la autoridad educacional se puede vincular con las luchas colectivas de los maestros, tanto dentro como fuera de las escuelas. Su intento por eslabonar la autoridad con la noción de comunidad, ni nos informa acerca de la manera en que los maestros se debieran organizar para fomentar los intereses de tal comunidad, ni nos proporciona referentes que indiquen por qué clases particulares de comunidad y de formas de subjetividad vale la pena combatir.

A final de cuentas, lo que logra establecer la mayor parte de los discursos educacionales conservadores, liberales y radicales son enfoques ya reaccionarios o ya incompletos para el desarrollo de un punto de vista dialéctico de la autoridad y de la enseñanza escolar. Los conservadores ensalzan la autoridad, vinculándola a expresiones populares de la vida cotidiana, pero al hacer esto expresan y apoyan intereses reaccionarios y no democráticos. Los educadores radicales, por otro lado, tienden a equiparar la autoridad con formas de dominación o con la pérdida de la libertad y, en consecuencia, no logran desarrollar una categoría conceptual para la construcción de un lenguaje programático de esperanza y de lucha. Tienen el mérito, sin embargo, de que se las arreglan para proporcionar un lenguaje de crítica que investiga de manera concreta la forma en que la autoridad escolar fomenta modos específicos de opresión. Los liberales, en general, son quienes ofrecen el punto de vista más dialéctico de la autoridad, pero fracasan en su intento de aplicarlo de manera concreta a modo de cuestionar la dinámica de la dominación y la libertad, según se expresan dentro de las relaciones asimétricas de poder y de privilegios que caracterizan a los diversos aspectos de la vida escolar.

Llegados a este punto, deseo argumentar, y lo haré en la sección que sigue, en favor del desarrollo de una teoría radical de la autoridad y la ética, como parte de una teoría crítica de la educación. Al hacer esto, insisto en que un punto de vista emancipatorio de la autoridad ha de fundamentarse en una teoría de la ética basada en los principios de la democracia, la solidaridad y la esperanza. A continuación ofrezco una racionalización para la construcción de una perspectiva de la autoridad y la ética emancipatorias. Además, trato de recuperar elementos que son vitales dentro de la tradición radical de democracia y educación que dominaron los debates reconstruccionistas entre la década de los treinta y principios de los cincuenta.

AUTORIDAD, ÉTICA Y ESCOLARIDAD: UNA RACIONALIZACIÓN

Por un buen número de razones, es importante que los educadores adopten un punto de vista dialéctico de la autoridad. En primer lugar, la cuestión de la autoridad es un importante referente crítico e ideal moral para la enseñanza pública. Esto es, como forma de legitimación, la autoridad se halla inextricablemente emparentada con una visión particular de lo que las escuelas debieran ser como parte de una comunidad y una sociedad más amplias. En otras palabras, la autoridad convierte en visibles, a la vez que problemáticas, las presuposiciones que dan significado a los discursos y valores oficialmente sancionados que legitiman lo que Foucault ha denominado "condiciones [particulares] materiales e históricas de posibilidad [junto con] los sistemas de orden, apropiación y exclusión que las rigen".[11] Se pueden sacar a relucir, por ejemplo, cuestiones relacionadas con la naturaleza y la fuente de autoridad que legitima un tipo particular de plan de estudios, la forma en que se organiza el tiempo en una escuela, las consecuencias políticas del hecho de llevarles un seguimiento a los estudiantes, la división social del trabajo entre los maestros y la base patriarcal de la enseñanza. De esta manera, el concepto de autoridad proporciona la base para plantear preguntas acerca de las clases de enseñanza y pedagogía que se pueden desarrollar

---

[11] Citado en Colin Gordon, "Afterword", en Michel Foucault, *Power/ knowledge: selected interviews and other writings, 1972-1977*, Colin Gordon, comp. (Nueva York: Pantheon, 1980), p. 233.

y legitimar dentro de un punto de vista de la escuela que toma en serio a la democracia y la ciudadanía crítica.

En segundo lugar, el concepto de autoridad saca a relucir cuestiones acerca de la base ética y política de la enseñanza. Es decir, pone en tela de juicio el papel que desempeñan los administradores de escuelas y los maestros como intelectuales, tanto en la elaboración como en la implantación de sus puntos de vista o de su racionalidad particulares; en otras palabras, tal concepto define lo que significa la autoridad *escolar* como conjunto particular de ideas y prácticas, dentro de un contexto históricamente definido. Para decirlo sucintamente, la categoría de autoridad reinserta en el lenguaje de la enseñanza la primacía de lo político. Esto lo hace al subrayar la función social y política que cumplen los educadores al elaborar y hacer cumplir un punto de vista particular de autoridad escolar.

En tercer lugar, el concepto de autoridad proporciona la palanca teórica necesaria para analizar la relación que existe entre la dominación y el poder, al cuestionar a la vez que elaborar los significados que los maestros emplean de manera común con objeto de justificar su punto de vista de la autoridad y los efectos de las acciones que efectúan en el plano de las prácticas pedagógicas realizadas. En este caso, la autoridad proporciona tanto el referente como la crítica respecto de las cuales habrá que analizar la diferencia entre las pretensiones legitimadoras de una forma particular de autoridad, y la forma en que tal pretensión se expresa realmente en la vida diaria del salón de clases.

Un buen número de teóricos de la educación han argumentado, con razón, que la relación entre la autoridad y la democracia tiene que hacerse más precisa, si se quiere que las escuelas desempeñen un papel fundamental en cuanto a fomentar el discurso de la libertad y la ciudadanía crítica.[12]

---

[12] Nyberg y Farmer, "Authority in education"; Steve Tozer, "Dominant ideology and the teacher's authority", *Contemporary Education*, 56:3 (primavera de 1985), pp. 150-153; Steve Tozer, "Civism, democratic empowerment, and the social foundations of education", en *Philosophy of education 1985*, David Nyberg, comp. (Philosophy of Education Society, 1986), pp. 186-200; George Wood, "Schooling in a democracy", *Educational Theory*, 34:3 (verano de 1984), pp. 219-238; Helen Freeman, "Authority, power, and knowledge: politics and

En la siguiente sección deseo extender la lógica de esta argumentación, situándola en una tradición de protesta que surgió durante la primera parte del siglo con el auge del movimiento social reconstruccionista, movimiento que contó
entre sus miembros con John Dewey, George Counts y John
Childs. Sus escritos tenían como trasfondo la depresión,
pero aun así, desde las páginas de *The Social Frontier* y otras
publicaciones periódicas, los reconstruccionistas trataban
de demostrar la importancia que tiene un discurso de democracia y ética como elementos centrales del lenguaje de la
enseñanza.

EL RECONSTRUCCIONISMO SOCIAL Y LA POLÍTICA DE ÉTICA Y DEMOCRACIA

Expresé en el capítulo 1 que Estados Unidos se está convirtiendo en una tierra sin memoria y que una de las funciones
importantes de la ideología dominante es la de establecer
una sociedad sin historia de protesta, ni poseedora de una
multiplicidad de discursos sociales y políticos. Como una de
las maneras de desafiar esta ideología y las prácticas sociales
que acarrea, los educadores necesitan examinar críticamente la historia como una forma de "recuerdo liberador". En
este caso, es preciso resucitar a la historia, no sólo como un
espacio de lucha, sino también como recurso teórico para la
reconstrucción de una ética de la política y de la posibilidad,
a partir de los conflictos, discursos y narraciones de quienes
se resisten e invierten los mecanismos de la opresión y la
dominación. Arraigadas en comunidades de discursos y
prácticas sociales de resistencia, las tradiciones históricas
radicales ofrecen una definición de la lucha moral y política
como forma de desafío y acción responsables. En este senti-

epistemology in the 'new' sociology of education", en *Philosophy of education
1980: proceedings of the Philosophy of Education Society*, C.J.B. Macmillan, comp.
(Normal: Illinois State University, 1981). Una de las manifestaciones clásicas es la
de Hannah Arendt en "What is authority?" en *Between past and present* (Nueva
York: Penguin, 1977).

do, el legado y las "narraciones" del reconstruccionismo social pueden hacer las veces de "discursos históricos subversivos" y pasar a formar parte de la dinámica de renovación y transformación que es medular para una política y pedagogía de la ética y la democracia.

Los debates sobre la democracia que sostuvieron los reconstruccionistas sociales durante la primera mitad del siglo XX subrayan la importante noción de que la educación ciudadana tiene que estar vinculada con formas de adquisición de facultades críticas, por parte de las personas, así como de la sociedad, si se quiere que la escuela se convierta en una fuerza progresista en la incesante lucha por la democracia como forma de vida. Tales formas de discernimiento elevarían la capacidad de razonamiento crítico y de autonomía individual, y crearían la posibilidad de transformar las estructuras sociales y políticas más amplias. También es importante recalcar que John Dewey y algunos de sus colegas reconstruccionistas sociales no sólo redefinieron la importancia política y pedagógica de la educación cívica, sino que intentaron igualmente situar la relación entre la democracia y la enseñanza dentro de un fundamento ético que hoy en día posee una enorme importancia para el desarrollo de una teoría crítica de la educación. Según su punto de vista, era esencial que los educadores desarrollaran un fundamento normativo que vinculase autoridad, poder y enseñanza con la labor práctica de elaborar formas de experiencia y de comunidad congruentes con los imperativos políticos y sociales de la vida democrática. John Dewey, en particular, defendía ardorosamente el punto de vista de que la democracia como forma de vida es un ideal moral que implica una forma de brega comunitaria cuya meta es la de reconstruir la experiencia humana para que principios tales como libertad, derechos y fraternidad se hagan realidad.

La democracia, comparada con otras formas de vida, es la única manera de vivir en la que se cree sinceramente en el proceso de la experiencia como fin y como medio; como aquella que es capaz de generar la ciencia que es la única autoridad confiable para ser guía de otras experiencias, y que libera las emociones, las necesidades y los deseos de modo que surjan a la existencia las cosas que no existían en el pasado. Porque toda forma de vida que falla en su democracia, limita los contactos, los intercambios, las comunicaciones y las interacciones mediante las cuales se afirma la existencia, a la vez que se la amplía y enriquece. La labor de esta liberación y enriquecimiento es cosa que se tiene que llevar a cabo día con día. Puesto que es una labor que no puede finalizar hasta que la experiencia a su vez finalice, la tarea de la democracia es por siempre una experiencia más libre y más humana que todos compartimos y a la que todos contribuimos.[13]

Dewey y otros de los reconstruccionistas sociales creían firmemente que a la filosofía educacional se la tenía que considerar como parte de una filosofía social más amplia, en la cual la cuestión de la democracia como forma de vida "expresase el movimiento del mundo ético".[14] En este contexto, la democracia adquiría una dimensión política y ética que le daba significado y propósito a la forma y el contenido de la propia educación. Ahora la democracia iba a servir como el ideal con respecto al cual se podrían evaluar y cambiar todas aquellas instituciones que constituyen la vida pública, y la escuela pasaría a ser la institución más importante para desarrollar la autoridad, el conocimiento y las prácticas sociales que expresaban tal ideal. La noción de democracia que surgió a partir de esta postura rebasó con mucho al punto de vista liberal y democrático de la democracia como terreno de la votación, de las elecciones y del gobierno. En el trabajo de muchos de los reconstruccionistas sociales, la democracia abarcaba a todas aquellas instituciones en las cuales la autoridad y el poder se ejercían con el objeto de dar forma tanto a la política del estado como a los perfiles ideológicos y materiales de la vida cotidiana. Además, en este discurso, la democracia y la ética quedaban interrelacionadas como parte de una teoría general de la educación, a la vez que a modo de una teoría del cambio social. Para los reconstruccionistas sociales tales como John

[13] John Dewey, "Creative democracy—the task before us", en *Classic American philosophers*, Max H. Fisch, comp. (Nueva York: Appleton-Century-Crofts, 1951), p. 394.
[14] John Dewey, "Outline of a critical theory of ethics", en *The early works of John Dewey, 1882-1898*, vol. III (Carbondale: Southern Illinois University Press, 1969), p. 35.

Childs, la democracia ofrecía el fundamento ético y el referente político tanto para la crítica social como para la transformación social.

La democracia, como ideal social, hace del individuo el fin y de las instituciones los medios. A los esquemas de gobierno, a los sistemas económicos, a las formas de vida familiar y a las instituciones religiosas se los considera a todos por igual como medios para el enriquecimiento de la vida de los individuos. La validez de todas y cada una de las prácticas institucionalizadas se debe someter a prueba según lo que aporte a este fin supremo. La sociedad no posee ningún bien, aparte del bien de cada uno de sus miembros, actuales y futuros. La democracia exige que estos individuos, en su forma humana de carne y hueso, sean tratados como los objetos finales de la consideración ética. Por consiguiente, es una forma de vida que por su naturaleza inherente se opone a la regimentación, a la uniformidad y al totalitarismo. Otorga un gran valor a la individualidad y a la singularidad humana y trata de aportar el aparato comunitario que redunde en el desarrollo más rico que sea posible de estas cualidades.[15]

Al vincular la ética, la democracia y la política con el significado y el propósito de la escuela, los reconstruccionistas sociales trataban de crear una filosofía pública que desafiara al orden social prevaleciente y pusiera la base para que los educadores profundizaran la comprensión intelectual, cívica y moral del papel que desempeñaban como agentes de la formación pública. De esta filosofía pública acerca del significado y propósito de la escuela y la función que los maestros podrían adoptar como agentes morales y políticos del cambio social, surge un buen número de consideraciones teóricas importantes.

En primer lugar, los reconstruccionistas sociales creían, casi sin cuestionarlo, que la escuela no era una institución política o moralmente neutra. Por ende, centraban su atención en proporcionar un discurso ético sobre el cual se pu-

---

[15] John Childs, "Democracy and educational method", *Progressive Education*, 16:1 (febrero de 1939), pp. 119-120. Es importante contrastar la postura reconstruccionista social del individualismo como referente para mejorar la vida comunitaria con el hincapié que hacen los conservadores en el patriotismo, la obediencia y la adaptación a los ordenamientos sociales existentes.

diera construir un proyecto democrático viable para la educación. La parte medular de este proyecto se podía articular de la siguiente manera: "¿Cuál es el propósito y el significado social de la educación?" Para Dewey, la finalidad central de la escuela era la de desarrollar entre los estudiantes una inteligencia y disposición críticas que fuesen congruentes con sus acciones como ciudadanos socialmente responsables. Conforme a este punto de vista, la escuela pública iba a obtener sus criterios éticos a partir de un ideal de democracia críticamente reconstruido como tradición moral y política.

La constelación de significados e ideales a los que llamamos democracia constituyen la parte medular de la tradición ética norteamericana. A partir de estas concepciones e ideales básicos de la democracia entendida como un movimiento político, social y moral, el educador deberá extraer sus criterios éticos fundamentales para la evaluación de los asuntos sociales.[16]

En segundo lugar, y aun cuando existía cierto debate entre los reconstruccionistas sociales acerca de los puntos fuertes y las debilidades del hecho de recalcar la fe en la inteligencia dentro del movimiento educacional progresista y más amplio, existía acuerdo general en cuanto a que el desarrollo intelectual debía eslabonarse con una teoría general del bienestar social y no podía aislárselo como meta, en obsequio de su propio desarrollo.[17] Aquí, lo esencial es que el desarro-

[16] *Ibid.*, p. 119. Una vez más, la excelencia, bajo esta perspectiva, es cosa muy distinta de la postura conservadora que define la labor de los maestros y el aprendizaje de los alumnos, no en torno a criterios éticos destinados a mejorar la calidad de la vida humana, sino como la aplicación de metas previamente determinadas y el dominio de técnicas "básicas". El sentido de excelencia educativa del gobierno de Reagan se puede observar en la designación de Linus Wright, superintendente del Sistema Escolar Independiente de Dallas, para el puesto de subsecretario de Educación. La pretensión de liderazgo por parte de Wright se apoya, al parecer, no en su sentido de visión democrática, sino más bien en la habilidad con que ha desarrollado un sistema *computarizado* de salario conforme al mérito, que se aplica a los maestros y que se basa en el desempeño que demuestran los alumnos en las pruebas estandarizadas.

[17] Este debate generó un interesante intercambio en las páginas de *The Social Frontier* entre John Childs y Boyd Bode, quienes tenían una deuda de gratitud teórica con el trabajo de John Dewey. Véase, de Boyd Bode, "Education and social reconstruction", *The Social Frontier*, 1:4 (enero de 1935), pp. 18-22; de John Childs, "Professor Bode on 'Faith in intelligence'", *The Social Frontier*, 1:6 (marzo de 1935), pp. 20-21; Boyd Bode, "Dr. Childs and education for democracy", *The Social*

llo de la inteligencia o de la capacidad de un niño para el
pensamiento crítico no era meramente una cuestión epistemológica o cognitiva; era también una empresa moral y no
se podía eliminar de un discurso social y político de mayores
alcances. En esta concepción, la inteligencia creativa conte-
nía un impulso utópico y constituía una dimensión esencial
para la formación de un público democrático. En Dewey, la
inteligencia creativa se genera como parte del desarrollo del
carácter moral, y es esta fe en la inteligencia la que constituye
una precondición central para la democracia. Dewey escribe:

La fe en el poder de la inteligencia para imaginar un futuro que sea
la proyección de lo deseable en el presente, y para inventar los
instrumentos que lo habrán de realizar, es nuestra salvación. Y es
una fe que es preciso fomentar y lograr que se articule.[18]

En tercer lugar, los reconstruccionistas sociales hicieon
una valiosa aportación pedagógica al desarrollar un punto
de vista de la democracia en el que se vinculaba una teoría de la ética con el tema del carácter moral. Para ellos, la
democracia como ideal moral no era sólo cuestión de enseñarles a los estudiantes la capacidad para el pensamiento
crítico; se trataba igualmente de la construcción de experiencia y de la formación del carácter como parte de una teoría
general del bienestar social. Según el concepto de Dewey, la
vida democrática comunitaria como tarea pedagógica tenía
que estar fundamentada en las asociaciones enfrentadas que
hacían hincapié en la cooperación, la solidaridad y la respon-

---

Frontier, 5:39 (noviembre de 1938), pp. 40-43; John Childs, "Dr. Bode on authentic
democracy", *The Social Frontier*, 5:39 (noviembre de 1938), pp. 40-43. Dewey
respondió a este debate sin ponerse ni del lado de Bode ni del de Childs; en vez
de ello, trató de describir sus respectivas posturas a manera de indicar que
efectuaban aportaciones, distintas pero afines, al debate general y global sobre
la relación entre la enseñanza escolar y la democracia. Véase John Dewey,
"Education, democracy, and socialized economy", *The Social Frontier*, 5:40
(diciembre de 1938), pp. 70-72. Se puede encontrar una exposición clásica sobre
las cuestiones que figuran en este debate, en Sidney Hook, "The importance of a
point of view", *The Social Frontier*, 1:1 (octubre de 1934), pp. 19-22.

[18] John Dewey, "The need for a recovery of philosophy", reimpreso en *The
philosophy of John Dewey*, John McDermott, comp. (Chicago: University of
Chicago Press, 1981), p. 473.

sabilidad social.[19] La democracia y el comportamiento moral se aprendían, en este sentido, como parte de lo que algunas feministas han denominado recientemente una política del cuerpo, es decir, como algo que se debe sentir e internalizar por medio de la construcción de experiencias que producían formas particulares de subjetividad. Es igualmente importante el hecho de que la teoría de la ética y la democracia de que aquí se trata, no sólo vinculaba a la inteligencia y el carácter en torno a una política de hábitos y del cuerpo, sino que también eslabonaba el aprendizaje con una conexión fundamental entre la escuela y la vida comunitaria. Era respecto de esta cuestión que Dewey y otros rechazaban el obtuso acento en la educación centrada en el niño, que había venido a caracterizar al ala más conservadora de la educación progresista. Jesse Newlon expresa bien el punto de vista de Dewey y sus colegas, en lo tocante a la relación entre la escuela, la comunidad y la democracia.

La democracia únicamente se puede aprender por medio de la experiencia, viviéndola. Así, pues, el hogar, la escuela y la comunidad deben proporcionarles a los jóvenes la oportunidad de trabajar en problemas genuinos de democracia que estén al nivel de su madurez. No se puede alzar ningún muro entre la escuela y la comunidad. Los niños y los jóvenes solamente pueden aprender a convertirse en miembros de la comunidad siendo miembros de ésta. Resulta obvio que no basta con el puro estudio de la democracia. Y lo es igualmente que la llamada escuela centrada en el niño se va al cesto de la basura. De la misma manera que una sociedad democrática no se centra en el niño, ni tampoco en el adulto, una escuela para la democracia no puede centrarse en el niño, ni en el adulto, ni tampoco en la "escuela".[20]

En cuarto lugar, otra de las aportaciones fundamentales que hicieron los reconstruccionistas sociales al intentar interrelacionar la ética, la escuela y la democracia fue lo que yo

---

[19] Véase John Dewey, *Democracy and education* (Nueva York: The Free Press, 1944, publicado originalmente en 1916); John Dewey, *The public and its problems in the later works of John Dewey, vol. 2, 1925-1927*, Jo Ann Boydston, comp. (Carbondale: Southern Illinois University Press, 1984), pp. 235-372.
[20] Jesse Newlon, "Democracy or super-patriotism?", *The Social Frontier*, 7:59 (abril de 1941), p. 210.

deseo denominar una política de la diferencia. Cuando en las décadas de los treinta y cuarenta los reconstruccionistas sociales escribían en *The Social Frontier*, estaban plenamente conscientes de que uno de los rasgos principales de la pedagogía y la práctica del totalitarismo era el intento por producir un discurso que explícitamente aseverase la homogeneidad de la esfera social y pública. Dentro de este discurso se niega la división interna y, en los casos en que existen oposición o diferencia, a éstos se los etiqueta como una amenaza para el bienestar del estado. Para emplear la terminología de Claude Lefort, en el discurso totalitario "al otro" se lo percibe como al "Enemigo del Pueblo".[21] Dewey y sus seguidores creían firmemente que una teoría del diálogo y la comunidad resultaba central para una teoría de la democracia, y el diálogo y la comunicación, en este sentido, se basaban en la apreciación de distintas voces e intereses. En este caso, surgió una política de la diferencia a partir de la admisión fundamental de la importancia del "otro" y de la necesidad de desarrollar un terreno común para vincular el concepto de diferencia con un lenguaje públicamente compartido de lucha y de justicia social. El punto de vista que los reconstruccionistas sociales tenían de la diferencia, poca relación guardaba ni con la actual versión posestructuralista del significante "en flotación libre", ni con el concepto modernista del pluralismo liberal.[22] Argumentaban, en cambio, a favor del reco-

---

[21] Claude Lefort, *The political forms of modern society* (Cambridge: MIT Press, 1987), especialmente el capítulo 8, "The logic of totalitarianism", pp. 273-291. Para una crítica de la autoridad en el salón de clases, desde la perspectiva de la antropología simbólica, véase Peter McLaren, *Schooling as a ritual performance* (Londres y Nueva York: Routledge and Kegan Paul, 1986).

[22] Este aspecto lo expresa claramente Richard Bernstein y vale la pena citarlo en toda su extensión: "Mucho antes de que surgiera la actual fascinación por la inconmensurabilidad radical, Dewey ya estaba consciente del peligro que representaba el tipo de pluralismo degenerado que vendría a bloquear a la comunidad y la comunicación. Tuvo la perspicacia de ver que no se trataba aquí primordialmente de un problema teórico, sino de un problema práctico —un problema que exige trabajar hacia un tipo de sociedad en la que podamos simultáneamente respetar, e incluso ensalzar, las diferencias y la pluralidad, pero siempre esforzándonos por comprender y buscar un terreno común con aquello que es otro y diferente. [...] Pero ahora nos vemos amenazados por lo que anteriormente llamé el "pluralismo salvaje", que ha infectado casi todos los aspectos de nuestras vidas cotidianas y se ha extendido prácticamente a todas las áreas de la cultura humana. Es éste un pluralismo en el que nos hallamos tan

nocimiento de diferencias genuinas como parte de un intento por desarrollar las formas sociales de comunicación, de
comprensión mutua y de solidaridad que constituyen una
esfera pública democrática.

Los reconstruccionistas sociales trataron también de derivar de su teoría de democracia y ética un cierto número de
principios pedagógicos, como base para definir la función
del maestro así como una pedagogía crítica para la democracia. Dewey era inflexible en cuanto a definir a los maestros
como intelectuales, es decir, como pensadores reflexivos cuya función social exigía que se les dieran las condiciones
ideológicas y materiales necesarias para que pudieran tomar decisiones, producir planes de estudios y actuar conforme a sus propios puntos de vista. Para Dewey esto significaba, en parte, darles más poder a los maestros, con objeto de
que ellos, a su vez, crearan los ambientes del aula necesarios
para que los estudiantes experimentaran y obtuvieran conocimientos acerca de la democracia como forma de vida. Para
otros, tales como John Childs, el maestro o la maestra debían
encontrar su identidad en la relación entre la necesidad de
educar a los estudiantes a ser ciudadanos democráticos activos, y la necesidad más general de trabajar fuera de las
escuelas como ciudadanos críticamente activos, con objeto
de transformar las injusticias sociales y políticas básicas de
la propia sociedad. En opinión de Childs, el maestro como
agente moral tiene que desempeñar una responsabilidad
pedagógica, a la vez que una responsabilidad social. Childs
es muy claro a este respecto.

Así, el educador encuentra una identidad entre la necesidad educacional en sentido amplio y la necesidad democrática social. Para
satisfacer estas necesidades es preciso emprender una reconstrucción social drástica. Es la necesidad de esta reconstrucción social la
que se convierte en su hipótesis de control. [El maestro] sigue

encerrados en nuestros propios marcos y nuestros propios puntos de vista, que
parecemos perder la cortesía, el deseo e incluso la capacidad para comunicarnos
y compartir con los demás." (Richard Bernstein, "The varieties of pluralism", en
Current issues in education, Chris Eisele, comp. [Normal: The College of
Education, Illinois State University for the John Dewey Society and the Study
of Education and Culture, 1985], pp. 15-16).

trabajando en pos de muchas reformas específicas, pero su interés más profundo es el desarrollo de un movimiento económico y político que alcance la potencia necesaria para transformar el sistema económico histórico de Estados Unidos.[23]

Aun cuando los reconstruccionistas sociales se hallaban divididos respecto a la cuestión de si los maestros debían alinearse con la clase trabajadora o con grupos organizados alrededor de reformas sociales de mayor envergadura en la lucha por la democracia, existía el sentimiento común entre ellos de una insatisfacción con la sociedad capitalista, así como de su fe fundamental en lo que algunos han denominado los principios de la democracia militante.

De este discurso surgió un buen número de principios para el desarrollo de una pedagogía para la democracia. Dewey defendió vigorosamente la integración de la teoría y la práctica en torno a la reconstrucción de la experiencia vinculada a formas de vida comunitaria; George Counts y William H. Kilpatrick argumentaron cada uno a su manera que la democracia implica el estudio de problemas y condiciones sociales específicos e incluye el hecho de ayudar a los estudiantes a desarrollar una teoría general del bienestar social; John Childs instó en forma vehemente a los maestros a que cobraran conciencia de sus propios puntos de vista democráticos y a que consideraran éstos como puntos fuertes, y no como debilidades; Boyd Bode hizo aportaciones valiosas respecto de la importancia del diálogo democrático en el salón de clases, así como en cuanto a la necesidad de exponer a los estudiantes a una variedad de puntos de vista. En todos estos casos se consideraba que la pedagogía formaba parte de una política cultural imbuida por una preocupación ética y democrática orientada a vincular los conocimientos escolares, las subjetividades de los estudiantes y la experiencia del aula con los imperativos y necesidades más generales del orden social. En este sentido, los reconstruccionistas sociales elaboraron una filosofía pública de la enseñanza escolar, la democracia y la ética, que tanta importan-

[23] John Childs, "Democracy, education, and the class struggle", *The Social Frontier*, 3:3 (junio de 1936), p. 277.

cia posee hoy en día como cuando se desarrolló por vez primera.

LA AUTORIDAD EMANCIPATORIA Y EL PAPEL QUE DESEMPEÑAN LOS MAESTROS COMO INTELECTUALES

Una de las formulaciones más importantes de Antonio Gramsci concernientes a la naturaleza política de la cultura fue la que afirma que los intelectuales desempeñan un papel central en la producción y la reproducción de la vida social. Para Gramsci, la incipiente función de los intelectuales, como fuerza política primordial que mantenía el dominio ideológico de los grupos dominantes, marcaba un cambio importante en la relación entre aquellos elementos centrales de la lucha cultural como la lengua, el conocimiento y las relaciones sociales, por un lado, y la dinámica del control y el poder, por el otro.[24] En este caso, los intelectuales pasaban a ser productores de capital cultural, que, como elemento deliberadamente análogo al capital material, significa la transformación de las relaciones sociales para que éstas pasen de una confianza fundamental en la primacía de la función de trazar políticas, que le corresponde al estado, a formas más sutiles de control organizadas en torno a modos de conocimiento que dan nombre a la experiencia cotidiana, y la estructuran, conforme a la lógica de la dominación. Naturalmente, el acento que ponía Gramsci en la hegemonía cultural ha sido desarrollado por teóricos sociales tales como Pierre Bourdieu, Alvin Gouldner y André Gorz.[25] Pero nin-

[24] Antonio Gramsci, *Selections from the "Prison notebooks"*, Quinten Hoare y Geoffrey Smith, comps. y trads. (Nueva York: International Publishers, 1971).

[25] Alvin Gouldner, *The future of intellectuals and the rise of the new class* (Nueva York: Seabury Press, 1979); Pierre Bourdieu y Jean-Claude Passeron, *Reproduction in education, society, and culture*, Richard Nice, trad. (Beverly Hills: Sage, 1977); Pierre Bourdieu, *Distinction: a social critique of the judgment of taste*, Richard Nice, trad. (Cambridge: Harvard University Press, 1984); André Gorz, *Farewell to the working class* (Boston: South End Press, 1982); véanse también George Konrad e Ivan Szelenyi, *The intellectuals on the road to class power* (Nueva York: Harcourt Brace Jovanovich, 1979); Paul A. Bove, *Intellectuals in power*

guno de estos teóricos ha proseguido el proyecto de Gramsci en el sentido de considerar a los intelectuales como a los elaboradores de la cultura dominante, así como a una fuerza social y política vital y fundamental para cualquier contienda contrahegemónica.

Ha sido muy importante el hincapié que se ha hecho en la teoría radical de la educación en examinar minuciosamente las diversas formas en que se lleva a cabo la dominación cultural dentro de los distintos mecanismos y niveles de enseñanza escolar; a pesar de ello, no deseo repetir aquí esta postura. En vez de ello, voy a redefinir el papel que podrían desempeñar los maestros, como intelectuales, en la producción de formas y discursos culturales que presenten puntos de vista particulares de autoridad, ética y práctica pedagógica cuya lógica subyacente sea congruente con una política cultural radical. En otras palabras, redefino la función de los maestros como intelectuales en torno a una perspectiva de la autoridad y la ética que apunta hacia la importancia que tienen ciertas formas específicas de trabajo y de práctica intelectuales, para cualquier discurso programático orientado al desarrollo de formas opcionales de enseñanza escolar. Una postura de esta índole es importante porque plantea un punto de vista oposicional por parte de la práctica intelectual que nace del compromiso y la lucha. Además, nos proporciona un referente para el análisis y la crítica de aquellos intelectuales que han sido reducidos o bien a una inteliguentsia que desempeña una gran variedad de funciones dentro de la sociedad del capitalismo tardío, o de aquellos que se han convertido en intelectuales hegemónicos que consciente o inconscientemente fomentan la reproducción de la sociedad dominante.

Si se quiere que el concepto de autoridad provea una base legitimadora para repensar el propósito y el significado de la educación pública y la pedagogía crítica, dicho concepto debe estar arraigado en una perspectiva de vida comunitaria en la cual la calidad moral de la existencia cotidiana se halla

(Nueva York: Columbia University Press, 1986); Alvin W. Gouldner, *Against fragmentation: the origins of Marxism and the sociology of intellectuals* (Nueva York: Oxford University Press, 1985).

vinculada a la esencia de la democracia.[26] La autoridad, conforme a este punto de vista, se convierte en un referente mediador para el ideal de democracia, y su expresión es un conjunto de prácticas educacionales destinado a facultar a los estudiantes para que sean ciudadanos críticos y activos. Esto es, el propósito de la enseñanza escolar queda ahora ideado en torno a dos preguntas centrales: ¿En qué tipo de sociedad desean vivir los educadores? ¿Qué clase de educadores y de pedagogía pueden ser formados, a la vez que legitimados, dentro de un punto de vista de la autoridad que tome seriamente a la democracia y la ciudadanía? La autoridad entendida de esta manera constituye una perspectiva que apunta hacia una teoría de la democracia en la que intervienen los principios de la democracia representativa, de la democracia de los trabajadores y de los derechos humanos y civiles. Según lo expresa Benjamin Barber, es una perspectiva de la autoridad arraigada en una "democracia fuerte", y se caracteriza por una ciudadanía capaz de un pensamiento, de un juicio político y de una acción social genuinamente públicos.[27] Tal punto de vista de la autoridad avala un concepto del ciudadano como algo más que un simple portador de derechos, privilegios e inmunidades abstractos; entiende a éste como miembro de cualquiera de un diverso número de esferas públicas que proporcionan un sentido de visión comunal y de valentía cívica. Vale la pena citar la idea completa de Sheldon Wolin a este respecto:

A un ser político no se le debe definir como... un portador abstracto y desconectado de derechos, privilegios e inmunidades, sino como a una persona cuya existencia se sitúa en algún lugar particular y halla sostén gracias a relaciones circunscritas: la familia, los amigos, la iglesia, el barrio, el lugar de trabajo, la comunidad, el pobla-

[26] John Dewey, *Democracy and education* (Nueva York: Macmillan, 1916); John Dewey, "Creative democracy —the task before us", reimpreso en *Classic American philosophers*, Max Fisch, comp. (Nueva York: Appleton-Century-Crofts, 1951); George S. Counts, *Dare the schools build a new social order* (Nueva York: Day, 1932); véase también Richard J. Bernstein "Dewey, democracy: the task ahead of us", en *Post-analytic philosophy*, John Rajchman y Cornel West, comps. (Nueva York: Columbia University Press, 1985).

[27] Benjamin Barber, *Strong democracy: participating politics for a new age* (Berkeley: University of California Press, 1984).

do, la ciudad. Estas relaciones son las fuentes de las cuales los seres políticos obtienen poder —simbólico, material y psicológico— y son las que les permiten actuar en conjunto. Ya que el verdadero poder político implica no solamente actuar a modo de efectuar cambios decisivos, sino que también significa la capacidad de recibir poder, de que se actúe sobre uno, de cambiar y de que se nos haga cambiar. Desde una perspectiva democrática, el poder no es simplemente una fuerza que se genere; es la experiencia, sensibilidad, sabiduría, e incluso melancolía, destiladas de las diversas relaciones y círculos dentro de los que nos movemos.[28]

Definida mediante la dinámica de la experiencia concreta, las relaciones institucionales y el compromiso con la vida pública, la autoridad se convierte en una importante categoría teórica para la organización y defensa de las escuelas como esferas públicas democráticas. Es decir, ahora las escuelas se pueden entender y construir dentro de un modelo de autoridad que las legitima como lugares en los que los estudiantes aprenden y pugnan colectivamente por alcanzar las precondiciones económicas, políticas y sociales que hacen posible la libertad individual y la facultación social. Dentro de este modelo emancipatorio de autoridad se puede idear un discurso conforme al cual los educadores puedan luchar contra el ejercicio de la autoridad que frecuentemente emplean los conservadores para vincular el propósito de la escuela con un punto de vista truncado de patriotismo y patriarcado que funciona como tapujo de un chovinismo asfixiante. En su modelo emancipatorio, la autoridad existe como un terreno de lucha, y como tal revela la naturaleza dialéctica de sus intereses y posibilidades; además, proporciona la base para entender a las escuelas como esferas públicas democráticas, dentro de un movimiento de avance y de lucha por la democracia más generales. En beneficio de los educadores y de otras personas que trabajan en movimientos sociales de oposición, el significado de autoridad que predomina tiene que ser redefinido a manera de que incluya los conceptos de libertad, igualdad y democracia.[29] Y por

---

[28] Sheldon Wolin, "Revolutionary action today", en *Post-analytic philosophy*, p. 256.
[29] Para una importante exposición sobre estos conceptos, véase Richard

otro lado, al concepto de autoridad emancipatoria se lo debe considerar como la categoría central en torno a la cual se pueda estructurar una exposición razonada para definir la labor de los maestros como una forma de práctica crítica, intelectual, relacionada con las cuestiones, problemas, preocupaciones y experiencias de la vida cotidiana.

En esto es importante recalcar la doble naturaleza que posee el modelo emancipatorio de la autoridad que he presentado. Por un lado, este modelo proporciona la base para vincular el propósito de la escuela con los imperativos de una democracia crítica, postura que ya he expuesto. Por el otro, establece el apoyo teórico para analizar la enseñanza como una forma de práctica intelectual; y además, proporciona el fundamento ontológico para aquellos maestros que están dispuestos a asumir el papel de intelectuales transformativos.

El concepto de la autoridad emancipatoria sugiere que los maestros son portadores de conocimientos, reglas y valores críticos, mediante los cuales articulan y problematizan conscientemente su relación entre sí, con los estudiantes, con la materia que enseñan y con la comunidad en general. Tal punto de vista de la autoridad desafía a la forma predominante en que se considera a los maestros primordialmente como técnicos o servidores públicos cuya función es preponderantemente la de llevar a cabo, en vez de conceptualizar, la práctica pedagógica. La categoría de autoridad emancipatoria dignifica la labor de los maestros al considerarla como una forma de práctica intelectual. Dentro de este discurso, al trabajo de los maestros se lo entiende como una forma de labor intelectual en la que se interrelacionan concepción y práctica, pensamiento y hecho, y producción e implantación como actividades integradas que le dan a la enseñanza su significado dialéctico. El concepto del maestro como intelectual lleva consigo el imperativo de juzgar, criticar y rechazar aquellos enfoques de autoridad que refuerzan una división técnica y social del trabajo que silencia y priva de facultades

Lichtman, "Socialist freedom", en *Socialist perspectives*, Phyllis y Julius Jacobson, comps. (Nueva York: Kary-Cohl Publishing, 1983); Landon E. Beyer y George Wood, "Critical inquiry and moral action in education", *Educational Theory*, 36:1 (invierno de 1986), pp. 1-14.

tanto a los maestros como a los estudiantes. En otras palabras, la autoridad emancipatoria establece como principio medular la necesidad de que los maestros y otras personas encaren críticamente las condiciones ideológicas y prácticas que les permitan mediar, legitimar y funcionar en su calidad de intelectuales con mentalidad de autoridades.

La autoridad emancipatoria también proporciona el andamiaje para que los educadores se definan a sí mismos no simplemente como intelectuales, sino, de manera más comprometida, como intelectuales transformativos. Esto significa que tales educadores no sólo se preocupan por formas de dar facultades que fomenten el logro individual y las modalidades tradicionales de éxito académico. En su labor docente se preocupan, además, por vincular la adquisición de facultades —la habilidad para pensar y actuar críticamente— con el concepto de la transformación social. Es decir, el hecho de enseñar con miras a la transformación social significa educar a los estudiantes de manera que corran riesgos y luchen dentro de las relaciones de poder existentes, con objeto de que sean capaces de modificar las bases sobre las cuales se desarrolla la vida. Actuar a manera de intelectual transformador significa ayudar a los estudiantes a adquirir conocimientos críticos acerca de las estructuras básicas de la sociedad, tales como la economía, el estado, el lugar de trabajo y la cultura de masas, para que tales instituciones puedan quedar abiertas a la transformación potencial. A una transformación, en este caso, orientada a la paulatina humanización del orden social. Doug White, un educador australiano, es ilustrativo a este respecto:

En el más amplio sentido, es la educación —la introducción del conocimiento en la vida social— el aspecto central de un proyecto que pueda convertir las posibilidades en realidades. Los maestros radicales no han cometido el error de ser demasiado radicales, sino el de no serlo suficientemente. Es labor de los maestros, junto con otras personas, la de iniciar un proyecto en el que se consideren y transformen las formas de las instituciones sociales y de trabajo, con el fin de que en el concepto de cultura se pueda llegar a incluir el desarrollo de las estructuras sociales. La verdadera naturaleza del plan de estudios... es el desarrollo de aquellos conocimientos, pensamientos y prácticas que requieren los jóvenes para poder participar en la producción y reproducción de la vida social y llegar a conocer el carácter de estos procesos.[30]

Como intelectuales transformadores, los maestros necesitan aclarar cuál es la naturaleza de los llamamientos a la autoridad que están empleando para legitimar sus prácticas pedagógicas. En otras palabras, es preciso que los educadores clarifiquen los referentes políticos y morales de la autoridad que asumen al enseñar formas particulares de conocimiento, adoptando una postura contra las formas de opresión y tratando a los estudiantes como si también éstos debieran preocuparse por las cuestiones de la justicia social y la acción política. Los reconstruccionistas sociales proporcionan un referente para el punto de vista de la autoridad emancipatoria al desarrollar una filosofía pública en la cual el propósito de la enseñanza escolar y la legitimación y ejercicio de la autoridad se halla enraizado en la idea de la democracia como fuerza moral y política. En la siguiente sección hago referencia al trabajo de un buen número de escritores pertenecientes a la tradición feminista, así como a la de la teología de la liberación. Sin embargo, no me propongo ofrecer un análisis exhaustivo de las diferencias teóricas que actúan dentro de estas dos tradiciones y entre ellas, ni tampoco trato de proporcionar un análisis extenso de los escritores que se examinan. Mi objetivo es simplemente el de analizar su trabajo respecto de una perspectiva de la ética que posee importantes implicaciones para poder seguir elaborando un discurso de la autoridad emancipatoria y de la categoría del maestro como intelectual transformador.

[30] Para una excelente exposición de este tema, véase Doug White, "Education; controlling the participants", *Arena*, 72 (1985), pp. 63-79.

LA ÉTICA FEMINISTA, LA TEOLOGÍA DE LA LIBERACIÓN Y EL DISCURSO DE MEMORIA, NARRACIÓN Y SOLIDARIDAD

Uno de los logros principales del movimiento feminista durante la última década ha sido el de poner en claro de manera indisputable el hecho de que para una adecuada comprensión de las cuestiones y problemas sociales contemporáneos no se pueden ignorar las aportaciones teóricas y políticas que han efectuado las mujeres. Esto se ha debido, en parte, a que las feministas han tenido intervenciones teóricas y políticas serias en casi todos los aspectos de la vida social y política, en su intento por poner al descubierto, dar nombre y desafiar a la ideología y práctica del sexismo.[31] De manera

[31] Resulta imposible citar todas las fuentes importantes de teoría feminista. Los libros que menciono a continuación me han ayudado personalmente en mis lecturas, e indican la gama teórica de algunas de las principales aportaciones que se están haciendo a la teoría feminista: Jean Grimshaw, *Philosophy and feminist thinking* (Minneapolis: University of Minnesota Press, 1986); Sondra Farganis, *The social reconstruction of the feminine character* (Nueva Jersey: Rowman and Littlefield, 1986); Teresa de Lauretis, comp., *Feminist studies, critical studies* (Bloomington: Indiana University Press, 1986); Carole Pateman y Elizabeth Gross, comps., *Feminist challenges: social and political theory* (Boston: Northeastern University Press, 1986); Juliet Mitchell y Ann Oakley, *What is feminism?* (Nueva York: Pantheon, 1986); Lillian S. Robinson, *Sex, class, and culture* (Nueva York: Methuen, 1986); Hélène Cixous y Catherine Clement, *The newly born woman*, Betsy Wing, trad. (Minneapolis: University of Minnesota Press, 1986); Alice A. Jardine, *Gynesis: configurations of woman and modernity* (Ithaca: Cornell University Press, 1985); Luce Irigary, *Speculum of the other woman*, Gillian Gill, trad. (Ithaca: Cornell University Press, 1985); Luce Irigary, *This sex which is not one* (Ithaca: Cornell University Press, 1985); Janice A. Radway, *Reading the romance* (Chapel Hill: The University of North Carolina Press, 1984); Carroll Smith-Rosenberg, *Disorderly conduct* (Nueva York: Oxford University Press, 1984); Judith Newton y Deborah Rosenfelt, comps., *Feminist criticism and social change* (Nueva York: Methuen, 1984); Teresa de Lauretis, *Alice doesn't: feminism, semiotics, cinema* (Bloomington: Indiana University Press, 1984); Nell Noddings, *Caring: a feminine approach to ethics and moral education* (Berkeley: University of California Press, 1984); Carole S. Vance, comp., *Pleasure and danger: exploring female sexuality* (Londres: Routledge and Kegan Paul, 1984); Elly Bulkin, Minnie Pratt y Barbara Smith, *Yours in struggle* (Nueva York: Long Haul Press, 1984); Ann Snitow, Christine Stansell y Sharon Thompson, comps., *Powers of desire: the politics of sexuality* (Nueva York: Monthly Review Press, 1983); Annette Kuhn, *Women's pictures* (Londres: Routledge and Kegan Paul, 1982); Carol Gilligan, *In a different voice* (Cambridge: Harvard University Press, 1982); Michele Barrett, *Women's oppression today: problems in Marxist feminist analysis* (Londres: Verso Press, 1980); Nancy Chodorow, *The reproduction of mothering: psychoanalysis and the sociology of gender* (Berkeley: University of California

similar, un buen número de escritores norteamericanos se han apoyado en la tradición, distinta, de la teología de la liberación y han comenzado a proponer un discurso crítico y alternativo frente a las ideologías y prácticas conservadoras y tradicionales de las iglesias establecidas.[32] Siguiendo los pasos de creciente activismo político de los grupos eclesiásticos que se oponen a la política exterior que Estados Unidos aplican en América Latina y en otras partes, así como a su despiadada insensibilidad ante los problemas internos, en ese país se está forjando una teología de la liberación dentro de un conjunto de circunstancias históricas y políticas que representan una singular tradición norteamericana de protesta y de lucha. Lo que resulta importante reconocer en esto es que tanto los grupos feministas como los críticos religiosos han contribuido cada vez más al desarrollo de un nuevo lenguaje de crítica, así como a sacar a relucir formas de conocimiento que por lo común se hallan alejadas de la esfera pública dominante; además, han comenzado a redefinir de manera crítica y emancipatoria el lenguaje de la ética, la experiencia y la comunidad. Gracias a todo ello, han planteado nuevas preguntas, han señalado la posibilidad de construir relaciones más viables e inspiradoras, y lo más importante es que han puesto de manifiesto la forma en que

Press, 1978); Juliet Mitchell, *Psychoanalysis and feminism: Freud, Reich, Laing, and women* (Nueva York: Vintage Books, 1975).

[32] Jurgen Moltmann, *Theology of hope: on the ground and the implications of a Christian eschatology,* James W. Leitch, trad. (Nueva York: Harper and Row, 1967); Gustavo Gutiérrez, *Teología de la liberación* (Salamanca: Sígueme, 1980); Gustavo Gutiérrez, *The power of the poor in history,* Robert R. Barr, trad. (Maryknoll: Orbis Books, 1973); José Míguez Binino, *Doing theology in a revolutionary situation* (Filadelfia: Fortress Press, 1975); Leonardo Boff, *Christology at the crossroads: a Latin American approach,* John Drury, trad. (Maryknoll: Orbis Books, 1978); Thomas F. McFadden, comp., *Liberation, revolution and freedom* (Nueva York: Seabury Press, 1979); Johann Baptist Metz, *Faith in history and society,* David Smith, trad. (Nueva York: Seabury Press, 1980); Dorothee Soelle *Choosing life* (Filadelfia: Fortress Press, 1981); Cornel West, *Prophesy deliverance* (Filadelfia: The Westminster Press, 1982); Juan Luis Segundo, *Liberación de la teología* (Buenos Aires: Lohlé, 1982); Mathew Lamb, *Solidarity with victims: toward a theology of social transformation* (Nueva York: Crossroad Publishing Co., 1982); Enrique Dussel, *Filosofía de la liberación* (Bogotá: Universidad de Santo Tomás, 1980); Franz J. Hinkelammert, *The ideological weapons of death: a theological critique of capitalism* (Maryknoll: Orbis Books, 1986); Philip Berryman, *Teología de la liberación* (México: Siglo XXI, 1989); Rebecca S. Chopp, *The praxis of suffering* (Maryknoll: Orbis Books, 1986).

el vigor y el poder que forman parte medular de la vida de las mujeres y de otros grupos oprimidos pueden proporcionar los fundamentos de una teoría radical de la ética y los principios morales. Claro está que del mismo modo que no existe una unidad teórica global dentro del movimiento feminista ni en las filas del movimiento de la teología de la liberación, tampoco existe un discurso unitario que constituya de manera no problemática una ética feminista o teológica. Lo que sí existe es un cuerpo diversificado de escritos sobre la ética, la política y la teoría social, que incorpora un buen número de corrientes importantes, por más que algunas veces sean contradictorias. Uno de los logros teóricos más emocionantes que han surgido en la teoría social crítica es el desarrollo de un discurso que vincula ciertas ramificaciones de la teoría feminista radical con determinados aspectos de la teología de la liberación. De la intersección de aspectos específicos de estas dos tradiciones está surgiendo un cuerpo de trabajo que ofrece una gran cantidad de importantes referentes teóricos y morales para el desarrollo de un punto de vista de la autoridad basado en un conjunto distinto de principios morales y prácticas sociales. Voy a argumentar que el trabajo que se está produciendo dentro de la nueva corriente de la teología feminista representa la posibilidad más prometedora para el desarrollo de lo que Sharon Welch denomina una ética feminista de riesgo y resistencia.[33] Forman parte medular de esta ética un cierto número de elementos que ofrecen la posibilidad de que los maestros mencionen las condiciones que producen el sufrimiento y el dolor humanos, a la vez que definan un concepto de acción responsable. En el núcleo de esta ética de riesgo y resistencia se halla el intento de desarrollar un punto de vista de la

[33] Sharon Welch, *A feminist ethic of risk and resistance* (Filadelfia: Fortress Press, 1989). Tengo una deuda de gratitud teórica con Sharon Welch por el empleo, así como por el desarrollo de la categoría "ética feminista del riesgo y la resistencia". Entre los trabajos de las teólogas feministas al que me refiero en esta sección, figuran: Beverly Wildung Harrison, *Making the connections: essays in feminist social ethics*, Carol S. Robb, comp. (Boston: Beacon Press, 1985); Sharon Welch, *Communities of resistance and solidarity* (Maryknoll: Orbis Books, 1985); Rosemary Radford Ruether, *Sexism and God-talk: toward a feminist theology* (Boston: Beacon Press, 1983); Margaret A. Farley, *Personal commitments* (Nueva York: Harper and Row, 1986).

humanidad basado en principios, al tiempo que se revela cuál debe ser la base ideológica y estructural para una comunidad democrática que dé lugar a una vida mejor. Mencionaré brevemente algunos de los temas básicos que caracterizan a esta ética de riesgo y resistencia, para luego pasar al análisis de sus implicaciones en la labor del maestro.

Uno de los conceptos importantes y que con claridad se desprenden de este trabajo es el que se centra en las experiencias de las mujeres y de los oprimidos, como fuente de conocimientos y de principios morales. Según este punto de vista, la justicia no está atada tanto a reglas abstractas y conceptuales, sino que tiene lazos más estrechos con formas concretas de lucha y liberación que otorgan prioridad al bienestar de la gente en sus propios ámbitos históricos. La justicia, bajo esta perspectiva, no es meramente la aplicación de reglas de procedimiento a contextos variables; es un intento por comprender de qué modo se forman las sensibilidades en medio del sufrimiento humano y la lucha por la liberación y la libertad. Lo que en este caso es justo o verdadero no es la forma en que estas últimas palabras se definan dentro del discurso histórico predominante o dentro de una postura filosófica o teológica abstracta, sino que se trata, propiamente hablando, del significado de estas categorías conforme emergen de aquellas pugnas conformadas e informadas por las experiencias que han vivido las mujeres y otros grupos oprimidos. La justicia, en este sentido, no se halla organizada en torno a un llamamiento a principios abstractos, sino que está enraizada en un proyecto sustantivo que consiste en la transformación de aquellas estructuras sociales y políticas concretas que niegan la dignidad, la esperanza y el poder a vastas cantidades de personas. Al hacer de la experiencia la fuente de exigencias éticas, las feministas, en particular, han comenzado a plantear graves dudas en cuanto a las formas en que la experiencia se organiza y legitima a manera de justificar discursos éticos particulares. La teóloga feminista Beverly Harrison sostiene que el punto de partida de la teología moral debiera ser un proceso colectivo de denominación que fuese a la vez histórico, afirmativo y transformativo. Escribe lo siguiente:

El trabajo de la ética/teología comienza por la clarificación, llevada a cabo comunalmente, de la experiencia histórica concreta que haya tenido el grupo en cuanto a opresión o subyugación. Este proceso colectivo de "denominación" fomenta la habilidad de reflexionar sobre la situación que uno comparte como estructuralmente condicionada, y también les permite a las personas adoptar la postura básica que precipita la propia reflexión ética: el poder o la capacidad de ser "los sujetos de nuestras vidas"... Los métodos de la teología de la liberación y de la ética deben ser siempre históricos... Ello ayuda a recuperar la memoria social y la conciencia de las luchas de nuestros antecesores. Lleva la mira de representarnos el pasado de una manera específica... [nos] permite ver que el pasado posee una cara humana, que las acciones del hombre, pautadas en el tiempo, son la fuente de las estructuras sociales y las prácticas institucionales que han pasado a funcionar como obligaciones reales y objetivas en las vidas de nuestros antepasados y en la nuestra... Es preciso que recordemos que, quienes ejercen el privilegio y el control en la actualidad, también controlan la historia "oficial". La historia "oficial" suprime los episodios de resistencia y disentimiento respecto del *statu quo* y presenta el pasado o bien como un triunfo de quienes lo merecieron, o como inevitable. La historia crítica rompe con el pasado, en toda su complejidad, y vuelve a presentar este pasado como portador de una narrativa de lucha humana contra la dominación. Incluso la resistencia fallida contiene poderosas pruebas de la dignidad y la valentía humana que da forma a nuestras vocaciones contemporáneas. Los antepasados que recordamos y nuestros colegas en la lucha dan energía a nuestras vidas, conforme experimentamos las presiones y riesgos que siempre implica la resistencia real a la opresión.[34]

La política de la experiencia de Harrison representa un discurso de la ética que es tanto histórico como transformativo. Comienza con una opción clara y profética para el examen de las experiencias de los "otros radicales" de la historia, y también encuentra en el concepto de la memoria histórica los recursos, narraciones y luchas que revelan la posibilidad de una nueva visión de la comunidad e identidad humanas para los oprimidos.

La preocupación por la experiencia de los "radicales y

---

[34] Harrison, *Making the connections*, pp. 249-250.

otros excluidos" que se observa en el trabajo de las teólogas feministas sirve para redefinir el concepto de justicia. Este trabajo también pone en tela de juicio la cuestión del género y la base moral para que haya formas de racionalidad que definen la división social y sexual del trabajo, que constituyen lo que con frecuencia se consideran las esferas privada y pública de la vida cotidiana. Por ejemplo, feministas tan distintas como Nell Noddings y Jean Grimshaw han sostenido que el concepto predominante de racionalidad y moralidad, con su lógica instrumental de la eficiencia y el interés propio, socava una moralidad pública en la que se considera obligatorio cuidar de los demás y aliviar las formas innecesarias de sufrimiento y dolor.[35] Conforme a este punto de vista radical, la racionalidad de la esfera pública dominante es la que adjudica todas las normas y principios, valiéndose de las necesidades del mercado; la moralidad está en función de los principios de la oferta y la demanda. Con esta lógica, los principios de moralidad y razón que determinan la vida pública quedan caracterizados por la creencia en la emancipación, regida por un control cada vez mayor sobre la naturaleza y la historia, es decir, se trata de una lógica evolutiva en la cual el progreso se define conforme a pautas puramente instrumentales y cuantitativas, como una progresión lineal que va desde la escasez material hasta la abundancia en el consumo. Para los teólogos de la liberación tales como Johann Baptist Metz, la racionalidad dominante produce una distinción entre las esferas pública y privada, en el sentido de que los valores "privados" no ejercen demandas públicas, en tanto que los valores públicos le niegan una calidad corpórea a los deseos, esperanzas y anhelos de quienes son oprimidos y explotados dentro de una maquinaria de dominación racionalizada mediante un llamamiento a la pretendida lógica evolutiva de la ciencia. Según Metz,

El mundo moderno, con su civilización técnica, simplemente no es un universo racional. Su mito es la evolución. El interés callado de su racionalidad es la ficción de que el tiempo es una infinitud vacía,

---

[35] Noddings, *Caring*; Grimshaw, *Philosophy and feminist thinking*.

que se halla libre de sorpresas y dentro del cual todo está encerrado sin gracia alguna.[36]

Las teólogas feministas, entre otros, han planteado nuevos e importantes retos a la ideología de la moralidad que racionaliza la división entre las esferas privada y pública que priva en las democracias occidentales. En uno de los planos, han argumentado que esta racionalidad sirve para marcar distinciones de género que son opresivas y que al mismo tiempo se emplean para minar la posibilidad de una ética de riesgo y resistencia, como base para la vida pública. En el primer caso, Jean Grimshaw sostiene que a lo público se lo considera paradigmáticamente como el terreno de los varones y, como tal, excluye aquellos aspectos de la vida social que se ven como atributos de las mujeres y de la esfera privada.

En contraste con esta concepción de la esfera pública, se encuentra la privada que consta de las intimidades del hogar y la familia. Esto se entiende como el polo opuesto del mundo de la racionalidad y el interés propio instrumentales e impersonales. Es personal, pluralista, basado en la emoción y en el cuidado y la buena crianza de los otros. Cada aspecto de la vida social se define mediante aquello que excluye. Así, la esfera pública excluye la emoción, salvo en el grado en que ésta se transforma en interés propio racional. La esfera privada de la vida nacional excluye la razón, salvo en el grado en que es representada por varones que también figuran en las relaciones de mercado.[37]

La moralidad y la racionalidad que dan forma a este punto de vista de la experiencia no sólo discriminan contra las mujeres, sino que también fomentan un punto de vista de la vida pública que va en contra del concepto de democracia radical. Las teólogas feministas y otras personas han intentado desafiar esta perspectiva de racionalidad y moralidad. Al hacerlo, han tratado de desarrollar un discurso que reúna lo personal con lo social y lo político, con objeto de cuestionar y después rechazar las barreras intelectuales y objetivas que

[36] Metz, *Faith in history and society*, p. 172.
[37] Grimshaw, *Philosophy and feminist thinking*, pp. 197-198.

les impiden a las mujeres y a los hombres minoritarios, por cuestiones étnicas raciales, apropiarse de los recursos morales y políticos necesarios para el mejoramiento individual y social. En la parte medular de este nuevo discurso figura una ética de riesgo y resistencia en la cual la dualidad mente/cuerpo es superada mediante una política de cuidado y sensualidad. La política del cuidado, siguiendo el trabajo de Nell Noddings, Margaret Farley y otras autoras,[38] sugiere un buen número de importantes principios morales. En primer lugar, rechaza todas las formas de racionalidad que tratan a los seres humanos como meros medios y reducen el sufrimiento a análisis cuantitativos. En segundo lugar, apunta hacia la obligación política y pedagógica de desarrollar un lenguaje tanto de crítica como de esperanza, esto es, un lenguaje capaz tanto de ponerle nombre a la opresión como de "mantener vivas en nuestro mundo las relaciones de poder".[39] Beverly Harrison desarrolla esta noción dialéctica de crítica y esperanza mediante su concepto del "trabajo del amor radical" y vale la pena repetirlo en toda su extensión:

Hay mucho más que decir acerca de la perspectiva del trabajo del amor radical dentro de una teología feminista moral que toma sus señalamientos de entre aquello que es lo mejor y más profundo de la lucha histórica de la mujer. Cierto es que es igualmente preciso decir más acerca de la profundidad del pecado y el mal en el mundo. Es importante recordar que una teología moral feminista es algo utópico, como lo es toda buena teología, en el sentido de que prevé una sociedad, un mundo, un cosmos en los cuales, como lo expresa Jules Giardi, no haya "excluidos". Pero la teología feminista es también poderosamente realista, porque toma con completa seriedad la libertad radical que poseemos los seres humanos para hacer el bien o el mal. Puesto que admitimos que poseemos, literalmente, la facultad de hacernos mutuamente personas en el amor —es decir, en la relación—, también podemos admitir nuestra facultad de obliterar de nuestro mundo la dignidad, el respeto, el cuidado y la preocupación por la humanidad. Todo esto está dentro de nuestras facultades.[40]

[38] Noddings, *Caring*; Farley, *Personal commitments*.
[39] Harrison, *Making the connections*, p. 21.
[40] *Ibid.*, p. 20.

La noción de la política de la sensualidad representa un intento por superar la dualidad mente/cuerpo, reconociendo que la política de la separación mente/cuerpo no sólo rechaza el cuerpo y la emoción como fuentes de poder moral, sino que también sirve para dar alas a las ideologías dominantes engendradas por un odio hacia los no blancos y hacia las mujeres. Más específicamente, la subyugación de las emociones a la esfera del intelecto y la razón representa una evasión de la moralidad y una negativa a hacer honor a una política de diferencia en la cual la comunicación con quienes habitan un distinto terreno social y cultural depende de formas concretas de mutualidad y respeto, en el contexto de la justicia social. En este caso, una política de sensualidad integra la mente y el cuerpo como aspecto fundamental de una moralidad en la que la gente entienda, *a la vez que* sienta, la relación que guarda con otros seres humanos y cosas vivientes. Nuestra comprensión del mundo, en este discurso, queda predicada conforme a nuestra habilidad para mediarla por medio de nuestros sentimientos, emociones y percepciones. Según lo expresa Carol Robb, la política de la sensualidad representa una forma de "racionalidad encarnada" que tiene implicaciones importantes para una ética feminista del riesgo y la resistencia. Escribe:

La palabra "corporeizar", con respecto a la teoría feminista y a la ética también feminista, significa, como mínimo, que:... 1] Nuestra sexualidad y nuestros cuerpos propios deben ser elogiados, y no vituperados, y se los tiene que respetar como la base de nuestra calidad de personas. 2] El trato de igual a igual, y no el control, la propiedad o el paternalismo, es una de las normas principales para la comunicación social, incluyendo la sexual. 3] La rigidez de la función sexual es destructiva en cuanto a las posibilidades de las relaciones interpersonales maduras; por ende, se debe practicar la fluidez de la función sexual. 4] Debemos reconocer y hacer honor a todas las expresiones de comunicación sexual entre personas que se preocupan por el mutuo bienestar y con igual consideración, ya se trate de relaciones homosexuales o heterosexuales.[41]

---

[41] Carol Robb, "Introduction", en Beverly Harrison, *Making the connections*, p. xix. Otra de las características de la ideología dominante que estructura la dualidad mente/cuerpo es que frecuentemente funciona a manera de ignorar o de denigrar la importancia de la formación del deseo y el placer como un aspecto

Antes de analizar la forma en que se podría emplear la ética del riesgo y la resistencia para redefinir el trabajo que realizan los maestros como intelectuales transformadores, señalaré brevemente algunas de las maneras en que se puede hacer uso de las categorías de recuerdo, narración y solidaridad para clarificar y extender las posibilidades de las políticas de experiencia en las que me he centrado en la presente sección. Johann Baptist Metz sostiene que "la identidad se forma cuando se despiertan los recuerdos".[42] Para Metz, al igual que para un buen número de feministas y teólogos, los recuerdos se rememoran gracias a las narraciones que informan y transforman nuestro punto de vista y nuestra experiencia de la historia. Rebecca Chopp arroja luz sobre la importancia que posee la narrativa como una estructura de la memoria radical.

La narrativa, como estructura de la teología, tiene dos tareas que están interrelacionadas... En primer lugar es performativa y práctica, puesto que forma e informa al sujeto humano merced a sus recuerdos peligrosos. Ésta es su tarea hermenéutica, con la que forma y transforma la vida de los sujetos mediante la reminiscencia e interpretación de los recuerdos de sufrimiento. En segundo lugar es crítica, porque estos recuerdos ponen en tela de juicio a las estructuras sociopolíticas prevalecientes.[43]

Las narrativas son importantes porque ofrecen la posibilidad de recuperar los "episodios" propios de uno, así como de forjar lazos de solidaridad con los que viven y con quienes han sufrido en el pasado. La solidaridad, en este caso, se forja por medio de recuerdos y esperanza; es el reconocimiento e identificación de un sujeto distinto de la historia, es decir, de aquellos grupos pobres y oprimidos que han desbaratado las narrativas y la ideología históricas del progreso lineal de las clases y grupos dominantes. Mediante las categorías de memoria, narrativa y solidaridad surgen los fundamentos para

fundamental de la identidad individual y social. Esta cuestión se desarrolla en Valerie Walkerdine, "Video replay: families, films, and fantasy", en *Formations of fantasy*, Victor Burgin, James Donald y Cora Kaplan, comps. (Nueva York: Methuen, 1986), pp. 167-199.

[42] Metz, *Faith in history and society*, p. 66.
[43] Chopp, *The praxis of suffering*, p. 28.

la construcción de una ética orientada a un futuro sin opresión y que no niegue masivamente la esperanza.

La noción de autoridad que comienza a desarrollarse a partir de esta postura descansa en un compromiso para una forma de solidaridad que se refiere a las muchas instancias de sufrimiento que constituyen una parte creciente y amenazadora de la vida cotidiana en Estados Unidos y en otras partes del mundo. La solidaridad, en este caso, encarna un tipo particular de compromiso y práctica. Como compromiso, sugiere, según lo ha señalado Sharon Welch, un reconocimiento e identificación que guarde "la perspectiva de aquellas personas y grupos que son marginados y explotados".[44] Como forma de práctica, la solidaridad representa un rompimiento de los lazos de la individualidad aislada, y la necesidad de dedicarse, en favor de los grupos oprimidos y junto con ellos, a luchas políticas que desafíen el orden existente en la sociedad, por ser institucionalmente represivo e injusto. Esta noción de solidaridad surge de un punto de vista afirmativo de la liberación que subraya la necesidad de trabajar colectivamente y hombro con hombro con los oprimidos. También está enraizada en el reconocimiento de que la "verdad" es un resultado de luchas de poder particulares que no se pueden abstraer ni de la historia ni de las redes existentes de control social y político. Esta postura sugiere que las creencias personales siempre se hallan sujetas a un análisis crítico y que el proceso de aprender a aprender depende siempre del hecho de reconocer que la perspectiva propia puede ser anulada. La política de un escepticismo de esta índole está firmemente arraigada en un punto de vista de la autoridad que no depende meramente de la lógica de los argumentos epistemológicos, sino que se ha forjado profundamente en "la creación de una política de verdad que define lo verdadero como aquello que libera y fomenta procesos específicos de liberación".[45]

---

[44] Sharon Welch, *Communities of resistance and solidarity* (Nueva York: Orbis Press, 1985), p. 31.
[45] *Ibid.*, p. 31.

LOS MAESTROS COMO INTELECTUALES TRANSFORMADORES

La categoría de intelectual transformador sugiere que los maestros empiezan por reconocer aquellas manifestaciones de sufrimiento que constituyen la memoria histórica, así como las condiciones inmediatas de la opresión. La racionalidad pedagógica que aquí entra en función es aquella que define a los educadores como portadores de una "memoria peligrosa", como a los intelectuales que mantienen vivo el recuerdo del sufrimiento humano, junto con las formas de conocimiento y de lucha en las cuales fue conformado e impugnado tal sufrimiento. La memoria peligrosa tiene dos dimensiones, "la de la esperanza y la del sufrimiento... y narra la historia de los marginados, los vencidos y los oprimidos",[46] y al hacerlo, plantea la necesidad de contar con un nuevo tipo de subjetividad y de comunidad en las cuales se puedan eliminar las condiciones que generan tal sufrimiento. Michel Foucault describe el proyecto político que es medular en cuanto al significado de la memoria peligrosa como afirmación de la insurrección de los conocimientos subyugados —aquellas formas de conocimiento histórico y popular que se han suprimido o ignorado, y gracias a las cuales se hace posible descubrir los efectos fracturantes del conflicto y la lucha. Subyace a este punto de vista, de la memoria peligrosa y el conocimiento subyugado, una lógica que proporciona la base sobre la cual los intelectuales transformadores pueden proponer tanto el lenguaje de la crítica como el de la posibilidad y la esperanza. Dice Foucault:

Por conocimientos subyugados entiendo dos cosas: por un lado, me refiero a los contenidos históricos que han sido enterrados y disfrazados... bloques de conocimiento histórico que estaban presentes pero enmascarados dentro del cuerpo de una teoría funcionalista y sistematizadora, y que la crítica... aprovecha y revela... Por otro lado, creo que por conocimientos subyugados uno debería entender algo más, algo que en cierto sentido es totalmente distinto; a saber, todo un conjunto de conocimientos que han sido rechazados por inadecuados para su propósito, o que no han sido debidamente

---

[46] *Ibid.*, p. 36.

elaborados: conocimientos ingenuos, situados jerárquicamente muy abajo, por debajo del nivel que requiere la cognición de la ciencia. También creo que será por medio del resurgimiento de estos conocimientos de baja categoría, de estos conocimientos no idóneos, e incluso directamente descartados, en los que interviene lo que yo llamaría un conocimiento popular... un conocimiento particular, local, regional... que se topa con la oposición de todo aquello que lo rodea —que será mediante la reaparición de este conocimiento, de estos conocimientos populares locales, de estos conocimientos rechazados, como desempeñe su trabajo la crítica.[47]

Son precisamente los conocimientos descartados de las comunidades de la clase trabajadora, de las mujeres, de los negros, de las minorías étnicas, junto con los conocimientos que producen los teóricos críticos tales como los reconstruccionistas sociales y otros más, los que debieran ser el punto de partida para entender la forma en que los planes de estudios y la enseñanza escolar se han estructurado en torno a silencios y omisiones particulares. Además, es con esta combinación de crítica, de la reconstrucción de la relación entre conocimiento y poder, y del compromiso para con una solidaridad con los oprimidos, que existe la base para una forma de autoridad emancipatoria que pueda estructurar los cimientos filosóficos y políticos para una pedagogía que sea transformadora, a la vez que fomente la adquisición de facultades críticas. Claro está que el desarrollo de una base legitimadora para una forma de autoridad emancipatoria no garantiza el surgimiento automático de una pedagogía transformadora. Pero sí proporciona los principios para que tal transformación sea posible. Además, establece los criterios para organizar planes de estudios y relaciones sociales en el salón de clases, en torno a metas destinadas a preparar a los estudiantes para narrar, comprender y valorar la vinculación entre un espacio público vivido existencialmente y su propio aprendizaje práctico. Por espacio público entiendo, al igual que Hannah Arendt, un conjunto concreto de condiciones de aprendizaje gracias a las cuales las personas puedan reunirse para hablar, dialogar, compartir sus narraciones y

---

[47] Michel Foucault, "Two lectures", en *Power/knowledge: selected interviews and other writings*, C. Gordon, comp. (Nueva York: Pantheon, 1980), pp. 82-83.

luchar juntas dentro de relaciones sociales que fortalezcan, en vez de debilitar, la posibilidad de la ciudadanía activa.[48]

En este sentido, las prácticas escolares y del aula se pueden organizar alrededor de formas de aprendizaje en las que los conocimientos y habilidades adquiridos sirvan como preparación a los estudiantes para que más adelante desarrollen y mantengan aquellas esferas públicas, fuera de las escuelas, que tan vitales son para la estructuración de redes de solidaridad dentro de las cuales la democracia como movimiento social funcione a manera de fuerza activa. Maxine Greene habla de la necesidad de que los educadores generen tales espacios públicos en sus propios salones de clases, como precondición pedagógica para educar a los estudiantes a luchar dentro de una democracia activa.

Necesitamos espacios... para la expresión, para la libertad... un espacio público... en el que las personas vivientes puedan reunirse para hablar y actuar, cada una libre de articular una perspectiva distintiva, y a todas las cuales se les conceda el mismo valor. Debe ser un espacio de diálogo, un espacio donde se pueda tejer una red de relaciones, y donde se pueda crear un mundo común que continuamente se renueve. [...] Para hacerlo realidad debe existir una capacidad para la enseñanza... un público compuesto por personas con muchas voces y muchas perspectivas, y de cuyas múltiples inteligencias pueda aún surgir un mundo común duradero y que valga la pena. Si los educadores pueden renovar sus esperanzas y volver a alzar la voz, si pueden facultar a más personas en los múltiples dominios de la posibilidad, no tendremos que temer una falta de productividad, una falta de dignidad o de categoría en el mundo. Estaremos persiguiendo los valores decisivos; estaremos creando nuestros propios propósitos conforme avancemos.[49]

Aun cuando Greene se acerca peligrosamente a la defensa de una forma de pluralismo liberal en el que la exaltación de la diferencia pasa a ser un fin en sí misma, efectivamente recalca que la precondición para entender la democracia es

[48] Hannah Arendt, *The human condition* (Chicago; The University of Chicago Press, 1958).
[49] Maxine Greene, "Excellence, meanings and multiplicity", *Teachers College Record*, 86:2 (invierno de 1984), p. 296.

experimentarla como un conjunto de relaciones sociales dentro de las cuales el otro pueda ser primero reconocido y oído, para que los intereses expresados entre diferentes voces puedan después ser interrogados en torno a la cuestión de la forma en que desbaraten o permitan la posibilidad de la vida pública democrática.

LA AUTORIDAD EMANCIPATORIA Y EL APRENDIZAJE PRÁCTICO

Aspecto central para el desarrollo de una pedagogía crítica, coherente con los principios de la autoridad emancipatoria, lo es la necesidad de que los educadores reconstruyan las relaciones entre conocimiento, poder y deseo, con el fin de reunir lo que James Donald llama dos luchas, a menudo distintas, dentro de las escuelas: el cambio de las circunstancias y el cambio de las subjetividades.[50] En el primer caso, el aspecto primordial que necesita ser explorado por los educadores es la identificación de los tipos de precondiciones materiales e ideológicas que es preciso que existan para que las escuelas puedan ser eficaces. Esta cuestión abarca una amplia gama de preocupaciones, tales como la participación activa de los padres en las escuelas, el adecuado cuidado de la salud y la alimentación de los estudiantes, una moral alta entre éstos y recursos financieros apropiados.[51] Todos estos factores representan recursos por medio de los cuales se ejerce y se hace manifiesto el poder. El poder, en este sentido, se refiere a los medios para lograr que se hagan las cosas y, como sostiene Foucault, "consiste en guiar la posibilidad de conducta, así como en dejar sentada la posibilidad de gober-

---

[50] James Donald, "Troublesome texts: on subjectivity and schooling", *British Journal of Sociology of Education*, 6:3 (1985), p. 342; Roger Simon, "Work experience as the production of subjectivity", en *Pedagogy and cultural power*, David Livingstone, comp. (South Hadley: Bergin and Garvey, 1986).

[51] Para un análisis crítico de estas cuestiones y de la manera en que los educadores progresistas pueden lidiar con ellas, véase Ann Bastian, Norm Fruchter, Marilyn Gittell, Colin Greer y Kenneth Haskins, *Choosing equality: the case for democratic schooling* (Nueva York: New World Foundation, 1985).

nar, en este sentido, de estructurar el posible campo de acción de otras personas".[52]

Para los maestros, la relación entre autoridad y poder se manifiesta no sólo en el grado en que legitiman y ejercen el control sobre el estudiante (preocupación central entre los conservadores), sino, de manera igualmente importante, por medio de la capacidad que posean para influir en las condiciones bajo las cuales laboran. Tal como recalco repetidamente en este libro y en otras partes, a menos que los maestros posean tanto la autoridad como el poder para organizar y conformar las condiciones de su trabajo a manera de que puedan enseñar colectivamente, producir planes de estudios alternativos y dedicarse a una forma de política emancipatoria, todo lo que se hable en cuanto a desarrollar e implantar una pedagogía progresista habrá hecho caso omiso de la realidad de lo que acaece en la vida cotidiana de los maestros y carecerá de sentido.[53] Las condiciones bajo las que trabajan los maestros exigen actualmente un esfuerzo demasiado grande y degradante; es preciso restructurarlas con el fin de dignificar la naturaleza de su trabajo y, a la vez, permitirles que actúen de manera creadora y responsable.

Los principales aspectos en los que me centraré aquí se refieren a las formas en que los maestros pueden crear condiciones para que el estudiante adquiera facultades críticas, en lo personal y socialmente, mediante *lo que* enseñan, el modo en que lo enseñan y los medios gracias a los cuales se puede hacer que los conocimientos valgan la pena y sean interesantes. Es indispensable, en ambos casos, que se vincule el poder con el conocimiento. Y esto saca a relucir la cuestión de las clases de conocimiento que los educadores les pueden proporcionar a los estudiantes y que faculten a éstos no sólo para entender y encarar el mundo que los rodea, sino también para ejercer la vena de valentía que se requiere para

[52] Michel Foucault, "The subject of power", en *Beyond structuralism and hermeneutics* de Hubert Dreyfus y Paul Rabinow (Chicago: University of Chicago Press, 1982), p. 221. Para un interesante análisis de por qué el poder debe ser una categoría central del discurso educacional, véase David Nyberg, *Power over power* (Nueva York: Cornell University Press, 1981).

[53] Aronowitz y Giroux, *Education under siege.*

cambiar la realidad social más general, cuando ello sea necesario.

Los educadores necesitan comenzar con cierta claridad en cuanto al plan de estudios que deseen desarrollar en los distintos niveles de enseñanza. En mi opinión, éste debe ser un plan de estudios que otorgue un lugar central a la cuestión de la "verdadera" democracia. Al desarrollar un enfoque de esta índole, los educadores deben reelaborar aquellos aspectos del plan de estudios tradicional en los cuales existen posibilidades democráticas, pero al hacer esto también deben llevar a cabo un incesante análisis crítico de aquellas características inherentes que reproducen las relaciones sociales inequitativas. De lo que aquí se trata es de la necesidad de que los educadores reconozcan que las relaciones de poder existen en correlación con formas de conocimiento escolar que distorsionan la verdad, a la vez que la producen. Tal consideración sugiere que, para cualquier intento por desarrollar un plan de estudios orientado al desarrollo de la facultad crítica democrática, se deben examinar las condiciones del conocimiento y la manera en que este conocimiento distorsiona la realidad; sugiere, igualmente, que los educadores reconstituyen la naturaleza misma de la relación conocimiento/poder. Al hacer esto, es preciso que comprendan que el conocimiento hace algo más que distorsionar. Produce también formas particulares de vida; posee, como señala Foucault, una función productiva, positiva.[54] Es esta función del conocimiento la que es preciso apropiarse con una intención radical. Es importante reconocer que aun cuando los educadores con frecuencia rechazan, subvierten y, cuando es necesario, se apropian críticamente de las formas dominantes de conocimiento, ello no significa que deban seguir trabajando exclusivamente dentro del lenguaje de la crítica. Por el contrario, el embate principal de una pedagogía crítica debiera centrarse en la generación de conocimientos que presenten posibilidades concretas para facultar a las personas. Para decirlo de una manera más específica, una pedagogía crítica requiere de un lenguaje de posibilidad, de un lenguaje que proporcione la base pedagógica

---

[54] Michel Foucault, "The subject of power".

para enseñar la democracia, a la vez que convierta a la escuela en una institución más democrática.

De manera general, una pedagogía democrática necesita centrarse en lo que Colin Fletcher llama temas para la democracia y democracia en el aprendizaje.[55] En el primer caso, el plan de estudios debiera incorporar temas que reconocieran los problemas urgentes de la vida adulta. Tales conocimientos tendrían que incluir no sólo las habilidades básicas que necesitan los estudiantes para trabajar y vivir en la sociedad propiamente dicha, sino también información sobre las formas sociales gracias a las cuales los seres humanos viven, cobran conciencia y se sostienen, particularmente con respecto a las exigencias sociales y políticas de la ciudadanía democrática. Esto guarda relación con los conocimientos acerca del poder y de la manera en que funciona, así como con análisis de aquellas prácticas tales como el racismo, el sexismo y la explotación de clases que estructuran y median los enfrentamientos de la vida cotidiana.[56] Desde luego, no se trata aquí simplemente de denunciar tales estereotipos, sino más bien de sacar a la luz y reconstruir los procesos por medio de los cuales se producen, legitiman y circulan dentro de la sociedad estas representaciones ideológicas dominantes. En muchos aspectos, el plan de estudios se debería estructurar apoyándose en conocimientos que comenzaran por los problemas y necesidades de los estudiantes. Sin embargo, se debe diseñar a manera de que pueda constituir la base para una crítica de las formas dominantes de conocimiento. Y finalmente, tal plan de estudios debiera igualmente proporcionarles a los estudiantes un lenguaje mediante el cual fueran capaces de analizar sus propias relaciones y experiencias vividas, en una forma que fuese a la vez afirmativa y crítica. R. W. Connell y sus colegas de Australia nos proporcionan un análisis claro de los elementos teóricos que caracterizan a este tipo de planes de estudios, cuando formulan los tipos de conocimiento que se deberían enseñar para

---

[55] Colin Fletcher, Maxine Caron y Wyn Williams, *Schools on trials* (Filadelfia: Open University Press, 1985).

[56] Nyberg argumenta correctamente que los educadores necesitan desarrollar una teoría y una pedagogía en torno al poder como aspecto central del plan de estudios; véase David Nyberg, *Power over power*.

dar facultades críticas a los niños de la clase trabajadora. Escriben lo siguiente:

[El plan] propone que los niños de la clase trabajadora tengan acceso a los conocimientos formales valiéndose de un aprendizaje que comience por su propia experiencia y las circunstancias que le dan forma, pero no se detiene ahí. Este enfoque, ni acepta la actual organización del conocimiento académico, ni simplemente la invierte. Se apoya en los conocimientos escolares que ya existen y en lo que la gente de la clase trabajadora ya sabe, y organiza esta selección de información en torno a problemas tales como la supervivencia económica y la acción colectiva, ocupándose del desbarajuste que el desempleo ocasiona en los hogares, respondiendo al impacto de la nueva tecnología, manejando problemas de identidad personal y de asociación, explicando la forma en que funcionan las escuelas y por qué.[57]

Aun cuando en los dos siguientes capítulos examino detalladamente el tema que voy a mencionar, es importante señalar que un plan de estudios basado en un concepto emancipatorio de la autoridad es aquel en el que las formas particulares de vida, de cultura y de interacción que los estudiantes traen a la escuela sean tomadas en cuenta de manera tal que los estudiantes puedan empezar a considerar tal conocimiento de manera tanto crítica como útil. Con demasiada frecuencia, los estudiantes provenientes de la clase trabajadora y de otros grupos subordinados reaccionan ante los conocimientos y las ideas escolares predominantes como si fueran armas que se están empleando contra ellos. Por otro lado, en los planes de estudios que se desarrollan como parte de una pedagogía crítica, se da preferencia a las formas de conocimiento subordinadas y se reconstruye la vida del aula como una arena donde habrán de generarse nuevas modalidades de sociabilidad. Es decir, en vez de hacer hincapié en los enfoques individualistas y competitivos del aprendizaje, se alienta a los estudiantes a que trabajen juntos en proyectos, tanto por lo que toca a la producción de éstos, como a su evaluación. Esto sugiere que los estudian-

---

[57] R.W. Connell, D.J. Ashenden, S. Kessler, G.W. Dowsett, *Making the difference* (Sydney: Allen and Unwin, 1982), p. 199.

tes deben aprender dentro de formas sociales que les permitan ejercer algún grado de autoconciencia en cuanto a sus propias interacciones como sujetos pertenecientes a una clase, un género, una raza y una etnia. Además de analizar problemas y cuestiones que sean pertinentes respecto de los contextos inmediatos de las vidas de los estudiantes, una pedagogía crítica necesita apropiarse críticamente de formas de conocimiento que existan fuera de la experiencia inmediata de la vida del estudiante, con el fin de ensanchar su sentido de comprensión y de posibilidad. Esto significa que los estudiantes necesitan aprender y apropiarse de otros códigos de experiencias, así como otros discursos, de otras épocas y lugares, que amplíen sus horizontes a la vez que los alienten constantemente a comprobar lo que significa resistir a la opresión, trabajar colectivamente y ejercer la autoridad desde la postura de un sentimiento en continuo desarrollo del conocimiento, la adquisición de experiencia y el compromiso con una causa. Significa también proporcionar las condiciones pedagógicas para hacer surgir nuevos deseos, necesidades, ambiciones y esperanza real, pero siempre dentro de un contexto que haga que tal esperanza sea realizable.

El darles a los estudiantes la oportunidad de aprender mediante la comprensión de las mediaciones y formas sociales que conforman sus propias experiencias es importante, no sólo porque ello les proporciona una manera crítica de comprender el terreno familiar de la vida práctica cotidiana, sino también porque forma parte de una estrategia pedagógica que trata tanto de recuperar como de encarar las experiencias que manifiestan los estudiantes, a modo de poder entender la forma en que tales experiencias se han logrado y legitimado dentro de condiciones sociales e históricas específicas. Michelle Gibbs Russell aborda esta cuestión en el contexto del análisis de la racionalización política que está detrás de su propia labor docente en una escuela comunitaria de Detroit. Escribe así:

La educación política de las mujeres negras estadunidenses comienza por hacer memoria de cuatrocientos años de esclavitud, diáspora, trabajos forzados, palizas, bombazos, linchamientos y violaciones. Adquiere dimensiones inspiradoras cuando empezamos a catalogar a los individuos y organizaciones heroicos de nuestra historia que han combatido contra esas atrocidades, y han triunfado sobre ellas. Se convierte en cosa práctica cuando nos vemos ante los problemas de cómo organizar cooperativas de alimentos para mujeres que viven con presupuestos a base de cupones para comida, o de cómo demostrar ante los tribunales que una es apta como madre. Y pasa a ser radical cuando, como maestras, desarrollamos una metodología que coloca la vida cotidiana en el centro de la historia y les permite a las mujeres negras luchar por la supervivencia, a sabiendas de que están haciendo historia.[58]

Para Russell, la escuela es uno de los lugares donde se puede efectuar la conexión de lo histórico con lo actual, donde se puede evocar la memoria colectiva con objeto de educar a los estudiantes a que ubiquen sus propias historias dentro de nuevas formas de comprensión y de nuevas relaciones sociales. Es decir, la escuela pasa a ser un lugar donde el sentimiento del recuerdo, del yo y del futuro forma parte integral de un sentido de formación cultural y política. ¿Cómo lograr esto? ¿Por dónde empezar? Una vez más, Russell es vívidamente ilustrativa y viene en nuestra ayuda.

Comenzamos donde ellas se encuentran. Intercambiamos anécdotas de ropas de los niños que se han desgarrado o perdido, de tener que acompañar a los hijos a la escuela y explicar por qué el niño siempre llega tarde, y cómo fue que le pusieron ese chistoso apodo... Algunas de las narraciones son divertidas, y otras tristes; las hay que despiertan el encono del grupo, y otras que motivan elogios. En la cultura negra, éste es un ritual familiar y cómodo. Se llama testimoniar. ¿Cuál es el papel del maestro? Hacer que el proceso sea consciente, que el contenido sea significativo. Querer saber tú mismo cómo se resuelven los problemas de las narraciones. Aprender qué sabiduría de la supervivencia diaria poseen estas mujeres. Importante. No dejar que las cosas paren en la conmiseración. Tratar de ayudarlos a generalizar a partir de asuntos específicos. Sacar a relucir las cuestiones de contra quién y contra qué se tienen que topar continuamente en el camino de la vida que se han trazado para sí mismos. Hacer listas en tu tablero. Mantener la

---

[58] Michelle Gibbs Russell, "Black eyed blues connections: from the inside out", en *Learning our way: essays in feminist education*, Charlotte Bunch y Sandra Pollack, comps. (Nueva York: The Crossing Press, 1983), p. 272.

escala humana. ¿Quiénes son las personas que obstruyen el camino?... Antes de seguir adelante, obtener todo el consenso que puedas. ... Definir una tarea para la próxima sesión.[59]

Hay más sabiduría en estos pasajes, tomados de la propia experiencia docente de Russell, de la que contienen la mayoría de los libros que figuran en los planes de estudios de Estados Unidos. Lo que aquí se vuelve medular es que los educadores entiendan la forma en que las experiencias de los estudiantes se construyen, a la vez que se encaran, porque es gracias a ellas que los estudiantes producen narraciones de quiénes son y se constituyen a sí mismos como individuos particulares. Por lo tanto, es imperativo que los maestros y otros educadores aprendan la manera de comprender, legitimar e interrogar tales experiencias. Esto no sólo significa comprender las formas culturales y sociales mediante las cuales los estudiantes aprenden el modo de definirse a sí mismos, sino también aprender la manera de encarar críticamente tales experiencias en forma tal que no haya lugar a negarles su confirmación o convertirlas en ilegítimas. Para empezar, el conocimiento se les tiene que hacer comprensible a los estudiantes, para que después pueda pasar a ser crítico. El conocimiento nunca habla por sí mismo, sino que más bien se ve constantemente mediado por las experiencias ideológicas y culturales que los alumnos traen al salón de clases. Ignorar tales experiencias equivale a negar los fundamentos a partir de los cuales los estudiantes aprenden, hablan e imaginan. Judith Williamson expresa bien esta cuestión:

Walter Benjamin ha dicho que las mejores ideas de nada sirven si no convierten en útil a la persona que las tiene; en un plano aún más simple, yo agregaría que las mejores ideas ni siquiera existen si no hay nadie que las tenga. Si no podemos lograr que se acepte el "plan de estudios radical", ni suscitar el interés necesario en las "habilidades básicas", estas cosas carecen de sentido. Pero en cualquier caso, ¿qué nos interesa más a la postre: nuestras ideas, o el niño/estudiante a quien tratamos de enseñarlas?[60]

[59] *Ibid.*, p. 273.
[60] Judith Williamson, "Is there anyone here from a classroom?" *Screen*, 26:1 (enero-febrero de 1985), p. 94.

Los alumnos no pueden aprender "de manera útil" a menos que los maestros lleguen a entender las diversas formas en que están constituidas las subjetividades en los diferentes entornos sociales. Lo que aquí está en juego es la necesidad de que los maestros comprendan la forma en que las experiencias que se producen en los diversos dominios y estratos sociales de la vida cotidiana dan lugar a las distintas "voces" que los estudiantes emplean para dar significado a sus propios mundos y, por consiguiente, a su propia existencia dentro de la sociedad más general. A menos que los educadores encaren la cuestión de cómo experimentan, median y producen los estudiantes aquellos aspectos que pertenecen a lo social, será difícil que los educadores lleguen a profundizar en las motivaciones, emociones e intereses que dan a la subjetividad su "voz" propia y singular, además de proporcionar la inercia para aprenderse a sí misma.

Una de las preguntas importantes que surgen de una pedagogía que admite la relación existente entre el poder y la construcción de la experiencia es: qué tipos de relaciones del aula pueden establecer los maestros y otras personas, basándose en la integración del conocimiento crítico, el compromiso y un discurso ético radical. Abordaré con mayor detalle las implicaciones de esta pregunta en los capítulos que siguen; aquí, sólo deseo ilustrar la necesidad y la importancia de desarrollar un discurso de la ética como fundamento para los tipos de decisiones acerca de los conocimientos y la pedagogía del aula que los maestros a menudo encaran diariamente.

En uno de mis recientes cursos de posgrado les preguntaba a cierto número de maestros de escuelas públicas qué criterios empleaban para defender o rechazar la introducción de ciertos materiales, ya en sus planes de estudios o ya como parte de un debate en el salón de clases. En general, la mayor parte de los maestros del grupo contestaba que si las personas de la comunidad o la mesa directiva de la escuela querían que el material se incluyera en el plan de estudios, pues tenía que figurar allí. Otros argumentaban que los conocimientos seleccionados se debían juzgar sobre la base de si contribuían ya fuese al desarrollo de una disciplina "académica" o ya al crecimiento intelectual de los alumnos.

En ambos casos, no se hacía ningún intento por defender lo que se iba a enseñar sustentándolo en razones políticas y éticas más amplias. Estas respuestas resultan inquietantes, no sólo porque sugieren una carencia de profundidad teórica y de rigor cívico por parte de estos maestros, sino también porque indican lo vulnerables que pueden ser los maestros ante las ideologías y prácticas que los reducen al papel de meramente llevar a cabo las "órdenes" que reciben de grupos que poseen intereses más amplios. Un discurso de la ética puede responder a este problema de dos maneras. En primer lugar, el propósito de la enseñanza escolar se puede definir mediante una filosofía pública democrática basada en un discurso ético que preste atención crítica a las cuestiones de la responsabilidad pública, la libertad personal y la tolerancia democrática, así como a la necesidad de rechazar normas y prácticas que encarnan y extienden los intereses de la dominación, del sufrimiento humano y de la explotación. Sobre la base de una filosofía pública de esta índole, los maestros pueden defender los planes de estudios que escojan, por medio de un discurso orientado a la formación de ciudadanos educados, facultados y críticos. En segundo lugar, tal filosofía pública proporciona los lineamientos para mediar cuidadosamente entre el imperativo de enseñar y defender una selección y un punto de vista particulares de los conocimientos, y la necesidad de evitar una pedagogía que silencie las voces de los estudiantes. La forma en que los maestros pueden hacer intervenir una ética de esta naturaleza se puede ilustrar analizando algunas de las cuestiones que salen a relucir al dar una lección hipotética sobre un tema controvertido, tal como el holocausto.

En uno de los planos, un discurso radical de la ética sugeriría que el maestro adoptara una postura firme respecto de la moralidad y la barbarie humana que se hallan en el núcleo de la ideología, las prácticas y las consecuencias del holocausto. En otras palabras, la cuestión de si el holocausto fue o no justificado, no sería materia que, pedagógicamente, hubiera que considerar y debatir. En este caso, el maestro no asumiría una postura que les sugiriese a los alumnos que la defensa del holocausto representaba simplemente otro punto de vista. Al mismo tiempo, distintas voces de la clase podrían enzarzarse en cuestiones tales como por qué ocurrió el holocausto, la naturaleza de la ideología que le dio cuerpo, por qué hubo personas que lo apoyaron o participaron directamente en él, y de qué manera se podría manifestar una lógica similar en distintas formas sociales y culturales de la vida cotidiana contemporánea, etc. De esta manera, los maestros pueden defender la tensión que se genera entre el hecho de adoptar una postura de compromiso en cuanto a la selección y el empleo de formas particulares de conocimiento, sin que ello deje de proporcionar una pedagogía crítica que entabla el diálogo y ofrece la posibilidad de que las distintas voces sean oídas. En este caso, la manera en que los maestros optan porque figuren en el plan de estudios determinados conocimientos, y los temas que seleccionan y legitiman junto con la pedagogía del aula que desarrollan, quedan mediados gracias a una filosofía pública y un discurso ético que defiende formas sociales que elevan y extienden aquellas facultades y posibilidades humanas que permiten el desarrollo de identidades sociales dentro de comunidades democráticas justas y compasivas.

LA AUTORIDAD EMANCIPADORA, LOS MAESTROS Y LOS MOVIMIENTOS SOCIALES

Para que los maestros funcionen como intelectuales transformadores que legitimen el papel que desempeñan merced a una forma de autoridad emancipatoria, tendrán que hacer otras cosas, además de lograr un mayor control de sus condiciones de trabajo y de enseñar pedagogía crítica. Será preciso que abran todos los aspectos de la educación formal a la impugnación activa y popular por parte de movimientos sociales, así como de otros grupos de vanguardia. Figuran entre éstos: los miembros de la comunidad, los padres de familia, el personal de apoyo, los grupos defensores de los jóvenes y otras personas que tienen intereses vitales en las escuelas. Existe un buen número de razones para sostener esta postura. En primer lugar, resulta imposible aducir que las escuelas son esferas públicas y democráticas, si tales instituciones definen restrictivamente a los diversos grupos comunitarios y los excluyen de la conversación acerca de las preocupaciones educacionales. En segundo lugar, cualquier concepto de reforma educativa, junto con su punto de vista reconstruido de autoridad y pedagogía, necesita centrarse en las disposiciones institucionales que estructuran y median la función de la enseñanza escolar en la sociedad más amplia. Las reformas que limitan su enfoque a problemas escolares específicos o a la política de la instrucción hacen caso omiso de los modos en que la educación pública es conformada, torcida y puesta en movimiento por intereses económicos, políticos y sociales más amplios. En tercer lugar, los educadores tienen que establecer alianzas con otros movimientos sociales progresistas, en un esfuerzo por crear esferas públicas en las que se pueda debatir el discurso de la democracia y en las que se pueda actuar colectivamente respecto de las cuestiones que salgan a relucir en tal contexto, de manera política si es necesario.

Los maestros deben estar dispuestos a hacer que sus escuelas ofrezcan más respuestas a la comunidad general, y para ello, tendrán que redefinir la función y la naturaleza de la autoridad, puesto que actualmente ésta está constituida alrededor de la ideología del profesionalismo, ideología que en gran medida se halla conformada por asociaciones que con frecuencia se definen a sí mismas como opositoras de las congregaciones escolares más amplias y de las demandas comunitarias. Tal como están las cosas, los maestros tienden a legitimar sus funciones como profesionales por medio de llamamientos, altamente exclusivistas y faltos de democracia, al conocimiento y la habilidad experta. El profesionalismo, tal como está actualmente definido, poco tiene que ver con la democracia como movimiento social. Creando vínculos activos y orgánicos con la comunidad, los maestros pueden abrir sus escuelas a los diversos recursos que ofrece la comunidad. Y al hacer esto, pueden darles a las escuelas el acceso a aquellas tradiciones, historias y culturas comunitarias que con frecuencia se hallan sumergidas o desacreditadas dentro de la cultura escolar dominante. Es un desafortunado truismo el hecho de que, cuando las comunidades son ignoradas por parte de las escuelas, los estudiantes se encuentran situados en instituciones que les niegan la voz. Tal como lo expresan Ann Bastion y sus colegas:

El aislamiento escolar trae como consecuencia que a los estudiantes se les niegue un vínculo entre lo que aprenden en el aula y el ambiente en el que funcionan fuera de la escuela. La falta de pertinencia y de integración es particularmente aguda para los alumnos pertenecientes a minorías y que se hallan en situación desfavorable, pues su trasfondo social y cultural no queda reflejado, o queda reflejado negativamente, en un plan de estudios estándar basado primordialmente en la postura de una clase media blanca y en estructuras elitistas de aprovechamiento. El aislamiento también les niega a las comunidades las capacidades integrativas y de adquisición de facultades críticas que posee la escuela como institución comunitaria. Y les niega igualmente a las escuelas, la energía, los recursos y, a la postre, las simpatías de los miembros de la comunidad.[61]

La participación de la comunidad en las escuelas puede ayudar a fomentar las condiciones necesarias para que haya un debate constructivo y constante acerca de las metas, los métodos y el servicio que las escuelas realmente les proporcionan a los alumnos en localidades específicas. Además, es esencial que los maestros asuman un papel activo en la organización, junto con los padres y otras personas de sus comunidades, con el fin de quitar el poder político de las manos de aquellos grupos e instituciones políticos y económicos que ejercen una influencia desmedida y a veces nociva en la política y el plan de estudios escolar.[62]

Si se quiere que los educadores ejerzan algún efecto significativo sobre las estipulaciones económicas, políticas y sociales que azotan a las escuelas y a la sociedad en general, aquéllos no tienen más remedio que dedicarse activamente a la lucha por la democracia con grupos *de fuera* de sus aulas.

---

[61] Ann Bastian, Norm Fruchter, Marilyn Gittell, Colin Greer y Kenneth Haskins, "Choosing equality: the case for democratic schooling", *Social Policy*, 15:4 (primavera de 1985), p. 47.

[62] Timothy Sieber, "The politics of middle-class success in an inner-city public school", *Boston University Journal of Education*, 164:137 (invierno de 1982), pp. 30-47.

Martin Carnoy refuerza este punto de vista argumentando que la democracia no ha sido creada por intelectuales que hayan actuado dentro de los confines de sus salones de clases.

La democracia ha sido desarrollada gracias a movimientos sociales, y aquellos intelectuales y educadores que fueron capaces de implantar reformas democráticas en la educación lo hicieron, en parte, por medio de llamamientos a dichos movimientos. Si los trabajadores, las minorías y las mujeres que han formado los movimientos sociales que instan a una mayor democracia en nuestra sociedad no pueden ser movilizados para que apoyen la igualdad en la educación, con el incremento del gasto público que ello requiere, no habrá absolutamente ninguna posibilidad de que se llegue a implantar tal igualdad en la educación.[63]

Como intelectuales transformadores, los trabajadores de la educación deben definirse a sí mismos, tanto en la función de maestros como en la de educadores. Los primeros definen la función pedagógica y política dentro de las escuelas, mientras que los segundos le hablan a una esfera más amplia de intervención, en la cual la misma preocupación respecto de la autoridad, el conocimiento, el poder y la democracia redefine y ensancha la naturaleza política de sus labores pedagógicas, que son las de enseñar, aprender, escuchar y movilizar, por el bien de un orden social más justo y equitativo. Al vincular la enseñanza escolar con los movimientos sociales de mayor amplitud, los maestros pueden comenzar a redefinir la naturaleza y la importancia de la pugna pedagógica, y con ello sentar las bases para luchar por formas de autoridad emancipatoria como fundamento para el establecimiento de la libertad y la justicia. La siguiente tarea es la de organizarse y bregar en pos de la promesa de un discurso de ofrecimiento de la autoridad emancipadora a las escuelas, a la comunidad y al resto de la sociedad como un todo.

[63] Martin Carnoy, "Education, democracy and social conflict", *Harvard Educational Review*, 53:4 (noviembre de 1983), pp. 401-402.

4

LA ENSEÑANZA ESCOLAR Y LA POLÍTICA DE LA VOZ ESTUDIANTIL

En el transcurso de la última década la escuela pública estadunidense ha sido objeto de críticas muy vigorosas tanto por parte de los radicales como de los conservadores. Como parte medular de ambas posturas se ha observado una preocupación por lo que se ha denominado la teoría reproductiva de la enseñanza escolar. Conforme a la tesis reproductiva, las escuelas no se deben evaluar en el sentido tradicional como esferas públicas dedicadas a enseñarles a los estudiantes los conocimientos y habilidades de la democracia. Por el contrario, se las debe considerar de un modo más instrumental y es preciso ponderarlas contra la necesidad de reproducir los valores, las prácticas sociales y las destrezas que se necesitan para el orden corporativo dominante. Claro está que los críticos conservadores y radicales han adoptado posturas opuestas en cuanto a la importancia de la enseñanza escolar como esfera pública reproductiva. Para el gusto de muchos conservadores, las escuelas se han alejado demasiado de la lógica del capital, y a causa de ello, ahora se las hace responsables de la recesión económica de los años setenta, de la pérdida de los mercados extranjeros ante competidores internacionales y de la escasez de los trabajadores especializados que requiere una economía tecnológica cada vez más compleja. Los mismos conservadores han alegado que, como respuesta a este tipo de críticas, las escuelas necesitan reformar sus planes de estudios con el objeto de ponerlos más fielmente al servicio de los intereses corporativos de la sociedad dominante.[1] Subyace a esta taquigrafía teórica la exi-

---

[1] Esta postura cuenta con una larga historia en la educación pública estadunidense, y se hace un repaso de ella en Raymond Callahan, *The cult of efficiency* (Chicago: University of Chicago Press, 1962); Joel Spring, *Education and the rise of the corporate order* (Boston: Beacon Press, 1972); Henry A. Giroux,

gencia de que las escuelas hagan más hincapié en la formación del carácter, las habilidades básicas y las necesidades de las empresas. De manera similar, ha surgido una ola de nuevos conservadores "culturales" que defienden vigorosamente a las escuelas públicas, así como a la educación superior, como reproductoras de las tradiciones culturales dominantes. Argumentando en favor de planes de estudios organizados alrededor de los antiguos "grandes libros", o de manera más reduccionista, en torno a un concepto de escolaridad basado en el dominio de una lista de conocimientos y de fragmentos de información que "todo norteamericano debiera conocer", este grupo de conservadores promueve una forma particular de hegemonía cultural como la base universal tanto para el aprendizaje como para los conocimientos que se deban impartir en la escuela. Los educadores radicales, por otro lado, han hecho uso de la tesis reproductiva para criticar el papel que desempeñan las escuelas dentro de la sociedad estadunidense. De manera general, han aducido que las escuelas son reproductivas en el sentido de que les proporcionan a distintas clases y grupos sociales formas de conocimiento, habilidades y cultura que no sólo legitiman la cultura dominante, sino que también encarrilan a los estudiantes hacia una fuerza de trabajo diferenciada por consideraciones de género, de raza y de clase.[2]

A pesar de sus diferencias, radicales y conservadores por igual han ignorado el concepto que tenía John Dewey de las escuelas públicas como esferas democráticas, como lugares donde se pueden practicar, debatir y analizar las habilidades de la democracia. De manera similar, ambos bandos comparten una inquietante indiferencia en cuanto a las formas en que los estudiantes de distintas clases, géneros y etnias median y expresan su sentido de lugar, de tiempo y de

"Public philosophy and the crisis in education", *Harvard Educational Review*, 54:2 (1984), pp. 186-194.

[2] El ejemplo más famoso de esta postura se puede encontrar en Samuel Bowles y Herbert Gintis, *La instrucción escolar en la América capitalista* (México: Siglo XXI, 1981 [ed. original 1976]). La literatura sobre la enseñanza escolar y la tesis reproductiva se reseña críticamente en Stanley Aronowitz y Henry A. Giroux, *Education under siege: the conservative, liberal, and radical debate over schooling* (South Hadley: Bergin and Garvey, 1985).

historia, así como sus interacciones contradictorias, inciertas e incompletas, entre sí y respecto de la dinámica de la enseñanza escolar. En otras palabras, ni la ideología radical ni la conservadora saben encarar la política de la voz y la representación —las formas de narrativa y de diálogo— en torno a la cual los alumnos dan sentido a sus vidas y a sus escuelas. Aun cuando ésta es una postura comprensible por lo que toca a los conservadores y a aquellos cuya lógica de instrumentalismo y de control social antagoniza con un concepto emancipatorio del albedrío humano, representa un grave defecto teórico y político por parte de los educadores radicales.

Esta debilidad es evidente en un buen número de áreas. La primera es que la teoría radical de la educación ha abandonado el lenguaje de la posibilidad en favor del lenguaje de la crítica. Es decir, al considerar a las escuelas como sitios primordialmente reproductivos, los educadores radicales han sido incapaces de desarrollar una teoría de la enseñanza escolar que ofrezca la posibilidad de lucha contrahegemónica y de combate ideológico. Dentro de este discurso, las escuelas, los maestros y los alumnos sólo han figurado como meras extensiones de la lógica del capital. En vez de entender que las escuelas son lugares de debate y conflicto, los educadores radicales con frecuencia nos ofrecen una versión excesivamente simplificada de la dominación, que parece sugerir que la única alternativa política al papel que actualmente desempeñan las escuelas dentro de la sociedad en general es el de abandonarlas por completo como lugares de lucha. Puesto que ven que las escuelas se hallan ideológica y políticamente oprimidas bajo el peso de la sociedad dominante, consideran como no problemática la necesidad moral y política de desarrollar un discurso programático para trabajar dentro de ellas. Así, rara vez se examina como una posibilidad el papel que podrían desempeñar los maestros, los alumnos, los padres y las personas de la comunidad. Una de las consecuencias que esto acarrea es que la primacía que en este proyecto se otorga a lo político, frecuentemente se vuelve contra sí mismo, y se acepta la lógica derrotista de la dominación capitalista como la base o punto de partida para una teoría "radical" de la enseñanza.

En segundo lugar, al no lograr desarrollar una forma de teoría educativa que plantee alternativas reales dentro de las escuelas, los educadores radicales continúan siendo políticamente impotentes para combatir el grado hasta el cual las fuerzas conservadoras hábilmente explotan las preocupaciones populares respecto de la educación pública y se apropian de ellas. En otras palabras, la izquierda educacional no sólo presenta una falsa imagen de la naturaleza de la vida escolar y del grado hasta el cual las escuelas *no* imitan simplemente la lógica de los intereses de las corporaciones, sino que también, sin querer, refuerza el embate conservador para estructurar las escuelas conforme a su propia ideología. En pocas palabras, los educadores radicales no han sabido desarrollar un lenguaje que considere que las escuelas son lugares de posibilidad, es decir, sitios donde se puedan enseñar formas particulares de conocimiento, de relaciones sociales y de valores, con el fin de educar a los estudiantes para que ocupen el lugar que les corresponde dentro de la sociedad desde una postura de poder intelectual y no desde una postura de subordinación ideológica y económica.

El principal problema que se investiga en este capítulo es la manera de desarrollar una pedagogía crítica que tome en cuenta los espacios, las tensiones y las posibilidades de lucha dentro del funcionamiento cotidiano de las escuelas. Subyace a esta problemática la necesidad teórica y política de generar un conjunto de categorías que no sólo nos proporcionen nuevas modalidades de cuestionamiento crítico, sino que también señalen estrategias y modalidades de práctica alternativas en torno a las cuales tal pedagogía se pueda hacer realidad.

La base para una labor de esta índole se encuentra, de entrada, en la redefinición del concepto de poder en lo concerniente a la cuestión de la experiencia cotidiana y particularmente con respecto a la estructuración de una pedagogía del aula y una voz del estudiante. Los educadores deben entender el poder como un conjunto concreto de prácticas que producen formas sociales por medio de las cuales se construyen distintos conjuntos de experiencias y modos de subjetividad. El poder, en este sentido, incluye y va más allá del llamamiento al cambio institucional o de la distribución de los recursos políticos y económicos; significa también un nivel de conflicto y de lucha que se desarrolla en torno al intercambio discursivo y a las experiencias vividas que tal discurso produce, media y legitima.

Otra de las hipótesis importantes en esto es que el discurso es a la vez el medio y uno de los productos del poder. En este sentido, el discurso se halla íntimamente vinculado con aquellas fuerzas ideológicas y materiales a partir de las cuales los individuos y los grupos conforman una voz. Tal como lo expresa Bajtin:

El lenguaje no es un medio neutro que pase libre y fácilmente a ser propiedad privada de las intenciones del hablante; está poblado —sobrepoblado— de las intenciones de los demás. Expropiarlo, obligarlo a que se someta a las intenciones propias, es un proceso difícil y complicado.[3]

El lenguaje es inseparable de la experiencia vivida y de la manera en que las personas crean una voz distintiva. También está fuertemente conectado con una intensa lucha entre los distintos grupos respecto de qué va a contar como significativo y cuál —de quién— será el capital cultural que prevalezca en la legitimación de formas de vida particulares. Dentro de las escuelas, el discurso produce y legitima configuraciones de tiempo, espacio y narrativa, colocando en una perspectiva privilegiada a versiones particulares de ideología, de comportamiento y de la representación de la vida cotidiana. Como "tecnología de poder" al discurso se le da expresión concreta en formas de conocimiento que constituyen el plan de estudios formal, así como en la estructuración de las relaciones sociales del aula que constituyen el plan de estudios oculto de la enseñanza escolar. Huelga decir que maestros y alumnos "entienden" de maneras distintas estas prácticas y formas pedagógicas. No obstante, como sugería en el primer capítulo, dentro de estas prácticas pedagógicas socialmente construidas existen fuerzas que trabajan activamente para producir una gama limitada de subjetividades que consciente e inconscientemente manifiesten un "sentido" particular del mundo.

---

[3] Mijail Bajtin, *The dialogic imagination*, Caryl Emerson y Michael Holquist, trads. (Austin: University of Texas Press, 1981), p. 294.

La importancia de la relación entre el poder y el discurso para una pedagogía crítica reside en que ésta proporciona un fundamento teórico para que nos planteemos interrogantes sobre la manera en que la ideología se halla inscrita en aquellas formas de discurso educacional mediante las cuales las experiencias y prácticas escolares se ordenan y constituyen. Además, señala la necesidad de dar una explicación teórica de los modos en que la lengua, la ideología, la historia y la experiencia se reúnen para producir, definir y restringir formas particulares de práctica maestro-alumno. Este enfoque se niega a permanecer atrapado en modalidades de análisis que examinen la voz estudiantil y la experiencia pedagógica desde la perspectiva de la tesis reproductiva. Es decir, el poder y el discurso se investigan ahora ya no sencillamente como el simple eco de la lógica del capital, sino como una polifonía de voces mediadas dentro de diferentes estratos de la realidad conformados gracias a una interacción de las formas de poder dominante y subordinada. Reconociendo e interrogando los diferentes estratos de significado y de lucha que conforman el terreno de la enseñanza escolar, los educadores pueden inventar no sólo un lenguaje de crítica sino también un lenguaje de posibilidad. En el presente capítulo se aborda esta tarea. Para empezar, analizo críticamente los dos discursos más importantes de la corriente principal de la teoría educacional. A riesgo de hacer una indebida simplificación, se los caracteriza como el discurso pedagógico conservador y el liberal. Y luego, trato de desarrollar un discurso apropiado para la pedagogía crítica, que se apoya en los trabajos de Paulo Freire y Mijail Bajtin.

EL DISCURSO CONSERVADOR Y LA PRÁCTICA EDUCATIVA

La enseñanza escolar y los conocimientos categóricos

El discurso educativo conservador a menudo presenta un punto de vista de la cultura y del conocimiento conforme al cual a ambos se los trata como parte de un almacén de artefac-

tos que se han constituido en canon. Aun cuando este discurso presenta un gran número de expresiones características, se
puede encontrar una defensa teórica del mismo en *The paideia proposal*, de Mortimer J. Adler, *Cultural literacy*, de E. D.
Hirsch, y *The closing of the American mind*, de Allan Bloom.[4]
Adler aboga por que las escuelas implanten un núcleo de
materias en cada uno de los doce años de enseñanza pública,
y defiende formas de pedagogía que les permitan a los estudiantes dominar habilidades y modos de comprensión con
respecto a formas predeterminadas de conocimiento. De
manera similar, los conservadores como E.D. Hirsch, Jr., y
Allan Bloom han argumentado que los estudiantes carecen
de una conciencia de la corriente principal de la historia, así
como de los "grandes libros". Hirsch opina que las escuelas
públicas han exagerado el hincapié en el proceso, a expensas
del contenido, y en un ataque burdo y mal meditado contra
las ideas de John Dewey, sostiene que la influencia de éste se
ha extendido a más de 16 000 distritos escolares y, como tal, ha
sido responsable de una crisis nacional de la enseñanza.
Hirsch argumenta que las escuelas les deben proporcionar a
los estudiantes un lenguaje público, pero la parte medular
de este lenguaje nada tiene que ver con enseñarles a los
alumnos la manera de cuestionar y analizar las diversas y
contrapuestas tradiciones que constituyen sus propias experiencias históricas, junto con otras que conforman la diversi-
ficada historia de Estados Unidos. De hecho, Hirsch sostiene
descaradamente que las escuelas son instituciones culturales y que, como tales, los maestros deben rechazar tanto la
neutralidad de valores como cualquier forma de pluralismo
cultural. La postura de Hirsch se vuelve decididamente política cuando insta, además, a los maestros a que abracen y
reproduzcan abiertamente la cultura dominante. En realidad, sin proponérselo, Hirsch adopta el lenguaje de muchos
educadores radicales e insiste en que la cultura de la corriente principal ya no se debe enseñar ni legitimar como parte
del plan de estudios oculto. Mediante un curioso torcimien-

---

[4] Mortimer J. Adler, *The paideia proposal* (Nueva York: Macmillan, 1982). E.D.
Hirsch Jr., *Cultural literacy: what every American needs to know* (Boston: Houghton
Mifflin, 1987); Allan Bloom, *The closing of the American mind* (Chicago: University
of Chicago, 1987).

to de la lógica, afirma que la cultura de la corriente principal debe ser adoptada como la base universal del aprendizaje en las escuelas públicas. Según Hirsch, tal plan de estudios se puede organizar en torno a una lista de fechas, información, libros y acontecimientos que todo norteamericano debiera conocer. El concepto que tiene Hirsch de un aprendizaje mínimo carece de cualquier argumentación sustantiva, parece más bien un directorio telefónico y poco tiene que ver con la apropiación del conocimiento como parte de un discurso más amplio sobre la comprensión, la crítica y la formación personal y social.

Las tradiciones, lecturas, historias, memorias, narraciones y formas de conocimiento subordinadas, Hirsch simplemente las descarta porque constituyen formas de privación cultural. Para él, los estudiantes pertenecientes a las minorías y a la clase trabajadora han fracasado en las escuelas, no porque hayan sido silenciados y marginados mediante la trasmisión de un plan de estudios que hace caso omiso de sus historias y experiencias; al contrario, Hirsch, al igual que Adler y Bloom, opina que dichos estudiantes han fracasado precisamente porque no han dominado el cúmulo heredado de conocimientos que constituye la tradición dominante. Bloom amplía esta argumentación reiterando la acusación a la que ahora ya estamos acostumbrados en el sentido de que los radicales de los sesenta, junto con el surgimiento del feminismo y de la cultura de masas en Estados Unidos, han minado la autoridad y el aprendizaje que iba asociado a los grandes textos del pasado, y comparten una fuerte responsabilidad por el fracaso de un sistema de educación que no les supo proporcionar a los estudiantes un contenido que fuese congruente con unos conocimientos comunes recogidos de los antiguos "grandes libros".

Según Bloom, cualquier concepto de cultura que no se vuelva sinónimo de su versión de la Civilización Occidental pasa a ser la causa central de la crisis de decadencia y declinación que se observa en las escuelas norteamericanas. De hecho, es la democratización de la cultura la que representa, para Bloom, una fuente de ignorancia y parálisis. Bloom no le guarda simpatía alguna a una cultura como instancia de autoformación y de adquisición de facultades críticas por parte de las minorías, las mujeres y los jóvenes. Esto queda especialmente de manifiesto en su diatriba contra la cultura popular, a la que considera como potencialmente destructora de los circuitos de poder existentes. Bloom sostiene que la cultura popular, y en especial el rock-and-roll, ha traído como consecuencia la atrofia de la fibra y la inteligencia de la juventud norteamericana. El rock-and-roll y de manera más general la cultura popular, representa para Bloom un llamamiento bárbaro al deseo sexual. Sin dejarse desfallecer después de tan perspicaz observación, Bloom afirma que la cultura popular equivale simplemente a convertir la "vida... en una fantasía masturbatoria incesante, comercial y previamente empacada ".[5] Claro está que lo que verdaderamente preocupa a Bloom es la falta de respeto por la tradición que observa claramente entre los jóvenes, el desafío a la autoridad que surgió de los movimientos estudiantiles de los sesenta y aquello que percibe como la ideología arrasadora de la reforma democrática característica del discurso de los intelectuales radicales. Lo que uno encuentra en realidad en el libro de Bloom son afirmaciones sin sustento, enraizadas en una tradición autoritaria, que parecen emular a las propias convulsiones que, según sugiere, caracterizan a las formas populares que él ataca. He aquí lo que escribe:

El corolario inevitable de tal interés sexual es la rebelión contra la autoridad paterna que lo reprime. Así, el egoísmo se vuelve indignación y luego se transforma en moralidad. La revolución sexual tiene que derribar todas las fuerzas de dominación, que son enemigas de la naturaleza y de la felicidad. Del amor nace el odio, disfrazado a manera de reforma social. Un punto de vista sobre el mundo, queda equilibrado en el fulcro sexual. Lo que alguna vez fueron resentimientos infantiles, inconscientes o conscientes a medias, se convierten en la nueva Sagrada Escritura. Y luego viene el anhelo por la sociedad sin clases, libre de prejuicios y de conflictos, universal, que necesariamente surge gracias a una conciencia liberada —"Nosotros somos el mundo", una versión púber de *Alle Menschen werden Brüder*, cuya realización ha sido inhibida por los equivalentes políticos de mamá y papá. Éstos son los tres grandes temas líricos: sexo, odio y una versión untuosa e hipócrita del amor frater-

---

[5] Bloom, *The closing of the American mind*, p. 75.

nal. De tales fuentes contaminadas mana un arroyo lodoso donde sólo los monstruos pueden nadar.[6]

Los "monstruos" responsables de esta versión de locura contemporánea son la izquierda, las feministas, los marxistas, cualquier persona que use un *walkman* y todos los demás que se nieguen a tomar en serio el estatus canónico que Bloom les quiere atribuir a los "grandes libros" que encarnan su adorado concepto de Civilización Occidental. El discurso de Bloom se basa en el mito de la declinación, y su ataque a la cultura popular se halla inextricablemente vinculado al llamamiento por la restauración de la llamada herencia clásica perdida. En vez de ser un ataque sostenido contra la cultura popular, se trata del discurso totalizador del totalitarismo, que desfila tras el velo de la restauración cultural. Su enemigo es la democracia, el utopismo y las posibilidades políticas no realizadas que contienen las culturas del "otro", esto es, de los que son pobres, de los negros, las mujeres y aquellos que comparten la experiencia de la impotencia. Su meta es un tipo de educación que presupone formas de regulación moral y social en las que la voz de la tradición proporciona la legitimación de un ministerio de cultura que se hace eco de un dogmatismo ideológico y de un menosprecio por "el otro" que nos trae reminiscencias de la Alemania de Hitler y la Italia de Mussolini.

Las teorías educacionales de Bloom, Hirsch y Adler propugnan, todas ellas, una pedagogía que es congruente con el punto de vista que tienen de la cultura como artefacto, una pedagogía que Paulo Freire en cierta ocasión denominó educación bancaria. Es decir, una pedagogía que es profundamente reaccionaria y que se puede resumir mediante las palabras "trasmisión" e "imposición". Estos autores se rehúsan a analizar la forma en que la pedagogía, que es un intento deliberado por influir en el cómo y el qué del conocimiento y las identidades que se producen dentro y entre conjuntos particulares de relaciones sociales, podría ocuparse de la reconstrucción de la imaginación social, por el bien de la libertad humana. En este discurso, las cuestiones concernientes

[6] *Ibid.*, p. 74.

a qué conocimientos son los más valiosos, con qué fines debieran los alumnos tener deseos, y qué significa reconocer que el conocimiento es una construcción social para que los estudiantes puedan aprender a desempeñar un papel activo en su producción tanto dentro como fuera del salón de clases, se ignoran en aras de "reproducir" la historia en vez de aprender cómo hacerla. La visión que informa estas posturas se basa en un punto de vista de la excelencia y el aprendizaje que privilegia a la clase media blanca masculina y hace caso omiso de todas las demás personas. En el discurso de Bloom, Hirsch y Adler no hay ningún sentido de verdadera lucha ni de tensión social. Hay, en cambio, una corriente de urgencia política enraizada en la retórica de la nostalgia y la declinación; la pedagogía, en estos enfoques, se convierte en una máquina de memoria anclada en una celebración y fabricación de la historia, que evade los legados perturbadores, quebrantadores e interruptores del racismo, el sexismo, la explotación y la subordinación de clases, que tan grandemente influyen ahora en el presente. Éste es el discurso de pedagogos que le temen al futuro, que se ven estrangulados por el pasado y que no están conscientes de la complejidad, el terror y las posibilidades del presente, o se rehúsan a admitirlos. Es la pedagogía de intelectuales hegemónicos que se embozan con el manto de la ilustración y el conocimiento académicos.

Bajo este punto de vista, el conocimiento parece hallarse fuera del alcance del cuestionamiento crítico, salvo en el plano de la aplicación inmediata. En otras palabras, no se hace ningún intento político y ético sustantivo por decir a las claras cómo se escoge tal conocimiento, qué intereses y de qué personas representa, o por qué pudieran los estudiantes estar interesados en adquirirlo. De hecho, conforme a esta perspectiva, a los estudiantes se los caracteriza como un cuerpo unitario y alejado de las fuerzas ideológicas y materiales que construyen sus subjetividades, intereses y preocupaciones de maneras múltiples y diversas.

Yo opinaría que según este enfoque, el concepto de diferencia se convierte en la aparición negativa del "otro". Esto es particularmente palmario en el caso de Adler, puesto que éste hace a un lado las diversas diferencias sociales y culturales que existen entre los estudiantes, mediante el comentario simplista y reduccionista de que "a pesar de sus múltiples diferencias individuales, los niños son todos iguales en cuanto a su naturaleza humana".[7] En este punto de vista, a un acervo de conocimientos predeterminado y jerárquicamente ordenado se lo toma por la moneda cultural que se les debe distribuir a todos los niños, independientemente de su diversidad y de los intereses que tengan. Es igualmente importante el hecho de que la adquisición de tal conocimiento se convierte en el principio estructurador en torno al cual se organiza el plan de estudios escolar y se legitiman relaciones sociales del aula particulares. Vale la pena señalar que es exclusivamente un llamamiento al conocimiento escolar lo que constituye la medida y el valor de aquello que define la experiencia del aprendizaje. Es decir, el valor, tanto del maestro como del estudiante, se postula conforme a la trasmisión e inculcación de lo que se puede llamar el "conocimiento categórico". Por consiguiente, este tipo de pedagogía invierte sus energías en la distribución, la administración, la medición y la legitimación de tales conocimientos. En su estudio etnográfico sobre tres escuelas secundarias urbanas, Philip Cusick comenta acerca de la naturaleza problemática de la legitimación y organización de las prácticas escolares en torno al concepto de "conocimiento categórico".

Por conocimiento categórico me refiero a aquel que, según se acepta de manera general, posee una base empírica o tradicional. ... La hipótesis de que la adquisición de conocimientos categóricos se puede hacer interesante y atractiva es la que subyace, en parte, a las leyes que obligan a todo el mundo a asistir a la escuela, cuando menos hasta mediados de su adolescencia. ... La suposición convencional quisiera hacernos creer que el plan de estudios de una escuela existe como un acervo de conocimientos, sobre los cuales se han puesto de acuerdo los miembros del cuerpo docente y que han sido aprobados por la comunidad en general, así como por autoridades distritales que cuentan con cierta experiencia, y que reflejan el mejor pensamiento acerca de aquello que necesitan los jóvenes para tener éxito en nuestra sociedad. Pero yo no encontré tal cosa.[8]

---

[7] Adler, *The paideia proposal*, p. 42.
[8] Philip Cusick, *The egalitarian ideal and the American school* (Nueva York: Longman, 1983), pp. 25 y 71.

Con lo que Cusick se encontró fue que los conocimientos escolares organizados de este modo no eran lo suficientemente fascinantes como para atraer el interés de muchos de los alumnos. Además, los educadores atrapados en esta perspectiva respondían a la falta de interés, violencia y resistencia de los estudiantes, cambiando sus preocupaciones, y en vez de realmente enseñar conocimientos categóricos se dedicaban a mantener orden y control; o, como ellos decían, a "mantener la tapadera en su lugar".

Y los administradores no sólo dedicaban su tiempo a estas cuestiones [administración y control], sino que también tendían a evaluar otros elementos, tales como el rendimiento de los maestros, conforme a la habilidad de éstos para mantener el orden. Y existía igualmente la tendencia a acomodar otros elementos de la escuela según la forma en que contribuyeran o dejaran de contribuir al mantenimiento del orden. Uno de los ejemplos notables a este respecto fue la implantación, en ambas escuelas, del día "cinco por cinco". Los alumnos entraban temprano en la mañana, se les daban cinco períodos de instrucción con algunos minutos de pausa entre cada uno y un receso de quince minutos a media mañana, y salían antes de la una. No había horas libres, ni salas de estudio, ni sesiones en la cafetería, ni asambleas. No se daba pie a ninguna ocasión que se prestara a que ocurriese violencia. En esas escuelas públicas secundarias el mantenimiento del orden era de importancia capital.[9]

La voz y la experiencia estudiantil quedan reducidas a la inmediatez con que puedan ser aprovechadas y existen como algo que se debe medir, administrar, registrar y controlar. Su carácter distintivo, sus disyunciones, su calidad vivida, son aspectos, todos ellos, que quedan disueltos bajo una ideología de control y de manejo. En nombre de la eficiencia, por lo común se ignoran los recursos y la riqueza de las historias de vida de los alumnos. Uno de los principales problemas de esta perspectiva es que el ensalzamiento de los conocimientos categóricos no garantiza que los estudiantes vayan a tener interés alguno en las prácticas pedagógicas que produce, especialmente puesto que tales conocimientos parecen tener

[9] *Ibid.*, p. 108.

poco que ver con las experiencias de los propios estudiantes. Los maestros que estructuran las experiencias del aula a partir de este discurso, por lo general, encaran enormes problemas en las escuelas públicas y en especial en las de los centros urbanos. Sus productos principales parecen ser el aburrimiento o la ruptura, o ambos. Claro está que, hasta cierto punto, los maestros que se apoyan en prácticas del aula que manifiestan tal falta de respeto tanto por los alumnos como por el aprendizaje crítico, con frecuencia son ellos mismos víctimas de condiciones de trabajo específicas que hace que les sea prácticamente imposible enseñar a la manera de educadores críticos. Al mismo tiempo, estas condiciones quedan determinadas por los intereses y discursos dominantes que dan la legitimación ideológica para fomentar prácticas del aula hegemónicas. En pocas palabras, tales prácticas no sólo implican una violencia simbólica contra los estudiantes al devaluar el capital cultural que poseen, sino que también tienden a colocar a los maestros dentro de modelos pedagógicos que legitiman su papel como empleados de oficina. Desafortunadamente, el concepto de los maestros como empleados de cuello blanco forma parte de una larga tradición en el manejo de modelos de pedagogía y de administración que ha dominado a la educación pública norteamericana.

El discurso educacional conservador no es monolítico; existe otra postura, dentro de esta perspectiva, que no ignora la relación existente entre el conocimiento y la experiencia del estudiante. Pasaré ahora a esta otra postura.

La enseñanza escolar y la ideología del pensamiento positivo

En otra variante importante de la teoría educacional conservadora, el análisis y el significado de la experiencia sufren un cambio de dirección para pasar de la preocupación por trasmitir conocimiento positivo al desarrollo de formas de pedagogía que reconocen las tradiciones y experiencias que los distintos estudiantes llevan al escenario de la escuela, y se apropian de ellas. La piedra angular teórica de esta postura radica en un punto de vista modificado del concepto de

cultura. Es decir, la noción estática de la cultura como almacén de conocimientos y habilidades tradicionales queda
remplazada aquí por un enfoque más antropológico.

En su forma revisada, a la cultura se la considera como
una forma de producción y, específicamente, como los modos en que los seres humanos dan sentido a sus vidas, sus
sentimientos, sus creencias, sus pensamientos, y a la sociedad en general. Dentro de este enfoque, la noción de diferencia queda despojada de su "otredad" y se acomoda a la lógica
de un "humanismo cívico cortés".[10] La diferencia ya no sim-
boliza la amenaza de ruptura. Por el contrario, ahora representa una invitación a que los diversos grupos culturales se
tomen de las manos bajo la bandera democrática de un
pluralismo integrador. La ideología específica que define la
relación entre diferencia y pluralismo es medular en esta
versión del pensamiento educacional conservador, en el sentido de que sirve para legitimar la idea de que a pesar de las
diferencias que se manifiestan en torno a raza, etnicidad,
lengua, valores y estilos de vida, existe una igualdad subyacente entre los distintos grupos culturales, que supuestamente repudia la idea de que alguno de ellos sea privilegiado. Lo que tenemos aquí es un intento por incluir el concepto
de diferencia dentro de un discurso y conjunto de prácticas
que fomenten la armonía, la igualdad y el respeto en el
interior de diversos grupos culturales y entre ellos. Tras este
modelo de igualitarismo se halla una pedagogía cuyo objetivo, a la postre, es el de tomar estos distintos grupos culturales y tejerlos a manera de formar un tapiz ideológico que, de
hecho, apoye a una tradición y forma de vida occidental
dominante caracterizada por su supuesto *respeto* por la expresión de distintas tradiciones culturales, a la vez que ignora las relaciones asimétricas de poder dentro de las cuales
funcionan estas diferentes tradiciones.

No se quiere sugerir con esto que en este enfoque se ignore
el conflicto; no estoy insinuando que se nieguen del todo los
antagonismos sociales y políticos que caracterizan a la rela-

---

[10] Philip Corrigan, "Race, ethnicity, gender, culture: embodying differences
educationally —an argument", trabajo inédito, Ontario Institute for Studies in
Education, 1985, p. 7.

ción entre los distintos grupos culturales y la sociedad en general. Por el contrario, tales problemas comúnmente se reconocen, pero como cuestiones que se deben discutir y superar con el fin de crear una "clase feliz y cooperadora" que, según se espera, desempeñe un papel fundamental en cuanto a dar origen a un "mundo feliz y cooperador".[11] Dentro de este contexto, las representaciones culturales de la diferencia como *conflicto y tensión* pasan a poder trabajarse pedagógicamente sólo dentro de un lenguaje de unidad y cooperación que legitima y da apoyo a un punto de vista falso y particularmente "alegre" de la Civilización Occidental. En consecuencia, el concepto de diferencia se convierte en su opuesto, ya que ahora la diferencia adquiere significado como algo que se debe resolver dentro de formas *pertinentes* de intercambio y de debates en la clase. Lo que aquí se ha perdido es el respeto a la autonomía de las distintas lógicas culturales, así como todo grado de comprensión de la forma en que funcionan tales lógicas dentro de relaciones asimétricas de poder y dominación. En otras palabras, la igualdad que se asocia con distintas formas de cultura como experiencias vividas e incorporadas, sirve para desplazar las consideraciones políticas acerca de los modos en que interactúan y luchan los grupos dominantes y subordinados, tanto dentro como fuera de las escuelas.

A las prácticas pedagógicas que se derivan de este concepto de la diferencia y la diversidad cultural se las recubre con el lenguaje del pensamiento positivo. Esto se vuelve palmario en los proyectos de planes de estudios que se desarrollan en torno a estas prácticas. En estos proyectos generalmente se estructuran los problemas del plan de estudios a manera de que incluyan referencias a los conflictos y tensiones que existen entre los diversos grupos, pero en vez de alentar a los estudiantes a comprender críticamente las maneras en que los diversos grupos contienden dentro de las relaciones de poder y dominio cuando éstas entran en juego en la arena social más amplia, subordinan estas cuestiones a las metas pedagógicas que promueven el respeto y entendimiento mu-

---

[11] Robert Jeffcoate, *Positive image: towards a multicultural curriculum* (Londres: Writers and Readers Cooperative, 1979), p. 122.

tuos entre los diversos grupos culturales, por el interés de
fomentar la unidad nacional. La naturaleza apologética de este
discurso es evidente en los tipos de objetivos educacionales
que estructuran sus prácticas del aula. La complejidad y el
sudor que cuesta el cambio social se ignoran calladamente.

En las versiones más refinadas, la teoría educacional conservadora reconoce la existencia de conflictos raciales, de
género, étnicos y de otros tipos entre los distintos grupos,
pero es más ideológicamente honrada en cuanto a por qué
no se deben recalcar en el plan de estudios escolar. Haciendo
un llamamiento a los intereses de una "cultura común", esta
postura exige que se ponga un acento pedagógico en los
intereses e ideales comunes que caracterizan a la nación.
Según lo expresa uno de sus voceros, Nathan Glazer, la elección de lo que se enseñe "debe guiarse... según nuestra concepción de lo que es una sociedad viable, de la relación que
existe entre lo que seleccionamos para enseñar y la capacidad de la gente para lograr tal sociedad y vivir juntos en
ella".[12] Lo inquietante de esta postura es que carece de cualquier sentido de la cultura como terreno de lucha; además,
no presta atención alguna a la relación entre conocimiento y
poder. De hecho, subyace a la afirmación de Glazer un igualitarismo fácil que supone, pero no demuestra, que todos los
grupos pueden participar activamente en el desarrollo de
una sociedad de esa índole. En tanto apela a una armonía
ficticia, su "nuestra" unitaria sugiere una falta de disposición a denunciar, o a cuestionar, las estructuras existentes de
dominación. Esta armonía no es más que una imagen del
discurso de quienes no tienen que sufrir las injusticias que
experimentan los grupos subordinados. En pocas palabras,
esta versión de la teoría educacional conservadora cae en
una perspectiva que idealiza el futuro, a la vez que despoja
al presente de sus profundamente arraigadas contradicciones y tensiones. Éste no es simplemente el discurso de la
armonía; es también un conjunto de intereses que se rehúsa
a plantear las relaciones entre cultura y poder como una
cuestión moral que exige una acción política emancipatoria.

[12] Nathan Glazer, "Cultural pluralism: the social aspect", en *Pluralism in a democratic society*, M. Tumen y W. Plotch, comps. (Nueva York: Praeger, 1977), p. 51.

EL DISCURSO LIBERAL Y LA PRÁCTICA EDUCACIONAL

El discurso liberal de la teoría y la práctica educacional se halla asociado desde hace mucho tiempo con diversos principios pertenecientes a lo que en Estados Unidos se ha denominado, a grandes rasgos, la educación progresista. Desde John Dewey hasta el Free School Movement de las décadas de los sesenta y setenta, sin olvidar el hincapié que actualmente se hace en el multiculturalismo, ha existido la preocupación por tomar las necesidades y experiencias culturales de los estudiantes como punto de partida para desarrollar formas pertinentes de pedagogía.[13] Puesto que es imposible analizar en este capítulo todas las vueltas y revueltas teóricas que ha dado este movimiento, me centro exclusivamente en algunas de sus principales tendencias ideológicas, junto con la forma en que sus discursos estructuran las experiencias tanto de alumnos como de maestros.

La teoría liberal como ideología de la carencia

En su forma más lógica, la teoría educativa liberal es partidaria de un concepto de la experiencia que equivale, o bien a "satisfacer las necesidades de los chiquillos", o bien al desarrollo de relaciones cordiales con los alumnos, a manera de poder mantener el orden y el control dentro de la escuela. En muchos aspectos, estos dos discursos representan distintos lados de la misma ideología educacional. En la ideología de la "satisfacción de las necesidades", la categoría de "nece-

---

[13] Quiero dejar en claro que existe una distinción muy importante entre la obra de John Dewey, especialmente *Democracy and education* (Nueva York: The Free Press, 1916), y los discursos híbridos de la reforma educativa progresista que caracterizaron el final de los sesenta y los setenta en Estados Unidos. El discurso de la pertinencia y la integración que aquí estoy analizando guarda muy poca similitud con la filosofía de la experiencia de Dewey, en el sentido de que este último recalcaba la relación entre la experiencia de los estudiantes, la reflexión crítica y el aprendizaje. En cambio, el llamamiento a la pertinencia que ha caracterizado a los sectores dominantes de la educación progresista, en general, se rinde ante el concepto de la adquisición sistemática de conocimientos y privilegia de manera no crítica un concepto antiintelectual de experiencia estudiantil.

sidad" representa la *ausencia* de un conjunto particular de experiencias. En la mayoría de los casos, lo que los educadores determinan que falta son o bien las experiencias culturales específicas que las autoridades escolares opinan que los alumnos deben adquirir para enriquecer la calidad de sus vidas, o bien, de manera más instrumental, las habilidades fundamentales que "necesitan" con objeto de conseguir trabajo una vez que abandonen las escuelas públicas. Subyace a este punto de vista de la experiencia la lógica de la teoría de la carencia cultural, que define la educación conforme a enriquecimiento, remedio y aspectos básicos culturales.

En esta versión instrumentalista de la pedagogía liberal poco se hace por reconocer que aquello que se legitima como experiencia escolar privilegiada con frecuencia representa el aval de una forma particular de vida, simbolizada como superior a causa de la "venganza" que cae sobre quienes no comparten sus atributos. De manera específica, la experiencia del estudiante como "otro" es tachada de divergente, desfavorecida o "inculta". Por consiguiente, no sólo son los alumnos los responsables únicos del fracaso escolar, sino que tampoco existe espacio teórico, o muy poco, para cuestionar las formas en que los administradores y maestros crean y sostienen realmente los problemas que atribuyen a los estudiantes. Este punto de vista de los alumnos, y particularmente de aquellos que provienen de grupos subordinados, queda reflejado en la negativa a examinar las hipótesis y prácticas pedagógicas que legitiman formas de experiencia que encarnan la lógica de la dominación. Uno de los ejemplos notorios de esto lo obtuve al darme cuenta de que una maestra de secundaria, que asistía a uno de mis cursos de posgrado, constantemente se refería a sus alumnos de clase trabajadora diciendo que eran de "vida baja". En su caso, no existía el sentido de la forma en que el lenguaje estructuraba activamente sus relaciones con esos estudiantes, aun cuando tengo la certeza de que a ellos no se les escapaba el mensaje. Una de las prácticas que a veces surgen de este aspecto de la ideología de la educación liberal coloca a los maestros en la postura de echarles la culpa a los alumnos por los problemas que se perciben, y a la vez humillarlos en un esfuerzo por hacer que participen en las actividades del aula. El incidente que narro a continuación da fe de este enfoque:

Tras pasar lista de asistencia durante quince minutos, el maestro escribió unas cuantas frases en el pizarrón: "Adán y Eva", "generación espontánea" y "evolución", y les dijo a los alumnos: "Durante los siguientes cuarenta minutos tienen que escribir un ensayo sobre la forma en que ustedes creen que empezó el mundo, y aquí hay tres posibilidades que ustedes conocen, porque hablamos de ellas la semana pasada. Este mismo ejercicio se lo puse a mis alumnos de tercero de prepa y les gustó... A ustedes les hará bien. Les enseñará a pensar, para variar, puesto que es algo que no hacen con frecuencia."[14]

La teoría liberal como la pedagogía de las relaciones cordiales

Cuando los estudiantes se rehúsan a rendirse ante este tipo de humillaciones, los maestros y los administradores escolares por lo común encaran problemas de orden y de control. Una de las respuestas es fomentar una pedagogía de relaciones cordiales. La manera clásica de lidiar con los estudiantes conforme a este enfoque es la de tratar de tenerlos "contentos", ya accediendo a ocuparse de sus intereses personales por medio de modalidades adecuadamente desarrolladas de conocimientos de "bajo estatus", o ya estableciendo una buena relación con ellos. Definidos como los "otros", los alumnos pasan a ser ahora objetos de indagación con la finalidad de llegarlos a comprender para poderlos controlar más fácilmente. Por ejemplo, los conocimientos que emplean los maestros con estos estudiantes, con frecuencia provienen de formas culturales que se identifican con intereses específicos de clase, de raza y de género. Pero la pertinencia, en este caso, poco tiene que ver con las preocupaciones emancipatorias; en cambio, traduce en prácticas pedagógicas aquel intento por apropiar formas de cultura estudiantil y popular, por el interés de mantener el control social. La práctica del "encarrilamiento", que es de lo que aquí se trata, se desarrolla en su forma más sutil gracias a una serie interminable de materias opcionales que dan la impresión de legitimar las

[14] Cusick, "The egalitarian ideal and the American school", p. 55.

culturas de los grupos subordinados, cuando en realidad las incorporan de un modo pedagógicamente trivial. Así, a las niñas de la clase trabajadora se les "aconseja", mediante maestros asesores que tomen "Conversación femenina", que es un curso que trata de las telenovelas, en tanto que a los estudiantes de la clase media no les cabe duda alguna en cuanto a la importancia que tiene el tomar clases de crítica literaria. En nombre de la pertinencia y el orden, a los varones de la clase trabajadora se les alienta a seleccionar "artes industriales", en tanto que sus homólogos de clase media toman cursos de química. A los alumnos no meramente se los encarrila hacia diferentes cursos; lo cierto es que se los coloca en grupos que ofrecen de una manera diferenciada, sobre la base de consideraciones raciales, de clase, étnicas y de género, las posibilidades de adquirir calificación personal y social. Jeanne Oakes, en su extenso estudio sobre las clases de inglés en los niveles alto y bajo, arroja luz en cuanto a la manera en que se socializa a estos distintos grupos hacia formas de pedagogía diferentes y desiguales. Escribe:

Tanto en las clases de inglés como en las de matemáticas, vimos que los estudiantes tenían acceso a tipos de conocimientos considerablemente distintos y que contaban con oportunidades para desarrollar habilidades intelectuales muy diferentes. Por ejemplo, a los estudiantes del "carril elevado" de las clases de inglés se les daban contenidos que se podrían denominar "conocimientos de alto estatus". Figuraban allí temas y habilidades que se requieren para entrar a la universidad. Los alumnos del "carril elevado" estudiaban obras de ficción tanto clásicas como modernas. Aprendían las características de los géneros literarios y analizaban los elementos de una buena narrativa. Estos alumnos debían escribir ensayos e informes temáticos de investigación en bibliotecas, y aprendían un vocabulario que reforzaría sus calificaciones en los exámenes de ingreso a la universidad. Eran los estudiantes del "carril elevado" de nuestra muestra los que contaban con más oportunidades para pensar críticamente o para resolver problemas interesantes. En las clases de inglés del "carril bajo", por otro lado, nunca, o rara vez, se encontraban tipos similares de conocimiento. Y tampoco se esperaba que aprendieran las mismas habilidades. En las clases de "carril bajo" ocupaba un lugar prominente la instrucción en cuanto a lecturas básicas, y la habilidad para éstas se enseñaba principalmente apoyándose en cuadernos de trabajo, juegos de armar y libros de ficción para "adultos jóvenes". Los alumnos escribían oraciones sencillas, llenaban hojas de trabajo sobre el empleo del inglés y practicaban con solicitudes para conseguir trabajo y otros tipos de formatos. Sus tareas de aprendizaje se limitaban, en gran medida, a la memorización o a la comprensión de bajo nivel.[15]

Las prácticas y formas sociales, junto con los intereses y pedagogías divergentes que se producen mediante el "encarrilamiento" se han analizado extensamente en otra parte, y no es preciso repetirlas aquí.

La teoría liberal y la pedagogía centrada en el niño

En sus formas teóricamente mejor fundamentadas, el discurso de la educación liberal ofrece un punto de vista más "sustentador" de la experiencia y la cultura del estudiante. Dentro de esta perspectiva, a la experiencia del alumno se la define mediante la psicología individualizadora de "centrado en el niño". Entendida como parte de un proceso de desenvolvimiento "natural", la experiencia del estudiante no se vincula con los imperativos de la autoridad disciplinaria rígida, sino con el ejercicio del autocontrol y la autorregulación.[16] En este discurso, el centro del análisis es el niño como sujeto unitario, y las prácticas pedagógicas se estructuran en torno a la expresión "saludable" y a las relaciones sociales armónicas. En la parte medular de esta problemática figura una ideología que equipara la libertad con el hecho de "dar amor" y con lo que Carl Rogers llama "estimación categórica e incondicional" y "comprensión enfática".[17] El canon pedagógico liberal exige que los maestros hagan hin-

---

[15] Jeanne Oakes, "Keeping track, Part 1: the policy and practice of curriculum inequality", *Phi Delta Kappan* (septiembre de 1986), p. 15. Para un tratamiento más extenso del "encarrilamiento", véase Jeanne Oakes, *Keeping track: how schools structure inequality* (New Haven: Yale University Press, 1985). Véase también Henry A. Giroux y David Purpel, *The hidden curriculum and moral education* (Berkeley: McCutchan Publishing, 1983).

[16] Julian Henriques, Wendy Hollway, Cathy Urwin, Couze Venn y Valerie Walkerdine, *Changing the subject* (Nueva York: Methuen, 1984).

[17] Carl Rogers, *Freedom to learn* (Columbus: Charles Merrill, 1969).

capié en el aprendizaje autodirigido, vinculen el conocimiento con las experiencias personales de los alumnos y traten de ayudar a estos últimos a interactuar entre sí de manera positiva y armoniosa.

Claro está que, dentro de esta perspectiva, la forma en que se desarrollan las experiencias de los estudiantes se halla directamente relacionada con la cuestión más general del modo en que se construyen y entienden dentro de los múltiples discursos que encarnan y reproducen las relaciones sociales y culturales que caracterizan a la sociedad como un todo. Esta cuestión es ignorada no sólo en los puntos de vista liberales de la teoría educacional, sino también en los discursos conservadores. El silencio respecto de las formas de discriminación por raza, por clase y por género, y la manera en que éstas se reproducen en las relaciones entre las escuelas y el orden social más amplio, es lo que vincula a la teoría educativa conservadora con la liberal, y lo que constituye lo que yo llamo el discurso educacional dominante. Aun cuando ya he criticado algunas de las hipótesis que dan forma interna a los discursos educativos dominantes, quiero insistir en éstos antes de pasar a la cuestión de la manera en que se puede inventar una pedagogía crítica, a partir de una teoría de política cultural.

Los discursos educacionales dominantes

El discurso educacional dominante hace presa en una tendencia ideológica profundamente encastrada en la educación norteamericana, así como en las principales ciencias sociales, por separar la cultura de las relaciones de poder. Analizando la cultura sin un espíritu crítico, ya como objeto de veneración o ya como conjunto de prácticas que incorporan las tradiciones y valores de diversos grupos, este punto de vista despolitiza a la cultura como estructura y práctica social. Más específicamente, en esta perspectiva no se hace intento alguno por entender la cultura como principios de la vida compartidos y vividos, característicos de distintos grupos y clases, conforme éstos surgen dentro de relaciones inequitativas de poder y de campos de lucha. En realidad, la cultura queda inexplorada como relación particular entre grupos dominantes y subordinados, expresada en forma de relaciones antagónicas y vividas que encarnan y producen formas particulares de significado y de acción. Lo cierto es que estos discursos excluyen por completo el concepto de cultura "dominante" y "subordinada" y, al hacerlo, no saben reconocer la importancia que tienen las fuerzas políticas y sociales más amplias en todos los aspectos de la organización escolar y la vida cotidiana del aula.

Al negarse a admitir las relaciones que existen entre cultura y poder, los discursos educacionales dominantes no logran entender la forma en que las propias escuelas se hallan implicadas en la reproducción de las ideologías y las prácticas sociales opresivas. Suponen, en cambio, que las escuelas pueden analizar los problemas que encaran los distintos grupos culturales, y que a partir de tales análisis los estudiantes desarrollarán un sentido de comprensión y de respeto mutuos, que de algún modo influirá en la sociedad en general. Pero las escuelas hacen más que influir en la sociedad; también son conformadas por ésta. Es decir, las escuelas se hallan inextricablemente vinculadas a un conjunto más amplio de procesos políticos y culturales, y no sólo reflejan los antagonismos que se hallan incorporados en tales procesos, sino que también los encarnan y los reproducen. Esta cuestión se aprecia más claramente en los estudios estadísticos que revelan que "uno de cada cuatro alumnos que [en Estados Unidos] ingresan a noveno grado [tercero de secundaria en México] abandona sus estudios antes de finalizar la preparatoria. Las tasas de deserción entre los estudiantes negros son poco menos del doble que entre los blancos; y las de los estudiantes hispánicos son algo más del doble... En 1971, el 51 por ciento de todos los alumnos blancos que terminaron la preparatoria, y el 50 por ciento de todos los negros que hicieron lo propio, ingresaron a la universidad. En 1981, la tasa de los jóvenes negros que terminaron la prepa y se inscribieron a la universidad ya había caído al 40 por ciento; y en octubre de 1982 descendió al 36 por ciento".[18]

[18] National Coalition of Advocates for Students, *Barriers to excellence: our children at risk* (Boston: NCAS, 1985), p. x.

La importancia de estas estadísticas es que señalan las prácticas ideológicas y materiales que se producen activamente dentro de las actividades diarias de la enseñanza escolar, por más que sus orígenes haya que encontrarlos en la sociedad más amplia. También ponen de manifiesto el silencio que existe respecto de un buen número de cuestiones concernientes a la manera en que las escuelas realmente funcionan a modo de producir diferenciaciones de clase, de raza y de género, y revelan los antagonismos fundamentales que estructuran estas diferencias. Uno de los aspectos que señalan las estadísticas es la posibilidad de que se estén invirtiendo formas más generalizadas de dominación y subordinación políticas, económicas, sociales e ideológicas en el lenguaje, los textos y las prácticas sociales de las escuelas, así como en las experiencias de los maestros y de los propios estudiantes. Otra preocupación igualmente importante se centra en la cuestión de la manera en que el poder, en las escuelas, se expresa como un conjunto de relaciones mediante el cual a algunos grupos se los trata como privilegiados, en tanto que a otros se los invalida. Entre algunas de las preguntas importantes que se podrían plantear aquí, figuran las siguientes: ¿Cuál es la ideología que impera cuando a los niños se los evalúa por medio de una lengua que no entienden? ¿A qué intereses obedece el hecho de "encarrilar" a niños negros que no presentan graves defectos intelectuales para el aprendizaje, hacia grupos que son para alumnos educables con problemas mentales? ¿Cuáles son las ideologías que subyacen a las prácticas escolares que se reflejan en las escuelas urbanas, en las que las tasas de deserción son del 85 por ciento para los indios norteamericanos y de entre 70 y 80 por ciento en el caso de los alumnos puertorriqueños?[19] El aspecto importante que ilustran estas cifras es que los discursos educacionales dominantes no sólo carecen de una teoría adecuada de la dominación, sino también de una comprensión crítica en cuanto a la forma en que la experiencia aparece *denominada, construida y legitimada* en las escuelas.

Otra de las críticas importantes que se enderezan contra los discursos educacionales dominantes es la que se centra

---

[19] *Ibid.*, pp. 10, 14 y 16.

en la naturaleza política del lenguaje escolar. Definido primordialmente de manera técnica (dominio) o en formas que defienden principalmente su valor comunicativo en el desarrollo del diálogo y la trasmisión de información, al lenguaje, bajo esta perspectiva, se lo abstrae de sus usos políticos e ideológicos. Por ejemplo, al lenguaje se lo privilegia como un medio para intercambiar y presentar conocimientos y, como tal, se lo aparta del papel constitutivo que desempeña en la lucha de los diversos grupos en cuanto a los diferentes significados, prácticas y formas de percibir el mundo. Dentro de la teoría educacional dominante no existe el sentir de la forma en que las prácticas de lenguaje se pueden emplear para silenciar activamente a algunos estudiantes, ni de la manera en que el favorecer formas particulares de discurso puede contribuir a invalidar las tradiciones, prácticas y valores de los grupos lingüísticamente subordinados; de manera similar, se observa la omisión en cuanto a hacer que los maestros adquieran formas de competencia lingüística que se pudieran traducir, pedagógicamente, en una comprensión crítica de la estructura de la lengua y en la capacidad para ayudar a los estudiantes a desarrollar una forma de alfabetismo mediante el cual pudieran validar, a la vez que encarar críticamente, sus propias experiencias y ambientes culturales. Ésta es una cuestión que expondré en el próximo capítulo.

No resulta sorprendente que dentro de los discursos educacionales dominantes las cuestiones de la diferencia cultural se reduzcan a veces a poner únicamente el acento en el aprendizaje y la comprensión del conocimiento escolar, en particular según se presenta éste por medio de la forma y el contenido de los textos que conforman el plan de estudios. Lo que aquí se deja de lado son las formas en que se invierte poder en fuerzas institucionales e ideológicas que influyen en las prácticas sociales de la enseñanza escolar, y las conforman, de un modo que no es evidente, por ejemplo, valiéndose del análisis singular de los textos del plan de estudios en su momento aislado de empleo en el salón de clases. No existe la comprensión clara, por ejemplo, de la manera en que funcionan las relaciones sociales, dentro de las escuelas, por medio de la organización del tiempo, el espacio y los

202 ENSEÑANZA ESCOLAR Y LUCHA POR LA CIUDADANÍA

recursos, ni del modo en que los distintos grupos experimentan estas relaciones valiéndose de sus ubicaciones económica, política y social fuera de las escuelas. Además de no
saber comprender a la enseñanza escolar como un proceso
que se halla inextricablemente vinculado con la presencia inevitable de fuerzas sociales más amplias, la teoría educacional
dominante también parece ser incapaz de reconocer que en las
escuelas puede surgir resistencia por parte de maestros y estudiantes, en caso de que éstos se rehúsen ya a enseñar o ya a
aceptar los dictados de la cultura escolar dominante.[20]

De manera más específica, en los discursos educacionales
dominantes se omite el análisis del modo en que la escuela,
como agente de control social y cultural, se ve mediada e
impugnada por aquellos intereses a los que no sirve. En
parte, esto se debe a un punto de vista funcionalista de la
enseñanza escolar que considera que las escuelas se hallan
al servicio de la sociedad dominante, sin cuestionar ni la
naturaleza de esa sociedad ni los efectos que ejerce sobre las
prácticas cotidianas de la propia enseñanza escolar. El precio teórico que se paga por este tipo de funcionalismo es alto.
Una de sus consecuencias es que a las escuelas se las percibe
como si se hallaran alejadas de las tensiones y antagonismos
que caracterizan a la sociedad en general. A causa de ello,
resulta imposible entender a las escuelas como lugares de
lucha respecto del poder y del significado. Además, en este
enfoque no existe espacio teórico para comprender por qué
los grupos subordinados tal vez se resistan a la cultura dominante —y la nieguen— tal como ésta se halla incorporada a los
diversos aspectos de la vida diaria del aula.

LA PEDAGOGÍA CRÍTICA COMO UNA FORMA DE POLÍTICA CULTURAL

En esta sección quiero desarrollar una perspectiva que vincule a la pedagogía crítica con una forma de política cultural.
Para ello me apoyo principalmente en los trabajos de Paulo

---

[20] Henry A. Giroux, *Teoría y resistencia en educación* (México: Siglo XXI, 1992).

Freire y Mijail Bajtin, y trato de construir un modelo teórico en el cual los conceptos de lucha, voz estudiantil y diálogo crítico resultan centrales para la meta de desarrollar una pedagogía crítica.[21] El trabajo de Bajtin es importante porque ese autor considera el empleo de la lengua como un acto eminentemente social y político, vinculado a las formas en que los individuos definen el significado y dan autoría a sus relaciones con el mundo mediante un diálogo permanente con los otros. Como teórico de la diferencia, del diálogo y de la voz polifónica, Bajtin recalca correctamente la necesidad de comprender la incesante pugna entre los diversos grupos respecto del lenguaje y el significado, como un imperativo moral y epistemológico. Conforme a ello, Bajtin profundiza nuestra comprensión de la naturaleza de autoría y ofrece análisis sobre la forma en que las personas dan valor al discurso y funcionan a partir de diversos estratos de éste. También hace notar la importancia pedagógica que tiene el diálogo crítico como forma de autoría, puesto que proporciona el medio en el que se desenvuelve la vida cotidiana y da significado a las múltiples voces que estructuran los "textos" que la constituyen.

Paulo Freire extiende a la vez que profundiza el proyecto de Bajtin. Al igual que este último, Freire ofrece la posibilidad de organizar las experiencias pedagógicas dentro de formas y prácticas sociales que "hablen" para desarrollar modalidades más críticas y dialogísticas de aprendizaje y lucha colectivos. Empero, la teoría de la experiencia de Freire se halla enraizada en un punto de vista del lenguaje y la cultura que vincula a diálogo y significado con un proyecto

[21] Entre los trabajos en que me voy a apoyar respecto de ambos autores figuran: Paulo Freire, *Pedagogía del oprimido* (México: Siglo XXI, 1970); Paulo Freire, *La educación como práctica de la libertad* (México: Siglo XXI, 1969); Paulo Freire, *The politics of education* (South Hadley, Massachusetts; Bergin and Garvey, 1985). Mijail Bajtin, *Rabelais and his world*, Helene Iswolsky, trad. (Bloomington: Indiana University Press, 1984); Mijail Bajtin, *Problems of Dostoevsky's poetics*, Caryl Emerson, trad. (Minneapolis: University of Minnesota Press, 1984); Mijail Bajtin, *The dialogic imagination*, Caryl Emerson y Michael Holquist, trads. (Austin: University of Texas Press, 1981); V.N. Volosinov [M.M. Bajtin] *Marxism and the philosophy of language*, Ladislav Mateyka e I.R. Titunik. trads. (Nueva York: Seminar Press, 1973; V.N. Volosinov [M.M. Bajtin], *Freudianism: a Marxist critique*, I.R. Titunik, trad. y ed. en colaboración con Neal H. Bruss (Nueva York: Academic Press, 1976).

social en el que se recalca la primacía de lo político. En este caso, la "adquisición de facultades críticas" se define como aspecto medular de la lucha colectiva, para una forma de vida en la que no existan opresión ni explotación.

Ambos autores emplean un punto de vista del lenguaje, del diálogo y de la diferencia, que rechaza una visión totalizadora de la historia. Ambos aducen que una pedagogía crítica debe comenzar con un ensalzamiento dialéctico de los lenguajes de la crítica y la posibilidad —enfoque que encuentra su más noble expresión en un discurso que integra el análisis crítico con la transformación social. De manera similar, ambos autores proporcionan un modelo pedagógico que comienza con problemas que se hallan enraizados en las experiencias concretas de la vida de todos los días. De hecho, ofrecen valiosos modelos teóricos en los cuales los educadores se pueden apoyar selectivamente con el fin de desarrollar un análisis de las escuelas como lugares de conflicto e involucradas activamente en la producción de experiencias vividas. Está inherente en estos enfoques una problemática que se caracteriza por la forma en que las diversas prácticas pedagógicas representan una política particular de la experiencia. O bien, para ser más específicos, caracterizan a un campo cultural en el que el conocimiento, el lenguaje y el poder se intersectan a fin de producir prácticas históricamente específicas de regulación moral y social.

Este trabajo de Freire y Bajtin apunta a la necesidad de indagar la manera en que las experiencias humanas se producen, se ponen en tela de juicio y se legitiman dentro de la dinámica de la vida cotidiana del aula. La importancia teórica de este tipo de cuestionamiento se halla directamente vinculada con la necesidad de que los educadores inventen un discurso mediante el cual se pueda desarrollar una política más global de la cultura, la voz y la experiencia. De lo que aquí se trata es de que se reconozca que las escuelas son la encarnación histórica y estructural de formas ideológicas de cultura. Dan significado a la realidad, en formas que con frecuencia son experimentadas de manera diferente, y activamente impugnadas, por parte de los diversos individuos y grupos. En este sentido, las escuelas son terrenos ideológicos y políticos en los cuales la cultura dominante produce, en parte, sus "certidumbres" hegemónicas; pero son también sitios donde la cultura dominante y las voces subordinadas se definen y restringen mutuamente, mediante combate e intercambio, en respuesta a las condiciones sociohistóricas que "portan" las prácticas institucionales, textuales y vividas que definen a la cultura escolar y a la experiencia maestro/alumno. En otras palabras, las escuelas no son ideológicamente inocentes, y tampoco son simplemente reproductoras de las relaciones e intereses sociales dominantes. Al mismo tiempo, las escuelas producen formas de regulación política y moral que se hallan íntimamente relacionadas con las tecnologías de poder que "producen asimetrías en las capacidades de los individuos y de los grupos para definir sus necesidades y hacerlas realidad".[22] De manera más específica, las escuelas establecen las condiciones bajo las cuales algunos individuos y grupos definen los modos mediante los cuales otros viven, resisten, afirman y participan en la construcción de sus propias identidades y subjetividades. Roger Simon arroja luz sobre algunas de las consideraciones teóricas importantes que se deben abordar dentro de una pedagogía crítica:

Nuestra preocupación como educadores es la de desarrollar una manera de pensar acerca de la construcción y definición de la subjetividad, dentro de las formas sociales concretas de nuestra existencia cotidiana, de tal modo que a la escuela se la entienda como un lugar que [incorpore] un proyecto de regulación y de transformación. Como educadores, se nos exige que asumamos una postura en cuanto a la aceptabilidad de tales formas. También reconocemos que si bien la escuela es productiva, no se halla aislada, sino que mantiene relaciones complejas con otras formas que se hallan organizadas en otros lugares. ... [Además,] al trabajar para reconstruir ciertos aspectos de la enseñanza escolar [los educadores debieran procurar] entender la manera en que ésta interviene en la producción de subjetividades [y] darse cuenta [del modo en que] las formas sociales existentes legitiman y producen desigualdades reales que sirven a los intereses de algunos, por encima de otros, así como de que una pedagogía transformativa es opositora en sus intencio-

----

[22] Richard Johnson, "What is cultural studies anyway?" *Anglistica*, 26:1-2 (1983), p. 11.

nes y resulta amenazadora para algunos al ser practicada.[23]

Simon argumenta correctamente que las escuelas como sitios de producción cultural encarnan representaciones y prácticas que construyen, a la vez que bloquean, las posibilidades de albedrío humano entre los estudiantes. Esto queda más claro si reconocemos que uno de los elementos más importantes que entran en juego en la estructuración de la experiencia y la subjetividad dentro de las escuelas es el lenguaje: el lenguaje se intersecta con el poder por la manera en que las formas lingüísticas particulares estructuran y legitiman las ideologías de grupos específicos. El lenguaje está íntimamente relacionado con el poder, y constituye la forma gracias a la cual los maestros y los estudiantes definen, median y comprenden su relación entre sí y con la sociedad en general.

Tal como lo ha señalado Bajtin, el lenguaje se halla íntimamente relacionado con la dinámica de la autoría y la voz.[24] Es dentro y por medio del lenguaje como los individuos ubicados en contextos históricos particulares modelan los valores a manera de que adquieran formas y prácticas particulares. Como parte de la producción del significado, el lenguaje representa una fuerza central en la lucha por tener voz. Las escuelas son una de las esferas públicas primordiales donde, merced a la influencia de la autoridad, la resistencia y el diálogo, el lenguaje es capaz de conformar la manera en que los diversos individuos y grupos codifican, y con ello enfrentan, el mundo. En otras palabras, las escuelas son sitios donde el lenguaje proyecta, impone y construye normas y formas particulares de significado. En este sentido, el lenguaje hace más que simplemente presentar "información" de manera recta; en realidad, se lo emplea como la base tanto para "instruir" como para producir subjetividades. En Bajtin, la cuestión del lenguaje se explora dentro del contex-

---

[23] Roger Simon, "Work experience as the production of subjectivity", en *Critical pedagogy and cultural power*, David Livingstone, comp. (South Hadley: Bergin and Garvey, 1987), pp. 176-177.

[24] Véanse Ann Shukman, comp., *Bakhtin's school papers* (Oxford; RPT Publications, 1983); V.N. Volosinov [M.M. Bajtin], *Marxism and the philosophy of language*.

to de una política de lucha y de representación, una política que se ha forjado en las relaciones de poder tocantes a quién decide y legisla el territorio sobre el cual el discurso debe ser definido y negociado. La inercia que da impulso a la voz y a la autoría es inseparable de las relaciones entre los individuos y los grupos en torno a los cuales el diálogo comienza y termina. En palabras de Bajtin, "la palabra es un acto que posee dos caras. Queda determinada... por aquellos que la tienen, así como por aquellos a quienes va enderezada. ... Una palabra es territorio que comparten el orador y el receptor, el hablante y su interlocutor".[25] De lo que aquí se trata es de la percepción crítica en el sentido de que las subjetividades de los estudiantes se desarrollan a lo largo de una gama de discursos que solamente se pueden entender dentro de un proceso de interacción social que "bombee energía desde una situación vital para introducirla al discurso verbal; [la vida] dota a todo aquello que es lingüísticamente estable con una inercia y singularidad históricas y vivientes".[26]

Teniendo presentes las anteriores hipótesis teóricas, abogaré ahora de manera más específica en favor del desarrollo de una pedagogía crítica como forma de política cultural. Deseo presentar, en efecto, la argumentación en favor de la elaboración de una pedagogía de política cultural en torno a un lenguaje críticamente afirmativo que les permita a los educadores comprender la manera en que se producen las subjetividades dentro de aquellas formas sociales en que se mueven las personas, pero que con frecuencia sólo se entienden parcialmente. Tal pedagogía convierte en problemático el modo en que los maestros y los alumnos sostienen, se resisten o se acomodan a aquellos lenguajes, ideologías, procesos sociales y mitos que los ubican dentro de las relaciones existentes de poder y dependencia. Más aún, esta pedagogía señala la necesidad de desarrollar una teoría de la política y la cultura que analice el discurso y la voz como un equilibrio continuamente cambiante de los recursos y las prácticas, en la lucha que se libra respecto de las formas específicas de

[25] Volosinov [Bajtin], *Marxism and the philosophy of language*, pp. 85-86.
[26] V.N. Volosinov [M.M. Bajtin], "Discourse in life and discourse in art", en *Freudianism: a Marxist critique*, p. 106.

denominar, organizar y experimentar la realidad social. Al discurso se lo puede reconocer como una forma de producción cultural que vincula albedrío y estructura por medio de representaciones públicas y privadas que se organizan y estructuran de manera concreta dentro de las escuelas. Además, entiendo el discurso como un conjunto de experiencias incorporadas y fracturadas, que son vividas y sufridas por individuos y grupos dentro de contextos y escenarios específicos. Dentro de esta perspectiva, el concepto de la experiencia se halla vinculado con la cuestión más general del modo en que las subjetividades están inscritas dentro de procesos culturales que se desarrollan con respecto a la dinámica de la producción, la transformación y la lucha. Entendida de esta manera, una pedagogía de la política cultural les presenta a los educadores un doble conjunto de tareas. En primer lugar, necesitan analizar la forma en que la producción cultural se halla organizada dentro de las relaciones de poder asimétricas de las escuelas. Y en segundo, deben construir estrategias políticas para participar en pugnas sociales orientadas a luchar por las escuelas como esferas públicas.

Con el fin de realizar estas tareas es preciso evaluar los límites políticos y las potencialidades pedagógicas de las distintas —aunque afines— instancias de producción cultural que constituyen los diversos procesos de la enseñanza escolar. Es importante señalar que a estos procesos sociales los llamo "instancias de producción cultural", en vez de emplear el concepto de reproducción que predomina en la izquierda. Aun cuando el concepto de reproducción apunta correctamente a las diversas ideologías e intereses económicos y políticos que se reconstituyen dentro de las relaciones de la enseñanza escolar, carece de la comprensión global y teórica de la forma en que tales intereses se median, se trabajan y se producen subjetivamente.

Una pedagogía crítica que asume la forma de una política cultural debe examinar la manera en que los procesos culturales se producen y transforman dentro de tres campos particulares, pero relacionados, del discurso: *el discurso de la producción, el discurso del análisis del texto* y *el discurso de las culturas vividas.* Cada uno de estos discursos posee una historia de desarrollo teórico en diversos modelos del análisis de la izquierda, y todos ellos han sido sometidos a intensos debates y críticas, que no necesitamos repetir aquí.[27] Quiero examinar las potencialidades que exhiben estos discursos en sus interconexiones, y en particular porque apuntan hacia un nuevo conjunto de categorías para el desarrollo de formas de prácticas educativas que facultan críticamente a maestros y alumnos en torno a intereses emancipatorios.

La práctica educacional y el discurso de la producción

Dentro de la teoría educacional, el discurso de la producción se ha centrado en las formas en que las fuerzas estructurales, que se hallan fuera de la inmediatez de la vida escolar, construyen las condiciones objetivas dentro de las cuales funcionan las escuelas. Este marco estratégico nos puede proporcionar análisis iluminadores sobre el estado, el lugar de trabajo, las fundaciones, las empresas editoriales y otras encarnaciones de intereses políticos que directa o indirectamente influyen en la política de la escuela. Además, se entiende que las escuelas se hallan dentro de una red más ancha de conexiones que nos permite analizarlas como edificios históricos y sociales, como encarnaciones de formas sociales que siempre guardan una relación con la sociedad más amplia. Una de las tareas fundamentales del discurso de la producción es la de alertar a los maestros en cuanto a la primacía de identificar prácticas e intereses que legitimen representaciones y formas de vida públicas específicas. Dentro de este discurso es inconcebible que se trate de comprender el proceso de la enseñanza escolar sin tomar en consideración de qué modo se construyen, manifiestan e impugnan, dentro y fuera de las escuelas, estas formas de producción. Esto se hace obvio, por ejemplo, cuando deseamos analizar las maneras en que la política del estado incorpora y promueve prácticas particulares que legitiman y privilegian algunas formas de conocimiento con respecto a otras, o a

---

[27] Se puede encontrar un importante análisis de estos discursos y de las tradiciones con las que generalmente se los asocia, en Richard Johnson, "What is cultural studies anyway?"

algunos grupos con preferencia a otros.[28] Sería igualmente significativo un análisis de la forma en que la teoría y la práctica educacionales y dominantes se construyen, sostienen y circulan fuera de las escuelas. Por ejemplo, los educadores necesitan hacer más por identificar el lenguaje y los valores de las ideologías corporativas, tal como se manifiestan en los planes de estudios de la escuela; es igualmente preciso que analicen y transformen los procesos mediante los cuales esos planes se producen y se ponen en circulación. Otro aspecto importante de este enfoque es que señala la manera en que se concibe objetivamente a la mano de obra; es decir, proporciona la base para el análisis de las condiciones bajo las cuales trabajan los educadores, así como de la importancia política que revisten estas condiciones, ya en cuanto a limitar o ya para hacer posible la práctica pedagógica. Esto es especialmente importante para el análisis de las posibilidades críticas que existen para que los maestros y los alumnos de las escuelas públicas actúen y sean tratados como intelectuales. O bien, para decirlo con las palabras de C.W. Mills, como personas que se pueden poner "en contacto con las realidades de sí mismas y de su mundo".[29]

Quisiera recalcar, una vez más, que si maestros y alumnos trabajan en condiciones de hacinamiento, carecen de tiempo para trabajar colectivamente de manera creativa, o se hallan aherrojados por reglas que los privan de poder, estas condiciones técnicas y sociales de trabajo tendrán que ser entendidas y enfrentadas como parte de la dinámica de reforma y de lucha.[30] El discurso de la producción representa un importante punto de partida para una pedagogía de la política cultural porque evalúa la relación que existe entre las escuelas y las fuerzas estructurales de mayor envergadura, bajo la luz de una política de dignidad humana —y más específicamente, de una política elaborada en torno a las

---

[28] El lector puede hallar ejemplos de este discurso en Martin Carnoy y Henry Levin, *Schooling and work in the democratic state* (Stanford: Stanford University Press, 1985).

[29] C.W. Mills, "Mass society and liberal education", en *The collected essays of C.W. Mills*, Irving Louis Horowitz, comp. (Nueva York: Oxford University Press, 1979), p. 370.

[30] Stanley Aronowitz y Henry A. Giroux, *Education under siege* (South Hadley: Bergin and Garvey, 1985).

formas en que la dignidad humana puede volverse realidad en esferas públicas cuyo designio es el de proporcionar las condiciones materiales necesarias para el trabajo, el diálogo y la realización individual y social. Por consiguiente, estas esferas públicas representan lo que Dewey, Mills y otros han denominado las condiciones para la libertad y la praxis, las encarnaciones políticas de un proyecto social que tiene por meta principal a la liberación.[31]

La pedagogía crítica y el discurso del análisis textual

Otro de los elementos importantes de una pedagogía crítica, que yo describo como un discurso de análisis textual, es el que se refiere a una forma de crítica capaz de analizar las formas culturales conforme se producen y se emplean en aulas específicas. El propósito de este enfoque es el de proporcionarles a maestros y alumnos las herramientas críticas necesarias para analizar aquellas representaciones e intereses socialmente construidos que organizan y recalcan lecturas particulares de los materiales del plan de estudios.

El discurso del análisis textual no sólo llama la atención hacia las ideologías conforme a las cuales se producen los textos, sino que también les permite a los educadores distanciarse del texto con el fin de poner al descubierto los estratos de significados, contradicciones y diferencias inscritos en la forma y el contenido de los materiales del salón de clases. La importancia política y pedagógica de esta forma de análisis radica en que abre el texto a la desconstrucción, cuestionándolo como parte de un proceso más general de producción social; además, al convertir el texto en objeto de una indagación intelectual, tal análisis postula al lector, no como a un consumidor pasivo, sino como a un productor activo de significados. Bajo este punto de vista, el texto ya no está dotado de una esencia autoral que espera a ser traducida o descubierta.

---

[31] John Dewey, *The public and its problems* (publicado originalmente en 1927) en *John Dewey, the later works, volume 2: 1925-1927*, Jo Ann Boydston, comp. (Carbondale: Southern Illinois University Press, 1984); C.W. Mills, "Mass society and liberal education".

Por el contrario, dicho texto se convierte en un conjunto de discursos constituido por un rejuego de significados contradictorios, algunos de los cuales se hallan claramente privilegiados, mientras que otros, según expresión de Macherey, representan "un nuevo discurso, la articulación del silencio".[32] Resultan fundamentales en esta perspectiva las nociones de crítica, producción y diferencia, todas las cuales aportan elementos importantes para una práctica pedagógica contrahegemónica. Catherine Belsey entreteje muy bien estos elementos en la crítica que hace del texto realista clásico:

De modo alternativo era posible reconocerlo [al texto realista clásico] como una construcción y, así, tratarlo como susceptible de desconstrucción; es decir, se podía efectuar el análisis del proceso y de las condiciones de su construcción a partir de los discursos disponibles. La ideología, tras el disfraz de coherencia y plenitud, es en realidad incoherente, limitada, contradictoria, y el texto realista como cristalización de ideología participa de este estado incompleto, por más que desvíe la atención respecto de ello mediante la aparente plenitud de la conclusión narrativa. El objetivo de la desconstrucción del texto es el de examinar el proceso de su producción —no la experiencia privada del autor individual, sino el modo de producción, los materiales según la forma en que se hallan ordenados en el trabajo. La meta es localizar el punto de contradicción dentro del texto, el punto en el cual éste transgrede los límites dentro de los cuales se ha construido y se libera de las restricciones que le impone su propia forma realista. Conformado por contradicciones, el texto ya no queda restringido a una única lectura armoniosa y autorizada, sino que se convierte en una relectura plural y abierta, que ya no es un objeto de un consumo pasivo, sino un objeto sobre el cual el lector puede trabajar para producir significado.[33]

Este modo de análisis es particularmente importante para los educadores, porque argumenta contra la idea de que los medios de representación de los textos son meramente trasmisores neutrales de ideas. Además, un enfoque de esta índole señala la necesidad de que se efectúen cuidadosos análisis sistemáticos sobre la forma en que el material se

---

[32] Pierre Macherey, *A theory of literary production*, Geoffrey Wall, trad. (Londres: Routledge and Kegan Paul, 1978), p. 6.

[33] Catherine Belsey, *Critical practice* (Nueva York; Methuen, 1980), p. 104.

emplea y ordena en los planes de estudios de las escuelas, así como de la manera en que sus "significantes" registran presiones y tendencias ideológicas particulares. Tal análisis les permite a maestros y alumnos desconstruir significados que se han incorporado calladamente a los principios estructuradores de los significados del aula, agregando con ello una importante dimensión teórica al análisis del modo en que funcionan en las escuelas el plan de estudios abierto y el oculto.

En el plano diario de la enseñanza escolar, este tipo de crítica textual se puede emplear para analizar la manera en que las convenciones o imágenes técnicas que se encuentran dentro de diversas formas, tales como la narrativa, el modo de interpelación y la referencia ideológica, tratan de construir una gama limitada de posturas desde las cuales han de leerse. Vale la pena citar lo que dice Richard Johnson sobre esta cuestión:

El objetivo legítimo de una identificación de "posturas" está en las presiones o tendencias a que se somete al lector, en la problemática teórica que produce formas subjetivas, en las direcciones en que aquéllos adelantan sus fuerzas —una vez que las han alojado. ... Si a esto agregamos la argumentación de que ciertos tipos de texto (los del "realismo") naturalizan los medios gracias a los cuales se consigue la ubicación, nos hallamos ante una doble percepción que posee una gran fuerza. La promesa particular es la de hacer que estos procesos, que hasta ahora se han sufrido (y gozado) inconscientemente, se abran al análisis explícito.[34]

Aunados a las formas tradicionales de crítica ideológica orientadas a problematizar el contenido de los materiales escolares, los análisis de texto proporcionan igualmente valiosas percepciones en cuanto a la manera en que funcionan, dentro de las escuelas, las subjetividades y las formas culturales. El valor de esta clase de trabajo ha quedado de manifiesto en aquellos análisis en que se argumenta que los principios que se emplean en la construcción de los materiales "ya empacados", que constituyen el plan de estudios, hacen uso de una modalidad de dirigirse a los lectores que "sitúa"

[34] Johnson, "What is cultural studies anyway?" pp. 64-65.

a los maestros en el plano de meros proporcionadores de conocimientos.[35] Esto se contrapone claramente con el concepto de tratar a maestros y estudiantes como agentes críticos que desempeñan un papel activo en el proceso pedagógico. En una iluminadora muestra de este enfoque, Judith Williamson ha efectuado un extenso estudio sobre la forma en que este tipo de crítica se puede aplicar a la publicidad masiva.[36] De manera similar, Ariel Dorfman ha aplicado esta modalidad de análisis a diversos textos de la cultura popular, incluyendo la descripción de personajes tales como el pato Donald y el elefante Babar. En su análisis del *Readers Digest*, Dorfman pone de manifiesto en forma brillante el valor crítico que posee el análisis de textos. En uno de los ejemplos, analiza la forma en que en el *Readers Digest* se emplea un modo de representación que le resta importancia al hecho de examinar los conocimientos dentro del marco de sus vínculos históricos y dialécticos. Escribe lo siguiente:

Al igual que en el caso de los superhéroes, el conocimiento no transforma al lector; por el contrario, cuanto más lee éste el *Digest*, menos necesita cambiar. Aquí es donde regresa toda esa fragmentación para desempeñar el papel que siempre se ha querido que desempeñe. Nunca se supone que existe un conocimiento previo. Mes con mes, el lector se tiene que purificar, debe padecer amnesia, embotellar los conocimientos que ha adquirido y colocarlos en algún anaquel apartado para que no interfiera con el placer inocente de consumir más en la siguiente ocasión. Lo que haya aprendido acerca de los romanos no va a guardar relación alguna con los etruscos. Hawaii nada tiene que ver con la Polinesia. El conocimiento se consume por los efectos calmantes que tiene, para "renovar la información", para el intercambio de trivialidades. Resulta útil sólo hasta el punto en que se pueda digerir anecdóticamente, pero su potencial como pecado original ha sido limpiado, junto con la tentación de generar verdad o movimiento —en otras palabras: cambio.[37]

[35] Michael Apple, *Education and power* (Nueva York: Routledge and Kegan Paul, 1983).

[36] Judith Williamson, *Decoding advertisements* (Nueva York: Marion Boyars, 1978).

[37] Ariel Dorfman, *The Empire's old clothes* (Nueva York; Pantheon Press, 1983).

Lo que se halla inherente en todas estas posturas es un llamamiento a modalidades de crítica que promuevan el diálogo como condición para la acción social: el diálogo, en este caso, informado por cierto número de presunciones tomadas de los trabajos de Bajtin y Freire, así como de la tradición más amplia de la crítica desconstructiva. Entre estas hipótesis figura la de tratar el texto como una construcción social que se produce a partir de un gran número de discursos disponibles; la de localizar las contradicciones y discontinuidades dentro de los textos educacionales y situarlas históricamente conforme a los intereses que defienden y legitiman; la de reconocer en el texto su política interna de estilo y la manera en que ésta abre y restringe las representaciones particulares del mundo social; la de comprender la forma en que el texto trabaja activamente para silenciar ciertas voces, y, finalmente, la de descubrir en qué forma se podrían liberar posibilidades del texto, que proporcionen nuevas percepciones y lecturas críticas concernientes a la comprensión humana y a las prácticas sociales.

También sostengo que, con el fin de desarrollar una pedagogía crítica como forma de política cultural, es esencial que se elabore una modalidad de análisis en la que no se suponga que las experiencias vividas se pueden inferir automáticamente de las determinaciones estructurales. En otras palabras, la complejidad del comportamiento humano no se puede reducir a la mera identificación de los determinantes mediante los cuales se conforma tal conducta y contra los cuales ella misma se constituye, ya se trate de modos de producción económicos o de sistemas de significación textual. La manera en que los individuos y los grupos median y habitan las formas culturales que presentan tales fuerzas estructurales es en sí misma una forma de producción y necesita ser analizada mediante modos de análisis diferentes pero afines. Con objeto de desarrollar esta cuestión, pasaré a exponer brevemente la naturaleza y las implicaciones pedagógicas de lo que yo llamo el discurso de las culturas vividas.

La pedagogía crítica y el discurso de las culturas vividas

En este punto de vista resulta medular la necesidad de desarrollar lo que Alain Touraine ha denominado una teoría de la autoproducción.[38] En el sentido más general, ésta exigiría una comprensión de la manera en que los maestros y los alumnos dan significado a sus vidas por medio de complejas formas históricas, culturales y políticas que ellos a la vez encarnan y producen. Un buen número de las cuestiones que se mencionaron en el capítulo 3 precisan ser desarrolladas dentro de una pedagogía crítica en torno a esta preocupación. En primer lugar, es necesario reconocer las formas subjetivas de la voluntad y la lucha políticas que dan significado a las vidas de los estudiantes. En segundo lugar, como modalidad de crítica, el discurso de las culturas vividas debe cuestionar las maneras en que las personas crean anécdotas, memorias y narraciones que plantean un sentido de determinación y de albedrío. Ésta es la "tela" cultural de la mediación, el material consciente e inconsciente mediante el cual los miembros de los grupos dominantes y subordinados ofrecen recuentos de quiénes son, en los modos en que presentan sus distintas lecturas del mundo. También forma parte de aquellas ideologías y prácticas que nos permiten comprender las ubicaciones sociales, las historias, los intereses subjetivos y los mundos privados que entran en juego en cualquier pedagogía del aula.

Si los educadores tratan las historias, las experiencias y los lenguajes de los diferentes grupos culturales como formas particularizadas de producción, resulta menos difícil comprender las diversas lecturas, mediaciones y comportamientos que, digamos, exhiben los estudiantes en respuesta a los análisis de algún texto particular del aula. De hecho, una política cultural necesita que se desarrolle una pedagogía que ponga atención a las historias, los sueños y las experiencias que tales alumnos llevan a las escuelas. Será únicamente comenzando por estas formas subjetivas que los educadores críticos podrán desarrollar un lenguaje y un conjunto de

---

[38] Alain Touraine, *The self-production of society*, Derek Coltman, trad. (Chicago: University of Chicago Press, 1977).

prácticas que confirmen y encaren la naturaleza contradictoria del capital cultural mediante el cual los estudiantes producen significados que legitiman a formas particulares de vida.

La búsqueda de los elementos de autoproducción no es meramente una técnica pedagógica para confirmar las experiencias de aquellos estudiantes a quienes a menudo silencia o margina la cultura dominante de la enseñanza escolar. También forma parte de un análisis sobre la forma en que el poder, la dependencia y la desigualdad social habilitan y limitan a los estudiantes cuando se trata de cuestiones de clase, de raza y de género. El discurso de las culturas vividas pasa a ser un marco de trabajo interrogativo para los maestros, que arroja luz no sólo sobre la forma en que el poder y los conocimientos se intersectan para invalidar el capital cultural de los alumnos provenientes de grupos subordinados, sino también en cuanto a cómo descubren la forma en que el poder y el conocimiento se pueden traducir en un lenguaje de posibilidad. El discurso de la cultura vivida se puede emplear igualmente para desarrollar una pedagogía crítica de lo popular; una pedagogía que enfrente el conocimiento de la experiencia vivida valiéndose del doble método de la confirmación y el cuestionamiento. El conocimiento del "otro" se encara en este caso, no simplemente para ensalzarlo, sino también para interrogarlo críticamente respecto de la ideología que contiene, los medios de representación que utiliza y las prácticas sociales subyacentes que confirma. Se trata aquí de la necesidad de vincular teóricamente el conocimiento con el poder, a modo de darles a los estudiantes la oportunidad de comprender más críticamente quiénes son como parte de una formación social más amplia, y cómo han quedado ubicados y constituidos dentro del dominio social.

El discurso de las culturas vividas apunta también hacia la necesidad de que los educadores consideren las escuelas como esferas culturales y políticas dedicadas activamente a la producción de voz y a la lucha por alcanzarla. En muchos casos, las escuelas no les permiten a los estudiantes de los grupos subordinados que autentifiquen sus problemas y experiencias vividas, por medio de sus propias voces individuales y colectivas. Tal como ya lo he recalcado, la cultura de la escuela dominante por lo común representa y legitima a las voces privilegiadas de la clase blanca media y alta. Con el fin de que los educadores desmitifiquen a la cultura dominante y la conviertan en un objeto de análisis político, aquéllos tendrán que aprender y dominar el lenguaje de la comprensión crítica. Si quieren comprender y contrarrestar la ideología dominante que impera en las escuelas, deben prestar oídos a aquellas voces que surgen de tres esferas y escenarios ideológicos distintos: la voz de la escuela, la voz del estudiante y la voz del maestro. Los intereses que cada una de estas voces representa se tienen que analizar, no tanto como opositivos en el sentido de que se deban contrarrestar y dañar mutuamente, sino como un rejuego de las prácticas dominantes y subordinadas que se dan forma entre sí mediante una lucha perpetua en torno al poder, el significado y la autoría. Esto, a su vez, presupone la necesidad de analizar las escuelas conforme a su especificidad histórica y relacional, y apunta hacia la posibilidad de intervenir en los resultados escolares y darles forma. Con el fin de comprender los múltiples y variados significados que constituyen la voz estudiantil, los educadores necesitan afirmar y encarar críticamente los lenguajes polifónicos que sus alumnos llevan a las escuelas. Es preciso que los educadores aprendan "las prácticas de recolección y de comunicación que se hallan asociadas con usos particulares de las formas tanto escritas como habladas, entre grupos sociales específicos".[39] Por otro lado, cualquier comprensión adecuada de este lenguaje tiene que abarcar las relaciones sociales y comunitarias que le dan significado y dignidad.

Aprender el discurso de la voz de la escuela significa que los educadores necesitan analizar críticamente las directivas, los imperativos y las reglas que dan forma a configuraciones particulares de tiempo, espacio y planes de estudios dentro de los escenarios institucionales y políticos de las escuelas. La categoría de la voz escolar, por ejemplo, apunta hacia un conjunto de prácticas e ideologías que estructuran

---

[39] Michelle Sola y Adrian Bennett, "The struggle for voice; narrative, literacy, and consciousness in an East Harlem school", *Boston University Journal of Education*, 167:1 (1985), p. 89.

la manera en que se ordenan los salones de clases, el contenido que se enseña y cuáles son las prácticas sociales generales a las que se deben apegar los maestros. Además, es mediante el rejuego de la cultura dominante de la escuela y de las representaciones y estratos polifónicos de significado de las voces estudiantiles como la ideología dominante y la subordinada se definen y se restringen mutuamente.

La voz del maestro refleja los valores, las ideologías y los principios estructuradores que dan significado a las historias, la cultura y las subjetividades que definen las actividades cotidianas de los educadores. Es la voz del sentido común y crítico, la que emplean los maestros para mediar entre los discursos de producción, los textos y las culturas vividas, según se expresan dentro de las relaciones asimétricas de poder que caracterizan a esferas potencialmente "contrapúblicas" tales como las escuelas. De hecho, es la propia naturaleza del proceso de la enseñanza escolar la que se ve apoyada o desafiada a través de la mediación y la acción de la voz del maestro; es decir, la voz del maestro, para conformar la enseñanza escolar de acuerdo a la lógica de los intereses emancipatorios, se halla inextricablemente relacionada con un alto grado de autocomprensión en cuanto a sus propios valores e intereses. La voz del maestro se desenvuelve dentro de una contradicción que apunta a su importancia pedagógica, tanto para marginar como para otorgar facultades críticas a los estudiantes. Por otro lado, la voz del maestro representa una base de autoridad que puede proporcionar conocimientos y formas de autocomprensión que les permitan a los alumnos desarrollar la facultad de la conciencia crítica. Al mismo tiempo, e independientemente de lo correcto que política o ideológicamente pueda estar un maestro, su "voz" quizás sea destructiva para los estudiantes, si se les impone a éstos o si se emplea para silenciarlos.

Kathleen Weiler, en su brillante etnografía de un grupo de maestras y administradoras escolares feministas, ilustra esta cuestión.[40] Nos narra el caso de una maestra radical que estaba leyendo en clase un pasaje de *The Autobiography of*

[40] Kathleen Weiler, *Women teaching for change: gender, class and power* (South Hadley: Bergin and Garvey, 1987).

Malcolm X en el que se describía la forma en que al joven Malcolm uno de sus maestros de la escuela pública le había dicho que lo más a que podía aspirar en la vida era a conseguir un trabajo manual. Al leer esta anécdota, el objetivo de la maestra era el de ilustrar una teoría de socialización que forma parte de la disciplina de la sociología. John, un estudiante negro de la clase, tomó el pasaje como un ejemplo de racismo flagrante, de un racismo que él entendía plenamente porque formaba parte de sus propias experiencias. No estaba interesado en ver la cuestión más abstracta de la socialización. Para él, se trataba de mencionar una experiencia racista y de condenarla de inmediato. Molly, la maestra, consideró que las preguntas de John iban a desorganizar el diálogo y optó por ignorarlo. La reacción de John fue la de ausentarse de la clase al día siguiente. Defendiendo su propia postura, Molly opinaba que los alumnos debían aprender la manera en que funcionaba el proceso de socialización, en especial si se quiere que comprendan el modo en que se forman sus propias subjetividades. Pero al tratar de dar esta enseñanza, no supo comprender que los alumnos son sujetos pertenecientes a múltiples estratos, que poseen voces diversas y contradictorias y que, como tales, con frecuencia dan distintas interpretaciones al material que se presenta en clase, independientemente de lo importante que este material pueda ser políticamente. En este caso, la cultura de la voz de la maestra, que es blanca y de clase media, entra en conflicto con la de la voz del alumno, que es negro y pertenece a la clase trabajadora. En vez de mediar este conflicto de manera pedagógicamente progresista, la maestra permitió que su voz y autoridad silenciaran la cólera, la preocupación y los intereses del alumno, en vez de darles expresión.

Quiero igualmente agregar que la categoría de la voz del maestro señala la necesidad de que los educadores se unan en una voz colectiva, como parte de un movimiento social más amplio dedicado a restructurar las condiciones ideológicas y materiales que imperan tanto dentro como fuera de la escuela. El concepto de voz, en este caso, apunta hacia una tradición compartida, así como hacia una forma particular de discurso. Es una tradición que se tiene que organizar en torno a las cuestiones de solidaridad, lucha y adquisición de facultades críticas, con objeto de proporcionar las condiciones mediante las cuales alcancen su máxima expresión emancipatoria las particularidades de la voz docente y la estudiantil. Así, a la categoría de la voz del maestro se la debe entender e interrogar críticamente, conforme a su proyecto político colectivo, así como con respecto a las formas en que funciona para mediar las voces estudiantiles y la vida diaria de la escuela.

De manera general, el discurso de la comprensión crítica no sólo representa el reconocimiento de los procesos políticos y pedagógicos que intervienen en la construcción de formas de autoría y de voz dentro de las distintas esferas institucionales y sociales, sino que también constituye un ataque crítico contra el ordenamiento vertical de la realidad, que se halla inherente en las prácticas injustas que afectan activamente a la sociedad en general. Para corregir algunos de los problemas que he esbozado en las páginas precedentes, creo que las escuelas necesitan volverse a concebir y reconstituir como esferas públicas democráticas, donde los alumnos aprendan las habilidades y los conocimientos que hacen falta para vivir en una sociedad democrática viable y luchar por ella. Dentro de esta perspectiva, las escuelas deberán caracterizarse por una pedagogía que demuestre que está comprometida a encarar los puntos de vista y los problemas que preocupan hondamente a los estudiantes en su vida cotidiana. Es igualmente importante la necesidad de que las escuelas cultiven un espíritu de crítica y de respeto por la dignidad humana, que sea capaz de vincular las cuestiones personales con las sociales en torno al proyecto pedagógico de ayudar a los estudiantes a convertirse en ciudadanos críticos y activos.

A modo de conclusión, cada uno de los tres discursos principales que se introdujeron en este capítulo representa un punto de vista distinto de la producción cultural, del análisis pedagógico y de la acción política. Y aun cuando cada uno de estos discursos radicales implica cierto grado de autonomía, tanto en forma como en contenido, es importante que se desarrolle una pedagogía crítica alrededor de las conexiones internas que comparten dentro del contexto de una política cultural. Ya que será dentro de estas interconexiones como se pueda desarrollar una teoría crítica, tanto de estructura como de albedrío, que engendre un lenguaje educacional crítico y opositivo, capaz de plantear nuevas preguntas, de establecer nuevos compromisos y posibilidades que les permitan a los educadores trabajar y organizarse para que las escuelas se desarrollen como esferas públicas democráticas.

En el siguiente capítulo avanzo otro trecho en las implicaciones de la enseñanza escolar como forma de política cultural, centrándome en las cuestiones más específicas —y relacionadas entre sí— del nivel de conocimientos, la voz y la pedagogía crítica. Para ello, tengo que repetir algunas de las hipótesis que subyacen a la teoría de la voz que presenté en este capítulo, pero esto se hace únicamente en el grado en que se establece el contexto para aclarar y extender los aspectos específicos de una teoría del conocimiento crítico y para seguir desarrollando los elementos que intervienen en una teoría de la pedagogía crítica.

5

ALFABETIZACIÓN, PEDAGOGÍA CRÍTICA Y ADQUISICIÓN DE FACULTADES CRÍTICAS

RECONSTRUCCIÓN DE UNA TRADICIÓN RADICAL EN CUANTO A LA ALFABETIZACIÓN

Cada vez que de una u otra forma sale a relucir la cuestión del lenguaje, ello significa que está a punto de surgir otra serie de problemas: la formación y ampliación de la clase gobernante, la necesidad de establecer relaciones más "íntimas" y seguras entre los grupos de poder y las masas populares nacionales, es decir, la reorganización de la hegemonía cultural.[1]

Estas observaciones, efectuadas en la primera mitad del siglo XX por el teórico social italiano Antonio Gramsci, parecen chocar extrañamente con el lenguaje y las aspiraciones que rodean al actual debate conservador y liberal sobre la enseñanza escolar y el "problema" de la alfabetización. De hecho, las observaciones de Gramsci dan la impresión de que se politiza la noción de alfabetización, a la vez que se le confiere un significado ideológico que sugiere que quizás tenga menos que ver con la tarea de enseñar a las personas a leer y escribir que con producir y legitimar relaciones sociales opresivas y de explotación. Gramsci consideraba la alfabetización como un concepto, al igual que una práctica social, que se debía vincular históricamente con configuraciones de conocimiento y de poder, por un lado, y con la lucha política y cultural respecto del lenguaje y la experien-

---

[1] Antonio Gramsci, citado en James Donald, "Language, literacy, and schooling", *The State and popular culture* (Milton Keynes: Open University Press, U203 Popular Culture Unit, 1982), p. 44. Para observaciones de Gramsci sobre el lenguaje, véanse las que figuran esporádicamente en Antonio Gramsci, *Cuadernos de la cárcel*, Ana María Palos, trad. (México: Era, 1981-1986).

cia, por el otro. Para Gramsci, la capacidad de leer y escribir
era una espada de doble filo; aun cuando por lo común
representaba un significante monopolizado por las clases
gobernantes para la perpetuación de relaciones de represión
y dominación, también se podía esgrimir con el propósito de
la adquisición de facultades críticas, individual y socialmente. Gramsci opinaba que, como terreno de lucha, los conocimientos críticos debían conquistarse como una construcción ideológica y como un movimiento social. Como
ideología, los conocimientos debían considerarse como una
construcción social que siempre interviene en la organización del punto de vista personal del pasado, el presente y el
futuro; además, era preciso arraigar el concepto de conocimiento en un proyecto ético y político que dignificara y
extendiera las posibilidades de la vida y la libertad humanas. En otras palabras, la adquisición de conocimientos, como construcción radical, debía enraizarse en un espíritu de
crítica y un proyecto de posibilidad que les permitiera a las
personas participar en la comprensión y la transformación
de su sociedad. Tanto entendida como el dominio de destrezas específicas cuanto como de formas particulares de conocimiento, la alfabetización tenía que convertirse en una precondición para la emancipación social y cultural.

Como movimiento social, la alfabetización se hallaba vinculada con las condiciones materiales y políticas necesarias
para desarrollar y organizar a los maestros, los trabajadores
de la comunidad y a otras personas tanto de dentro como de
fuera de las escuelas. Formaba parte de una lucha de mayor
envergadura en torno a los órdenes de conocimiento, de
valores y de prácticas sociales que necesariamente debían
prevalecer si se quería que tuviera éxito la pugna por establecer instituciones democráticas y una sociedad democrática.
Para Gramsci, la alfabetización se convertía tanto en un
referente como en un modo crítico de desarrollar formas de
educación contrahegemónicas. Estaba implícito en este punto de vista el concepto radical de que se podían desarrollar
formas de pedagogía crítica en torno al proyecto político de
crear una sociedad de intelectuales (en el más amplio sentido de la palabra) que pudieran entender la importancia del
desarrollo de esferas públicas democráticas como parte de la

contienda de la vida moderna para combatir contra la dominación, así como para participar activamente en la lucha por crear las condiciones necesarias para que la gente adquiriese conocimientos, para darles una voz tanto en la conformación de su sociedad como en su gobierno.

Con excepción de las humildes comunidades en las que ha trabajado Freire en Brasil y en toda América Latina, resulta difícil, en la actual coyuntura histórica, identificar cualesquiera posturas teóricas o movimientos sociales prominentes que afirmen y extiendan la tradición de una alfabetización crítica que se haya desarrollado a la manera de teóricos tales como Gramsci, Mijail Bajtin y otros.[2] En Estados Unidos existió una teoría de la alfabetización radical entre los inmigrantes de la década de los veinte, así como durante el movimiento de derechos civiles de los años sesenta, pero en la actualidad ese lenguaje se halla vinculado casi exclusivamente con formas populares del discurso liberal y de ala derecha. Estos enfoques reducen la alfabetización, ya a una perspectiva funcional asociada a intereses económicos estrechamente concebidos, o ya a una lógica ideada para iniciar a los pobres, los desposeídos y las minorías en la ideología de una tradición cultural dominante y unitaria. En primera instancia, la crisis de la alfabetización se basa en la necesidad de adiestrar más trabajadores para ocupaciones que exigen habilidades de lectura y escritura "funcionales". Los intereses políticos conservadores que estructuran esta postura son evidentes en la influencia que ejercen las empresas y otros grupos sobre las escuelas en cuanto a desarrollar planes de estudios que se hallen en una consonancia más cercana con el mercado de trabajo; estos planes de estudios adoptarán una orientación decididamente más vocacional y, al hacerlo,

[2] Véanse, por ejemplo, Paulo Freire, *Pedagogía del oprimido* (México: Siglo XXI, 1970); Paulo Freire, *La educación como práctica de la libertad* (México: Siglo XXI, 1969); Paulo Freire, *La importancia de leer y el proceso de liberación* (México: Siglo XXI, 1984). Mijail Bajtin, *The dialogic imagination*, Caryl Emerson y Michael Holquist, trads. (Austin: University of Texas Press, 1981); V.N. Volosinov [M.M. Bajtin] *Marxism and the philosophy of language*, Ladislav Mateyka e I.R. Titunik, trads. (Nueva York: Seminar Press, 1973); V.N.Volosinov [M.M. Bajtin], *Freudianism: a Marxist critique*, I.R. Titunik, trad. y comp. en colaboración con Neal H. Bruss (Nueva York: Academic Press, 1976).

reducirán la necesidad de que las empresas provean adiestramiento en el lugar de trabajo.[3] En segunda instancia, la
adquisición de conocimientos mínimos se convierte en el
vehículo ideológico por medio del cual se legitima a la escuela como el sitio donde se desarrolla el carácter; en este caso,
los conocimientos se asocian con la trasmisión y dominio de
una tradición occidental unitaria que se basa en las virtudes
del trabajo arduo, la industriosidad, el respeto a la familia, la
autoridad institucional y un respeto incuestionable por
la nación. En pocas palabras, la adquisición de conocimientos pasa a ser una pedagogía de chovinismo ornamentada
con el lenguaje de los "grandes libros".

Dentro de este discurso dominante, el *analfabetismo* no es
meramente la incapacidad de leer y escribir, sino también
un marcador cultural para especificar formas de diferencia
dentro de la lógica de la teoría de la privación cultural. Lo
importante aquí es que el concepto de privación cultural
sirve para designar, en el sentido negativo, a formas de
moneda cultural que se alzan inquietantemente extrañas y
amenazadoras cuando se las mide comparándolas con la
norma ideológica de la cultura dominante respecto de lo que
se debe valorizar como historia, habilidad lingüística, experiencia vivida y normas de vida comunitaria.[4] Bajo este

[3] Para una declaración donde de manera clásica se aboga por esta postura,
véase Research and Policy Committee of the Committee for Economic Development, *Investing in our children: business and the public schools* (Nueva York:
Committee for Economic Development, 1985). Se puede encontrar una crítica de
esta postura en Stanley Aronowitz y Henry A. Giroux, *Education under siege: the
conservative, liberal, and radical debate over schooling* (South Hadley: Bergin and
Garvey, 1985).

[4] Esto resulta particularmente obvio no sólo en el discurso de los teóricos de
la privación cultural de la nueva derecha tales como Nathan Glazer, sino también
en la defensa de la política federal sobre educación que hace el gobierno de
Reagan. Por ejemplo, el secretario de Educación William Bennett, opositor
abierto del bilingüismo, defiende una postura que no es tanto un ataque contra
la política de las minorías lingüísticas *per se*, como en contra del papel que
pudiera desempeñar la educación en cuanto a facultar críticamente a las
minorías dignificando su cultura y su experiencia. Para un interesante análisis
popular sobre esta cuestión, véase James Crawford, "Bilingual educators discuss
politics of education", *Education Week* (19 de noviembre de 1986), pp. 15-16. Para
un tratamiento más teórico, véase James Cummins, "Empowering minority
students: a framework for intervention", *Harvard Educational Review* 56:1
(febrero de 1986), pp. 18-36.

punto de vista, la importancia de desarrollar una política de la diferencia rara vez constituye una virtud y un atributo positivos de la vida pública; de hecho, la diferencia a menudo queda establecida como deficiencia, y forma parte de la misma lógica que define al *otro* dentro del discurso de la privación cultural. Ambas tendencias ideológicas despojan a la alfabetización de las obligaciones éticas y políticas de la razón especulativa y la democracia radical, y la subyugan a los imperativos políticos y pedagógicos de la conformidad y la dominación sociales. En ambos casos, la capacidad de leer y escribir representa una retirada con respecto al pensamiento crítico y la política emancipatoria. Stanley Aronowitz ha captado cuáles son los intereses que intervienen en la conformación del discurso actual sobre la alfabetización, así como los problemas que ésta reproduce. Escribe lo siguiente:

Cuando Estados Unidos se halla en problemas recurre a las escuelas. ... Los patrones quieren un sistema educativo que esté en estrecha concordancia con el mercado de trabajo, un sistema que ajuste su plan de estudios a las necesidades cambiantes de aquéllos y que les ahorre dinero en adiestramiento. Los humanistas insisten en la sagrada obligación que tienen las escuelas de reproducir "la civilización tal como la conocemos" —los valores occidentales, la cultura literaria y el escepticismo del genio científico. :.. En estos momentos, los neoconservadores se han apropiado del concepto de excelencia y lo han definido como las habilidades básicas, el adiestramiento técnico y la disciplina del salón de clases. Las escuelas miman a las empresas y están remplazando cualquier noción sensata de alfabetización por algo denominado "alfabetismo de computadora". En los programas que existen de alfabetización para adultos, los materiales y métodos que se emplean reflejan un enfoque de "fin de la ideología" que no logra inspirar a los estudiantes y —junto con las tensiones de la vida diaria— por lo común trae como consecuencia tasas masivas de deserción que vienen a "demostrar" una vez más que la mayoría de los analfabetos no quieren aprender, ni siquiera cuando se les "arroja" dinero del gobierno. ... Son pocos los que tienen la preparación para hablar el lenguaje tradicional del humanismo educacional o para combatir la idea de que la base para un alfabetismo crítico es una educación general. Desde el derrumbamiento de los movimientos de los sesenta, los progresistas les han venido diciendo "yo también" a los conservadores, en tanto que los radicales, con pocas excepciones, permanecen callados.[5]

Aun cuando conservadores y liberales han considerado que la alfabetización es uno de los principales terrenos de lucha, los teóricos educacionales críticos han abrazado este concepto sólo marginalmente.[6] Cuando se ha incorporado la alfabetización como aspecto esencial de una pedagogía radical, ello se ha hecho mediante una teoría gravemente deficiente, y, por más que se muestren las mejores intenciones, sus aplicaciones pedagógicas son con frecuencia condescendientes y teóricamente engañosas. La alfabetización, en este caso, tiene por meta proporcionarles a los niños de la clase trabajadora, y a los pertenecientes a minorías, las habilidades de lectura y escritura necesarias para la supervivencia económica y social, así como para la afirmación y el crecimiento personales. En esta perspectiva, lo más frecuente es que la alfabetización se asocie con una teoría deficitaria

---

[5] Stanley Aronowitz, "Why should Johnny read?" *The Village Voice Literary Supplement* (mayo de 1985), p. 13.

[6] Para una excepción en cuanto a esta cuestión, véanse los diversos artículos sobre la política de alfabetización, compilados por Donald Lazere en *Humanities in Society*, 4:4 (otoño de 1981). Véase también: Richard Ohmann, *English in America* (Cambridge: Oxford University Press, 1976); Richard Ohmann, "Literacy, technology and monopoly capital", *College English*, 47: (1985), pp. 675-684; Valerie Miller, *Between struggle and hope: the Nicaraguan literacy crusade* (Boulder: Westview Press, 1985); Stanley Aronowitz, "Why should Johnny read?"; Donald, "Language, literature, and schooling". Para un repaso de la literatura conservadora, liberal y radical sobre la alfabetización, véase Henry A. Giroux, *Teoría y resistencia en educación* (México: Siglo XXI, 1992); Linda Brodkey, "Tropics of literacy", *Boston University Journal of Education*, 168:2 (1986), pp. 47-54; Rita Roth, "Schooling, literacy acquisition and cultural transmission", *Boston University Journal of Education*, 166:3 (1984), pp. 291-308; Ira Shor, *Culture wars* (Nueva York: Routledge and Kegan Paul, 1986). Para una excelente demostración de la relación que existe entre una teoría radical de la alfabetización y la práctica en el aula, véase Alex McLeod, "Critical literacy: taking control of our own lives", *Language Arts*, 63:1 (enero de 1986), pp. 37-50; Shirley Heath, *Way with words* (Nueva York: McGraw-Hill, 1983). Para un excelente repaso de la literatura sobre alfabetización e instrucción en la lectura, véase Patrick Shannon, "Reading instruction and social class", *Language Arts*, 62:6 (octubre de 1985), pp. 604-611; para una crítica importante del enfoque dominante hacia la lectura y la alfabetización basadas en el empleo de los "primeros libros de lectura", véase Kenneth Goodman, "Basal readers: a call for action", *Language Arts*, 63:4 (abril de 1986), pp. 358-363. Para un análisis de la crisis de alfabetismo que se presencia en Estados Unidos, véase Jonothan Kozol, *Illiterate America* (Nueva York: New American Library, 1986).

del aprendizaje. La acusación es en el sentido de que las escuelas distribuyen de manera no uniforme habilidades y formas de conocimiento particulares, a manera de beneficiar a la clase media, a expensas de los estudiantes minoritarios y de la clase trabajadora. Lo que aquí está sobre el tapete es un punto de vista de la alfabetización impregnado del concepto de equidad. La alfabetización se convierte en una forma privilegiada de capital cultural, y los grupos subordinados, afirmamos, merecen su parte proporcional de tal moneda cultural. Las pedagogías que con frecuencia acompañan a este punto de vista de la alfabetización hacen hincapié en la necesidad de que los niños de la clase trabajadora aprendan las habilidades de lectura y escritura que requerirán con el fin de tener éxito en las escuelas; además, sus propias culturas y experiencias a menudo se consideran como puntos fuertes, que no déficit, susceptibles de emplearse para el desarrollo de una pedagogía crítica de la alfabetización. Infortunadamente, las pedagogías que se desarrollan conforme a esta hipótesis por lo general ofrecen un enfoque a modo de catálogo de las maneras en que se puede emplear la cultura de la clase trabajadora para elaborar formas de instrucción que posean sentido.

Esta manera particular de abordar la alfabetización radical presenta deficiencias teóricas, por un buen número de razones. En primer lugar, no sabe ver la cultura de la clase trabajadora como un terreno de pugna y contradicción. En segundo, sugiere que aquellos educadores que trabajen con grupos subordinados sólo necesitan familiarizarse con las historias y experiencias de *sus* alumnos. No hay aquí ninguna indicación en el sentido de que la cultura que tales alumnos llevan a la escuela necesite a gritos un análisis y cuestionamiento críticos. En tercer lugar, este enfoque no logra centrarse en las implicaciones más generales de la relación entre conocimiento y poder. No entiende que la alfabetización no sólo está relacionada con los pobres o con la incapacidad de los grupos subordinados en cuanto a leer y escribir adecuadamente; también se halla fundamentalmente relacionada con formas de ignorancia política e ideológica que funcionan como rechazo al conocimiento de los límites y las consecuencias políticas del punto de vista que se tenga del mundo. Vista de esta forma, la alfabetización como proceso resta facultades y es opresiva. Lo que es importante que reconozcamos aquí es la necesidad de reconstituir un punto de vista radical de la alfabetización que gire en torno a la importancia de mencionar y transformar aquellas condiciones ideológicas y sociales que socavan la posibilidad de que surjan formas de vida comunitaria y pública organizadas alrededor de los imperativos de una democracia crítica. Éste no es meramente un problema que se halle relacionado con los pobres o los grupos minoritarios; es igualmente un problema para aquellos miembros de la clase media y alta que se han retirado de la vida pública y han entrado a un mundo de privatización, pesimismo y codicia. Además, para que un punto de vista del analfabetismo se pudiera considerar radicalmente reconstituido, sería preciso que hiciera algo más que arrojar luz sobre los alcances y la naturaleza del analfabetismo; sería igualmente esencial desarrollar un discurso programático del alfabetismo como parte de un proyecto político y una práctica pedagógica que proporcionara un lenguaje de esperanza y transformación para quienes en la actualidad están luchando por un futuro mejor.[7]

En mi opinión, la cuestión del desarrollo de una teoría emancipatoria del alfabetismo, junto con la correspondiente pedagogía transformadora, ha adquirido una nueva dimensión y le ha agregado importancia a la era actual de la guerra fría. El desarrollo de una política cultural de alfabetismo y pedagogía se convierte en un importante punto de partida para permitir a quienes han sido marginados o silenciados por las escuelas, los medios de información masivos, la industria cultural y la cultura del video, que reclamen la autoría de sus propias vidas. Una teoría emancipatoria del alfabetismo apunta hacia la necesidad de desarrollar un discurso alternativo y una lectura crítica de la forma en que la ideología, la cultura y el poder funcionan dentro de las sociedades del capitalismo tardío, a manera de limitar, desorganizar y marginar las experiencias cotidianas más

---

[7] Para un análisis teórico de la relación que existe entre el trabajo de Freire y el discurso de la esperanza y la transformación, véase Peter McLaren, "Postmodernity and the death of politics: a Brazilian reprieve", *Educational Theory*, 36:4 (1986), pp. 389-401.

críticas y radicales, así como las percepciones más sensatas de los individuos. De lo que aquí se trata es de reconocer que es preciso aferrarse a las conquistas políticas y morales que han logrado los maestros y otras personas, y luchar por ellas con un nuevo rigor intelectual y político. Para que esto ocurra, los educadores críticos y los trabajadores de todos planos de la sociedad necesitan otorgarle la más alta prioridad a la cuestión del alfabetismo político y cultural. Expresado de otro modo, para que surja un movimiento en favor del alfabetismo radical, los educadores y otras personas deben pugnar por encontrar las maneras de lograr que lo pedagógico se vuelva más político, y lo político más pedagógico. En otras palabras, existe la necesidad apremiante de desarrollar prácticas pedagógicas, en el primer caso, que unan a maestros, padres y alumnos en torno a visiones más emancipatorias de la comunidad. Por otro lado, debemos reconocer que todos los aspectos de la política, fuera de las escuelas, también representan un tipo particular de pedagogía; el conocimiento siempre se halla vinculado con el poder; las prácticas sociales son siempre la encarnación de relaciones concretas entre diversos seres humanos y tradiciones; y toda interacción contiene visiones implícitas en cuanto al papel que desempeña el ciudadano y el propósito que tiene la comunidad.

La alfabetización, conforme a este punto de vista más amplio, puede servir para facultar a las personas mediante una combinación de habilidades pedagógicas y análisis crítico, y funcionar igualmente como un vehículo para examinar la forma en que se constituyen las definiciones culturales de género, raza, clase y subjetividad como construcciones históricas, a la vez que sociales. Además, la alfabetización se convierte, en este caso, en el mecanismo central pedagógico y político gracias al cual se pueden establecer las condiciones ideológicas y las prácticas sociales que son necesarias para desarrollar movimientos sociales que reconozcan los imperativos de una democracia radical y luchen por lograrla.

EL MODELO FREIRIANO DE LA ALFABETIZACIÓN EMANCIPATORIA

Las consideraciones que acabamos de hacer han constituido el trasfondo respecto del cual el trabajo anterior de Paulo Freire sobre la alfabetización y la pedagogía ha adquirido una importancia teórica y política de dimensiones cada vez más notable. Paulo Freire nos ha proporcionado uno de los pocos modelos prácticos sobre los cuales es posible desarrollar una filosofía radical de la alfabetización y la pedagogía. Durante los últimos veinte años se ha preocupado por la cuestión de la alfabetización como proyecto político emancipatorio, y ha combinado el contenido emancipador de sus ideas con una pedagogía concreta y práctica. Su trabajo ha ejercido una función importante en el desarrollo de programas de alfabetización, no sólo en Brasil y el resto de Latinoamérica, sino también en África y en programas aislados que se han llevado a cabo en Europa, Norteamérica y Australia. Es medular, en el enfoque que da Freire a la alfabetización, una relación dialéctica entre los seres humanos y el mundo, por un lado, y el lenguaje y la agencia transformadora, por el otro. Dentro de esta perspectiva, la alfabetización no se aborda primordialmente, como se hace en el modelo predominante, a guisa de una habilidad técnica que se deba adquirir, sino como un fundamento necesario para la acción cultural de la libertad, como aspecto central de lo que significa el hecho de ser un agente constituido por sí y socialmente. A diferencia de las maneras comunes de abordar la alfabetización, que con frecuencia hacen hincapié en aprender la forma de ir siguiendo las palabras que contiene la página y en entender sólo superficialmente lo que allí está escrito, Freire les enseña a las personas a leer de modo que puedan descodificar y desmitologizar tanto sus propias tradiciones culturales como las de esa estructura, y legitimar el orden social en general. Lo más dramático de todo es que para Freire la alfabetización es inherentemente un proyecto político mediante el cual los hombres y las mujeres afirman su derecho y la responsabilidad que tienen, no sólo en cuanto a leer, comprender y transformar sus propias experiencias, sino también en cuanto a reconstituir la relación que guardan con respecto a la sociedad como un todo. En este sentido, la alfabetización es fundamental para estructurar agresivamente la voz propia como parte de un proyecto más amplio de posibilidad y de adquisición de facultades críticas. Por otro lado, la cuestión de la alfabetización y el poder no comienza ni termina con el proceso de aprender a leer y escribir críticamente, sino que empieza con el hecho de la existencia de la persona como parte de una práctica históricamente construida dentro de relaciones específicas de poder. Es decir, los seres humanos (como los maestros, *al igual que* los alumnos) que se hallan dentro de formaciones sociales y culturales particulares, pasan a ser el punto de partida para el análisis de la forma en que construyen activamente sus propias experiencias dentro de las relaciones de poder existentes. La construcción social de tales experiencias les ofrece la oportunidad de dar significado y expresión a sus propias necesidades y voces, como parte de un proyecto de adquisición por sí y socialmente de facultades críticas. Así, para Freire la alfabetización es el proceso mediante el cual la persona se convierte en autocrítica respecto de la naturaleza históricamente construida de la experiencia propia. El hecho de poder mencionar la experiencia propia significa "leer" el mundo y comenzar a comprender la naturaleza política de los límites *y* las posibilidades que conforman a la sociedad en general.[8]

Tal como lo mencioné en el capítulo anterior, para Freire lenguaje y poder se hallan inextricablemente entrelazados y son aspectos que proporcionan una dimensión fundamental del albedrío humano y la transformación social. Según Freire, el lenguaje, tal como haya quedado estructurado por la especificidad de la formación histórica y cultural de cada persona, desempeña un papel activo en la construcción de la experiencia, así como en la organización y la legitimación de las prácticas sociales a que tienen acceso los diversos grupos

[8] El libro más reciente sobre la teoría de alfabetización de Freire es el de Paulo Freire y Donaldo Macedo, *Literacy: reading the world and the word* (South Hadley: Bergin and Garvey, 1987); para un punto de vista reciente sobre la teoría de alfabetización y política de Freire, véase David Dillon, "Reading the world and reading the word: an interview with Paulo Freire", *Language Arts*, 62:1 (enero de 1985), pp. 15-21.

de la sociedad. El lenguaje es el "verdadero material" de que está hecha la cultura y constituye tanto un terreno de dominación como un campo de posibilidad. Para expresarlo como lo hacía Gramsci, el lenguaje es hegemónico y contrahegemónico a la vez, y constituye un medio tanto para silenciar las voces de los oprimidos como para legitimar las relaciones sociales opresivas.[9] Al universalizar ideologías particulares, trata de subordinar el mundo del albedrío y la pugna humanos, en interés de los grupos dominantes. Pero al mismo tiempo, al lenguaje se lo considera también el terreno sobre el cual se da significado a los deseos, aspiraciones, sueños y esperanzas radicales, por medio de una fusión del discurso de la crítica y la posibilidad.

En el sentido más inmediato, la naturaleza política de la alfabetización es tema fundamental en los primeros escritos de Freire. Esto queda claro en sus retratos gráficos de los movimientos orientados a proporcionarles a las personas del tercer mundo las condiciones para la crítica y la acción social, ya sea para derrocar dictaduras fascistas, o para aprovecharlos en situaciones posrevolucionarias en las que la gente se dedica al proceso de la reconstrucción social. En cada caso, la alfabetización se convierte en etiqueta distintiva de la liberación y la transformación orientadas a sacudirse la voz colonial y a desarrollar más la voz colectiva de sufrimiento y afirmación silenciada bajo el terror y la brutalidad de regímenes despóticos.

En las páginas que siguen situaré el trabajo de Freire sobre la alfabetización dentro de un marco teórico que nos permita comprender más a fondo el significado y la relación dialéctica que guarda con la realidad contradictoria de la enseñanza y la pedagogía. De manera más específica, analizaré la importancia que tiene el hecho de extender la alfabetización como construcción histórica y social para encarar el discurso de la dominación y para definir la pedagogía crítica como una forma de política cultural. Después de ello, sugiero algunas de las implicaciones que tiene el punto de vista de Freire sobre la alfabetización, en el desarrollo de una pedagogía radical de voz y experiencia.

---

[9] Antonio Gramsci, *Cuadernos de la cárcel.*

LA ALFABETIZACIÓN CRÍTICA COMO PRECONDICIÓN PARA LA ADQUISICIÓN POR SÍ Y SOCIALMENTE DE FACULTADES CRÍTICAS

En el más amplio sentido político, la alfabetización es una miriada de formas discursivas y competencias culturales que construyen las diversas relaciones y experiencias que existen entre los que aprenden y el mundo, y da acceso a éstas. En un sentido más específico, la alfabetización crítica es a la vez una narrativa para el albedrío y un referente para la crítica. Como narrativa para el albedrío, la alfabetización pasa a ser sinónima de un intento por rescatar la historia, la experiencia y la visión, con respecto al discurso convencional y las relaciones sociales dominantes. Significa el desarrollo de condiciones teóricas y prácticas por medio de las cuales los seres humanos se puedan ubicar dentro de sus propias historias y, al lograrlo, se hagan presentes como factores de la lucha por extender las posibilidades de la vida y la libertad humanas. La alfabetización, vista de este modo, no es el equivalente de la emancipación; de manera más limitada, pero esencial, es la precondición para encarar luchas en torno a relaciones de significado y a relaciones de poder. Saber leer y escribir *no* es ser libre; es estar presente y activo en la pugna por reclamar la voz, la historia y el futuro de uno mismo. De la misma manera que el *analfabetismo* no explica las causas del desempleo masivo, de la burocracia o del creciente racismo en las principales ciudades estadunidenses, de Sudáfrica y de otras partes, la alfabetización no pone de manifiesto automáticamente, ni garantiza, la libertad social, política y económica.[10] Como narrativa del albedrío y como referente para la crítica, la alfabetización proporciona una precondición esencial para la organización y comprensión de la naturaleza socialmente construida de la

[10] Para una notable exposición sobre alfabetización e ideología, véase Linda Brodkey, *Writing on parole: essays and studies on academic discourse* (Filadelfia: Temple University Press, 1987); Kathleen Rockhill, "Gender, language, and the politics of literacy", *British Journal of Sociology of Education*, 8:2 (1987), pp. 153-167; Kathleen Rockhill, "Literacy as threat/desire: longing to be SOMEBODY", Ontario Institute for Studies in education, 1987, manuscrito inédito, 33 pp.

subjetividad y la experiencia, así como para evaluar la forma en que se pueden forjar colectivamente los conocimientos, el poder y la práctica social para ponerlos al servicio de una toma de decisiones que contribuya a la creación de una sociedad democrática, en vez de que meramente se subyugue a los deseos de los ricos y los poderosos.[11]

Si se quiere que una teoría de la alfabetización abarque el albedrío humano y la crítica como parte de la narrativa de liberación, debe rechazar la práctica pedagógica reduccionista de limitar la crítica a los análisis de productos culturales tales como textos, libros, películas y otros.[12] Las teorías de alfabetización más estrechamente definidas que se hallan vinculadas con esta forma de crítica ideológica oscurecen la naturaleza *relacional* del modo en que se produce el conocimiento, es decir, la intersección de subjetividades, objetos y prácticas sociales, dentro de relaciones específicas de poder. La práctica pedagógica, dentro de esta versión más limitada de la alfabetización crítica, se halla vinculada con un concepto de crítica que existe a expensas del desarrollo de una teoría adecuada en cuanto a la forma en que el significado, la experiencia y el poder se encuentran inscritos como parte de una teoría del albedrío humano. Así, como parte medular de una teoría de la alfabetización, habría un punto de vista del albedrío humano en el que la producción de significado no estaría limitada al análisis de la forma en que las ideologías se hallan inscritas en textos particulares. En este caso, una teoría crítica de la alfabetización necesita incorporar un concepto de ideología crítica que incluya un punto de vista del albedrío humano en el cual la producción de significado tenga lugar en el diálogo y la interacción que constituyen, mutuamente, la relación dialéctica entre las subjetividades humanas y el mundo objetivo. Como parte de un proyecto político más definitivo, una teoría radical de la alfabetización necesita producir un punto de vista del albedrío humano reconstruido mediante formas de narrativa que funcionen como parte de "una pedagogía de adquisición de facultades

---

[11] Aronowitz y Giroux, *Education under siege.*

[12] Gillian Swanson, "Rethinking representations", *Screen*, 27:5 (octubre de 1986), pp. 16-28.

críticas... centrada en un proyecto social orientado al mejoramiento de la posibilidad humana".[13]

Dentro de esta perspectiva, el concepto de alfabetización se reelabora por medio de un concepto de narrativa que no queda restringido a contar una historia basada simplemente en las convenciones dominantes del realismo. El concepto de narrativa se extiende, en este caso, de modo que incluya las cuestiones de representación que, a su vez, incluyen la relación del lector con el texto, el papel que desempeñan el lenguaje y las imágenes dentro de diversas formas culturales, y la ubicación del "sujeto" social mediante las diversas modalidades para dirigirse a él, para establecer las conclusiones y para lograr identificaciones. En otras palabras, la alfabetización como forma de narrativa y de albedrío proporciona la base para examinar las formas culturales, tanto en lo que se refiere a su contenido ideológico como a sus convenciones de representación. Ahora, la producción de significado se analiza como parte de la superficie de contacto entre las prácticas pedagógicas encarnadas tanto por la forma como por el contenido del intercambio relacional entre los lectores, y los diversos textos y objetos culturales.

En la parte nuclear del concepto de alfabetización crítica que se desarrolla en el trabajo de Freire se encuentra un buen número de percepciones decisivas en cuanto a la política del analfabetismo. Como construcción social, la alfabetización no sólo permite dar nombre a experiencias que se consideran importantes para una sociedad determinada, sino que también resalta y define, por medio del concepto "analfabeto" aquello que se puede denominar la "experiencia del otro". En este sentido, el concepto de "analfabeto" con frecuencia les proporciona a los grupos poderosos una tapadera ideológica para simplemente silenciar a los pobres, a los grupos minoritarios, a las mujeres o a las personas de color. En consecuencia, la mención de "analfabetismo" como parte de lo que significa poseer conocimientos, representa una construcción ideológica que internamente está conformada por intereses políticos particulares. El análisis del concepto

---

[13] Roger Simon, "Empowerment as a pedagogy of possibility", *Language Arts*, 64:4 (abril de 1987), pp. 370-382.

de analfabetismo que hace Freire, a la vez que intenta poner al descubierto estos intereses ideológicos dominantes, proporciona también una base teórica para la comprensión de la naturaleza política del analfabetismo como práctica social vinculada a la lógica de la hegemonía cultural y a formas particulares de resistencia. Este análisis lleva implícita la noción de que el analfabetismo como problema social atraviesa líneas de clases y no se limita al fracaso de las minorías en cuanto a dominar competencias funcionales en el campo de la lectura y la escritura. El analfabetismo significa, en cierto nivel, una forma de ignorancia política e intelectual, y en otro, una posible instancia de resistencia de clase, de género, racial o cultural. Como parte de la cuestión más penetrante de la hegemonía cultural, el analfabetismo se refiere a la incapacidad o a la negativa funcionales, por parte de las personas de clase media o alta, a "leer" el mundo y sus vidas de una manera crítica e históricamente relacional. Stanley Aronowitz sugiere un horizonte del analfabetismo como forma de hegemonía cultural, en la exposición que hace sobre lo que significa el hecho de ser "funcionalmente" alfabetizado.

La cuestión real, en cuanto a los "funcionalmente" alfabetizados es la de saber si son capaces de descifrar los mensajes de la cultura de los medios masivos, contrarrestar las interpretaciones oficiales de la realidad social, económica y política; si se sienten capaces de evaluar críticamente los acontecimientos o, incluso, de intervenir en ellos. Si entendemos la alfabetización como la capacidad de los individuos y de los grupos para ubicarse a sí mismos en la historia, para verse a sí mismos como actores sociales capaces de debatir sus futuros colectivos, entonces el obstáculo clave de la alfabetización es la privatización y el pesimismo generalizados que han venido a permear la vida pública.[14]

El punto de vista de Aronowitz apunta al hecho de que la mayor parte de los educadores radicales y críticos no han sabido entender que el analfabetismo es una forma de hegemonía cultural. Una vez más, el concepto de analfabetismo, tal como aquí se emplea, incorpora un lenguaje y un conjun-

---

[14] Stanley Aronowitz, "Why should Johnny read?", p. 13.

to de prácticas sociales que subrayan la necesidad de desarrollar una teoría de la alfabetización que tome en serio la labor de dejar de manifiesto la manera en que ciertas formas particulares de regulación social y moral producen una cultura de ignorancia y de estupidez categórica que resultan decisivas para silenciar a todas las voces potencialmente críticas.

Es igualmente importante recalcar de nuevo que, como acto de resistencia, el rechazo a la alfabetización por parte de los grupos subordinados puede constituir no tanto un acto de ignorancia, como una actitud, precisamente, de resistencia. Es decir, los miembros de la clase trabajadora y de otros grupos oprimidos quizás se nieguen, consciente o inconscientemente, a aprender los códigos y competencias culturales específicos que autoriza, en cuanto a alfabetización, el punto de vista dominante. A tal resistencia se la debe entender como una oportunidad para investigar las condiciones políticas y culturales que la justifican, y no como actos irrestrictos de rechazo político consciente. Para decirlo de manera sencilla, los intereses que dan forma a tales actos nunca hablan por sí mismos, y deben ser analizados dentro de un marco más interpretativo y contextual; dentro de un marco que vincule el contexto más amplio de la enseñanza escolar con la interpretación que los alumnos le dan al acto del rechazo. En tales casos, la negativa a alfabetizarse proporciona la base pedagógica para encarar un diálogo crítico con aquellos grupos cuyas tradiciones y culturas son frecuentemente objeto de un asalto e intento masivos provenientes de la cultura dominante, por deslegitimar y desorganizar los conocimientos y tradiciones que tales grupos emplean para definirse a sí mismos, así como al punto de vista que tienen del mundo.

Por lo que a los maestros respecta, la cuestión central que es preciso investigar es la manera en que el plan de estudios social de la enseñanza, según lo expresa Philip Corrigan, construye prácticas sociales en torno a la diferenciación alfabetizado/analfabeto, con objeto de contribuir a la

construcción social regulada del silenciamiento diferencial y la estupidez categorizada, dentro de los vórtices de la sexualidad, la raza, el género, la clase, el lenguaje y la regionalidad. ... [Esto] saca a relucir la importancia capital que tiene la funcionalidad de la ignorancia, lo importante que resulta declarar que la mayoría de la gente la mayor parte de las veces es indigna y estúpida, mediante una palabra clasificatoria exacta y guillotinadora: mala. Y el hecho de hacerlos "adoptar" esta identificación, como si fuera su único papel utilizable, intercambiable, para identificarse.[15]

Según Corrigan y otros autores, la construcción social del significado, dentro de la escuela, con frecuencia se halla estructurado con base en una gramática social dominante que limita la posibilidad de una enseñanza y aprendizaje críticos en las escuelas. El lenguaje dominante, en este caso, estructura y regula no solamente aquello que *se debe* enseñar, sino también *la manera* en que se debe enseñar y evaluar. Esto es evidente en los modos en que el lenguaje dominante de la racionalidad técnica legitima y da forma a la distinción entre tipos de materias de alto y de bajo estatus, cuando a las matemáticas y a las ciencias, por ejemplo, con frecuencia se les atribuye el mayor prestigio en el plan de estudios escolar. Es también evidente en el empleo que hace la cultura dominante del lenguaje de la explicación, que pone enormes restricciones a la forma en que las materias escolares se pueden enseñar y evaluar, y que recalca sobremanera la estructuración tanto del conocimiento como de la pedagogía, en torno a intereses fundamentados en aquello que es mensurable, eficiente y estandarizado. Conforme a este análisis, la ideología se combina con la práctica social a manera de producir una voz escolar —la voz de la autoridad incuestionable que intenta localizar y regular las formas específicas en que los estudiantes aprenden, hablan, actúan y se presentan a sí mismos. En este sentido, Corrigan está en lo correcto al argüir que la enseñanza y el aprendizaje dentro del sistema escolar no son meros aspectos de la reproducción de la lógica y la ideología dominantes del capitalismo. Ni tampoco se refieren, primordialmente, a actos de resistencia que estén llevando a cabo grupos subordinados que pug-

---

[15] Philip Corrigan, "State formation and classroom practice", ponencia presentada en el Seminario "Ivor Goodson", University of Western Ontario, los días 2 y 3 de octubre de 1986, pp. 5-6.

nan por tener una voz y un sentido de dignidad dentro de las escuelas. Estas prácticas sociales existen ambas, pero son parte de un conjunto de relaciones sociales mucho más amplias en las que la experiencia y la subjetividad pasan a construirse dentro de una variedad de voces, condiciones y narrativas que sugieren que la escuela representa algo más que acatamiento o rechazo.

En el sentido más general, de lo que se trata, cuando hablamos de enseñanza escolar, es de la regulación del tiempo, el espacio, la textualidad, la experiencia, los conocimientos y el poder, en medio de intereses e historias que se hallan en conflicto y que simplemente no se pueden puntualizar mediante simples teorías de reproducción y resistencia.[16] A las escuelas se las tiene que ver en sus contextos históricos y relacionales. Como instituciones, exhiben posturas contradictorias dentro de la cultura más general, y también representan un terreno de lucha compleja con respecto a lo que significa el ser alfabetizado y poseedor de facultades críticas, en formas que pudiesen permitirles a alumnos y maestros pensar y actuar de manera conmensurada con los imperativos y la realidad de una democracia radical.

La misión de una teoría de alfabetización crítica es la de ampliar nuestros conceptos en cuanto a la manera en que los maestros producen, sostienen y legitiman el significado, activamente, en el salón de clases. Esto es, de qué forma sus propios valores y experiencias modifican, varían o reproducen los códigos y prácticas de la enseñanza escolar dominante. Además, una teoría de la alfabetización crítica requiere de una comprensión más profunda de la manera en que las condiciones más generales del estado y la sociedad producen, negocian, transforman e influyen en las condiciones de la enseñanza, a modo de o bien permitir o bien impedir que los maestros actúen de manera crítica y transformadora. Es igualmente importante la necesidad de aseverar como hipótesis central de la alfabetización crítica el hecho de que los

[16] Para una exposición crítica de las teorías de reproducción y de resistencia, véase Henry A. Giroux, *Teoría y resistencia en educación*; véase también J.C. Walker, "Romanticising resistance, romanticising culture: problems in Willis's theory of cultural production", *British Journal of Sociology of Education*, 7:1 (1986), pp. 59-80.

conocimientos no se producen meramente en los cerebros
de los expertos, de los especialistas en planes de estudios, de
los administradores escolares y de los maestros. La producción de conocimientos, como ya se ha mencionado, es un
acto relacional. Para los maestros, esto significa ser sensibles
a las actuales condiciones históricas, sociales y culturales que
contribuyen a las formas de conocimiento y de significado
que los estudiantes llevan a la escuela.

Si se quiere proponer el concepto de la alfabetización
crítica, conjuntamente con las nociones teóricas de narrativa y de albedrío, entonces los conocimientos, valores y prácticas sociales que constituyen la historia/narrativa de la enseñanza escolar encarnan intereses y relaciones de poder
particulares, independientemente de la forma en que la persona piense, viva y actúe con respecto al pasado, el presente
y el futuro. En el mejor de los casos, una teoría de la alfabetización crítica aboga por prácticas pedagógicas en las cuales
la batalla por darle significado a la vida de la persona reafir-
ma y fomenta el proyecto de que los maestros y los alumnos
recobren sus voces propias, con el fin de que puedan volver
a contar sus propias historias y, al hacerlo, "comparen y
critiquen la historia que se [les] cuenta, con aquella que
[ellos] han vivido".[17] Esto, sin embargo, significa más que el
simple hecho de volver a contar y comparar las historias.
Como parte de la dialéctica de la resistencia, la renovación y
la transformación, las narrativas invocan recuerdos de solidaridad, de la irrupción de los pobres y los oprimidos en la
historia, y nos sirven para encausar al poder de la autodestrucción personal y colectiva. Toni Cade Bambara escribe
sobre episodios de resistencia y renovación de una manera
que deja en claro el valor pedagógico como una fundación
para el desarrollo de formas de conciencia histórica que
retan a los intereses de los poderosos y los ricos, en vez de
ponerse al servicio de ellos. La autora dice:

Las narraciones son importantes. Nos mantienen vivos. En los
barcos, en los campamentos, en los alojamientos, los campos, las
prisiones, cuando andamos en la carretera, huyendo, en la clandes-

---

[17] Fred Inglis, *The management of ignorance* (Londres: Blackwell, 1985), p. 108.

tinidad, sitiados, en la marginación —el narrador nos atrapa cuando ya estamos al borde del abismo, para contarnos el siguiente capítulo. En el cual, nosotros somos los personajes. Nosotros, los héroes de los cuentos. Nuestras vidas se han preservado. Cómo fue, cómo es. Traspasándolo a quienes nos vendrán a relevar. Esto es lo que me esfuerzo por hacer: producir narrativas para salvar nuestras vidas.[18]

Bambara escribe narraciones que salvan vidas, cuentos que ofrecen modelos de resistencia y de valentía, que delinean estructuras de poder y de dominación. Extrapolada en sus comentarios se halla la invocación a maestros y estudiantes para que reconozcan que las narraciones nunca son neutrales: siempre están vinculadas con recuerdos, narrativas e historias. Con objeto de desplazarnos más allá de una pedagogía de la voz que sugiera que todas las narraciones son inocentes, debemos examinar tales relatos en torno al interés y los principios que los estructuran, e interrogarlos como parte de un proyecto político (en el sentido más amplio) que, o bien socave, o bien haga posibles los valores y prácticas que constituyen el fundamento de la justicia social, la igualdad y la comunidad democrática. En otras palabras, es importante construir una pedagogía de la voz y la indiferencia en torno al hecho de reconocer que ciertas prácticas (voces/relatos) se definen a sí mismas merced a la supresión de otras voces; apoyan formas de sufrimiento humano y exigen una condena moral y política explícita por parte del maestro. Las cuestiones del racismo y el sexismo, por ejemplo, no se pueden tratar meramente como temas de interés académico. Una postura de esta índole no debe impedir un diálogo sobre estas cuestiones, pero sí debiera definir la estructura de tal polémica, a manera de evitar que se hicieran observaciones racistas o sexistas, simplemente como expresión de un punto de vista entre muchos. En su sentido más radical, la alfabetización crítica significa que uno se haga presente en un proyecto moral y político que vincule la producción de signi-

---

[18] Toni Cade Bambara, "Salvation is the issue", en *Black women writers (1950-1980): a critical evaluation* (Garden City: Anchor Books, 1984), p. 46. Este tema se encuentra brillantemente desarrollado en Sharon Welch, *A feminist ethic of risk* (Nueva York; Fortress Press, en prensa).

ficado con la posibilidad del albedrío humano, de la comunidad democrática y de la acción social transformadora.[19]

LA ALFABETIZACIÓN Y LA LIBERACIÓN DEL RECUERDO

En su modelo de alfabetización crítica, que incorpora una
relación dialéctica actual entre la palabra y una lectura crítica del mundo, Freire establece las bases teóricas para un
nuevo discurso en el cual el concepto de alfabetización trae
consigo una atención crítica a la maraña de relaciones en las
cuales el significado se produce a manera de construcción
histórica, y a la vez como parte de un conjunto más amplio
de prácticas pedagógicas. La alfabetización, en este sentido,
significa algo más que el hecho de romper con lo predefini-
do, o como lo ha expresado Walter Benjamin, "Cepillar la
historia a contrapelo".[20] También significa comprender los
pormenores de la vida cotidiana y la gramática social de lo
concreto, por medio de las totalidades más generales de la
historia y del contexto social. Como parte del discurso de
narrativa y albedrío, la alfabetización crítica sugiere el empleo de la historia como una forma de recuerdo liberador.
Tal como aquí se usa, "historia" significa que se reconocen
las huellas figurativas de potencialidades no explotadas, así
como las fuentes de sufrimiento que constituyen el pasado
de la persona.[21] El hecho de reconstruir la historia, en este
sentido, equivale a situar el significado y la práctica de la
alfabetización dentro de un discurso ético que adopta como
referente aquellas instancias de sufrimiento que es preciso
recordar y superar.[22]

[19] Harold Rosen, "The importance of story", *Language Arts*, 63:3 (marzo de
1986), pp. 226-237.
[20] Walter Benjamin, *Illuminations*, Hannah Arendt, comp. (Nueva York: Shocken,
1969), especialmente, "Thesis on the philosophy of history", pp. 253-264.
[21] Ernst Bloch, *The principle of hope*, vol. 3 (Cambridge: MIT Press, 1985). Para
una exposición minuciosa de la política de la antiutopía, la esperanza y la lucha
en las teorías radicales de la educación, véase el capítulo 7.
[22] Donde más se desarrolla este tema es en los diversos trabajos y tradiciones
de la teología de la liberación. Para una perceptiva panorámica y un análisis

Como elemento liberador del recuerdo, la indagación histórica se convierte en algo más que una mera preparación para el futuro por medio de la recuperación de una serie de acontecimientos del pasado, y pasa a ser, en cambio, un modelo para constituir el potencial radical del recuerdo. Es un sobrio testigo de la opresión y el dolor que han padecido innecesariamente las víctimas de la historia, y un texto/terreno para el ejercicio de la sospecha crítica, que pone de relieve no sólo las fuentes del sufrimiento que es preciso recordar para que no se repita, sino también el lado subjetivo de la pugna y la esperanza humanas.[23] Dicho de otro modo, el recuerdo liberador, junto con las formas de alfabetización crítica a las que da sostén, expresa su naturaleza dialéctica tanto valiéndose de "su impulso crítico desmitificador, que testimonia sobriamente los sufrimientos del pasado",[24] como mediante las imágenes de esperanza, escogidas y fugaces, que ofrece hasta el presente.

LA ALFABETIZACIÓN COMO UNA FORMA DE POLÍTICA CULTURAL

En la teorización del alfabetismo como una forma de política cultural se supone que las dimensiones sociales, culturales, políticas y económicas de la vida cotidiana son las categorías primordiales para comprender la enseñanza escolar contemporánea. La vida escolar no se conceptualiza como un sistema unitario, monolítico y riguroso de reglas y regulaciones, sino como un terreno cultural que se caracteriza por la producción de experiencias y subjetividades situadas en medio de grados variantes de adecuación, impugnación y resistencia. Como forma de política cultural, la alfabetización arroja luz sobre la vida escolar, y a la vez la interroga, como sitio caracterizado por una pluralidad de lenguajes conflic-

crítico de esta perspectiva, véase Rebecca S. Chopp, *The praxis of suffering* (Maryknoll: Orbis Books, 1986).

[23] Véanse Herbert Marcuse, *Eros and civilization* (Boston: Beacon Press, 1955); Paul Ricoeur, *Freud: un ensayo de interpretación* (México: Siglo XXI, 1971).

[24] Martin Jay, "Anamnestic totalization", *Theory and society*, 11 (1982), p. 13.

tivos y luchas, un lugar donde chocan la cultura dominante y la subordinada y donde los maestros, los alumnos, los padres y los administradores escolares con frecuencia tienen opiniones diferentes en cuanto a la forma en que se deben definir y entender las experiencias y prácticas de la escuela.[25] En este tipo de análisis, la alfabetización viene a dar un importante enfoque para la comprensión de los intereses y principios políticos e ideológicos que entran en juego en las contiendas e intercambios entre el maestro, el pupilo y las formas de significado y de conocimientos que entre ambos producen.

De lo que aquí se trata es de un concepto de alfabetización que conecta las relaciones de poder y de conocimiento, no simplemente con *aquello* que los maestros enseñan, sino también con los significados productivos que los estudiantes, con todas sus diferencias culturales y sociales, llevan a las aulas como parte de la producción de conocimientos y como construcción de las identidades personales y sociales. El hecho de definir la "alfabetización" en el sentido freiriano como una lectura crítica del mundo y de la palabra, equivale a sentar las bases teóricas para analizar más plenamente la forma en que se producen el conocimiento y las subjetividades, dentro de relaciones de interacción en las cuales los maestros tratan de hacerse presentes como autores activos de sus propios mundos.[26]

Tradicionalmente, los educadores radicales han hecho hincapié en la naturaleza ideológica del conocimiento (ya como forma de crítica ideológica o ya como contenido ideológicamente correcto que es preciso hacerles entender a los alumnos) como foco principal de la labor educativa crítica. Es medular en esta perspectiva un punto de vista del conocimiento que sugiera que éste es producido en la mente del educador o del maestro/teórico, y no como un enfrentamiento interactivo expresado por medio del proceso de escribir, hablar, debatir y forcejear sobre aquello que cuenta como conocimiento legítimo. En pocas palabras, al conocimiento

---

[25] Peter McLaren, *Schooling as a ritual performance* (Nueva York; Routledge and Kegan Paul, 1986).

[26] Simon, "Empowerment", p. 372.

se lo abstrae teóricamente de su propia producción, como parte de un encuentro pedagógico, y también se minimiza su teorización en cuanto a la forma en que se halla presente en el contexto pedagógico en que se les enseña a los estudiantes. Con la suposición errónea de que el contenido de verdad del conocimiento es la cuestión más importante que se debe abordar cuando uno enseña, se pierde de vista el concepto de que tal conocimiento no se puede construir fuera de un encuentro pedagógico. De esta manera, la importancia del concepto de pedagogía como parte de una teoría crítica de la educación, o queda teorizada en forma mínima, o simplemente queda olvidada. Lo que con frecuencia ha surgido a partir de este punto de vista es una división del trabajo en la que los teóricos que producen conocimientos quedan limitados a la universidad; a aquellos que meramente lo reproducen se los considera como maestros de escuelas públicas, y quienes pasivamente los reciben, a trozos y fragmentos, en todos los niveles de la enseñanza escolar desempeñan el papel de alumnos. Este rechazo a desarrollar lo que David Lusted ha denominado una pedagogía de la teoría y la enseñanza, no sólo reconoce erróneamente el conocimiento como una producción aislada de significado, sino que también niega las formas de conocimiento y las sociales mediante las cuales los alumnos dan pertinencia a sus vidas y experiencias.

El conocimiento no se produce mediante las intenciones de quienes creen poseerlo, ya sea mediante la pluma o la voz. Se produce gracias al proceso de interacción, entre el escritor y el lector en el momento de la lectura, y entre el maestro y el pupilo en el momento del enfrentamiento en el aula. El conocimiento no es tanto la materia que se ofrece, como la materia que se comprende. El pensar en los campos de acervos de conocimientos como si éstos fuesen propiedad de los académicos y maestros, es una postura equivocada. Ésta niega una igualdad de las relaciones en los momentos de interacción y privilegia falsamente uno de los lados del intercambio, así como aquello que este lado "sabe" en mayor grado que el otro. Además, el hecho de que los productores culturales críticos sostengan este punto de vista acarrea su propia pedagogía, una pedagogía autocrática y elitista. Y no es que simplemente niegue el valor de lo que saben los alumnos, que efectivamente lo niega, sino

que reconoce erróneamente las condiciones necesarias para la clase de aprendizaje —crítico, comprometido, personal, social— que
exige el propio conocimiento.[27]

En el plano teórico, es importante modificar la percepción de Lusted admitiendo que el conocimiento *también* es
producido por facultades y tradiciones que quedan legitima-
das tanto cultural como políticamente. En un plano más
práctico, los problemas que surgen cuando los maestros
ignoran la manera en que los *estudiantes* producen significado, quedan ejemplificados por aquellos maestros que definen el éxito de su enseñanza exclusivamente por medio de
la corrección ideológica de la materia que enseñan. El ejemplo clásico podría ser el de la maestra de clase media que se
horroriza, con razón, ante el sexismo que exhiben los estudiantes varones de su salón de clases. La maestra responde
presentándoles a los estudiantes una serie de artículos, películas y otros materiales, feministas, que forman parte del
plan de estudios. En vez de responder con gratitud por el
hecho de que se los ilumine políticamente, los alumnos
responden con menosprecio y resistencia. La maestra queda
desconcertada al ver que el sexismo de los estudiantes parece atrincherarse aún más. En este enfrentamiento salen a
relucir un buen número de errores pedagógicos y políticos.
En primer lugar, en vez de prestar alguna atención a la forma
en que los alumnos producen significado, la maestra feminista supone falsamente la naturaleza palmaria de la corrección política e ideológica de su postura. Al hacer esto, asume
un discurso de autoridad que les niega a los estudiantes la
posibilidad de que "cuenten" sus propias historias, así como
la de presentar y después cuestionar las experiencias que
están haciendo entrar en juego. Luego, al negarles a los estudiantes la oportunidad de cuestionar e investigar la ideología del sexismo como experiencia problemática, la maestra
no sólo socava las voces de esos alumnos, sino que manifiesta lo que a los ojos de ellos es sencillamente otro ejemplo de
autoridad de la clase institucional/media que les dice qué

[27] David Lusted, "Why pedagogy", *Screen*, 27:5 (septiembre-octubre de 1986),
pp. 4-5.

deben pensar. En consecuencia, lo que al principio parece ser
la intervención pedagógica legítima de la voz de una maestra
radical, termina por minar sus propias convicciones ideológicas al ignorar la relación compleja y fundamental que
existe entre la enseñanza, el aprendizaje y la cultura del
estudiante. Con ello, las mejores intenciones de la maestra
quedan subvertidas a causa del empleo de una pedagogía
que forma parte de la lógica muy dominante que ella trata
de desafiar y desbaratar. Aquí es importante reconocer que
una teoría democrática de la alfabetización necesita ser
construida en torno a una teoría dialéctica de voz y de adquisición de facultades críticas. Y esto significa que es preciso
conectar las teorías de la enseñanza y el aprendizaje con las
teorías más generales de la ideología y la subjetividad. De
manera más específica, esto significa desarrollar una comprensión de la forma en que los procesos culturales se producen y transforman mediante los discursos de la producción,
el análisis de textos y las culturas vividas que examinábamos
en el capítulo anterior. Pero lo más importante es que la
manera en que los maestros y los estudiantes perciben el
mundo se halla inextricablemente vinculada con formas de
pedagogía que puedan funcionar tanto para silenciar y marginar a los alumnos como para legitimar sus voces en un
esfuerzo por facultarlos como ciudadanos críticos y activos.[28]

Una pedagogía crítica coherente con un punto de vista
emancipatorio de la alfabetización y la voz implica igualmente que es preciso repensar la naturaleza misma del discurso del plan de estudios. De entrada, esto exige que se
entienda que el plan de estudios representa un conjunto de
intereses subyacentes que estructuran la forma en que se
expresa una narración en particular, gracias a la organización de los conocimientos, las relaciones sociales, los valores
y las modalidades de evaluación. El propio plan de estudios
representa una narrativa o voz, conformada por múltiples
estratos y que frecuentemente es contradictoria, pero que
también se halla situada dentro de relaciones de poder
que, el común de las veces, favorecen a los estudiantes blan-

---

[28] Para un importante análisis de cuestiones similares, véase Kathleen Weiler,
Women teaching for change (South Hadley: Bergin and Garvey, 1987).

cos, varones, de clase media y anglófonos. Lo que esto sugiere, en la dirección de una teoría de alfabetización y pedagogía críticas, es que el plan de estudios, en el sentido más fundamental, constituye un terreno de impugnación, respecto
de qué formas —y de quién— de conocimiento, de historia, de
conceptualizaciones, de lenguaje, de cultura y de autoridad
habrán de prevalecer como objeto legítimo de aprendizaje y
análisis.[29] El plan de estudios es otro de los ejemplos de una
política cultural cuyas prácticas significativas contienen no
sólo la lógica de la legitimación y la dominación, sino también la posibilidad de formas de pedagogía transformadoras
y facultativas.

Además de tratar el plan de estudios como una narrativa
cuyos intereses deben ser puestos al descubierto y críticamente cuestionados, los maestros tienen que fomentar en
sus aulas las condiciones pedagógicas que proporcionen espacios para distintas voces estudiantiles. La pedagogía crítica que aquí proponemos se preocupa de manera fundamental por la experiencia del estudiante; tomo por punto de
partida los problemas y las necesidades de los propios estudiantes. Esto sugiere tanto confirmar como legitimar los
conocimientos y la experiencia gracias a los cuales los estudiantes dan sentido a su vida. Está bien claro que esto entraña la sustitución del discurso autoritario de imposición y
recitación por una voz capaz de hablar conforme a sus propios sentimientos, una voz capaz de escuchar, de narrar de
otra forma y de desafiar los fundamentos mismos del conocimiento y el poder.[30] Tal como he tratado de expresarlo
repetidamente en este texto, una pedagogía crítica de la
alfabetización y la voz debe poner atención al carácter contradictorio de la experiencia y la voz estudiantil, y con ello
establecer las bases gracias a las cuales tal experiencia pueda
ser interrogada y analizada, tanto respecto de su fortaleza
como de sus debilidades. La voz, en este caso, proporciona
no sólo un marco de trabajo teórico para reconocer la lógica

[29] Para una magnífica historia del plan de estudios como terreno de lucha,
véase Herbert M. Kliebard, *The struggle for the American curriculum, 1893-1958*
(Nueva York: Routledge and Kegan Paul, 1986).

[30] Henry A. Giroux, "Radical pedagogy and the politics of student voice",
Interchange, 17:1 (1986), pp. 48-69.

cultural que ancla a la subjetividad y al aprendizaje, sino
también un referente para criticar la clase de ensalzamiento
romántico de la experiencia estudiantil que caracterizó a
buena parte de la pedagogía radical de comienzos de los
sesenta. De lo que aquí se trata es de vincular la pedagogía de
la voz estudiantil con un proyecto de posibilidad que les
permita a los estudiantes afirmar el rejuego de distintas
voces y experiencias, reconociendo al mismo tiempo que
tales voces siempre deben ser interrogadas para determinar
los diversos intereses sociales, intelectuales, éticos y políticos que representan. Como forma de producción histórica,
textual, política y sexual, la voz estudiantil debe estar enraizada en una pedagogía que les permita a los alumnos hablar
y apreciar la naturaleza de la diferencia como parte de una
tolerancia democrática, a la vez que como una condición
fundamental para el diálogo crítico y el desarrollo de formas
de solidaridad arraigadas en los principios de confianza,
compartimiento y del compromiso de mejorar la calidad de
la vida humana. En el primer caso, una pedagogía de la
alfabetización y la voz críticas necesita desarrollarse en torno a una política de la diferencia y la comunidad que no esté
fundada simplemente en un ensalzamiento de la pluralidad.
Tal pedagogía debe derivar de una forma particular de comunidad humana en la que la pluralidad se dignifique merced a la creación de relaciones sociales del aula en las que
todas las voces, con sus diferencias, pasen a unificarse tanto
en sus esfuerzos por identificar y recordar momentos de
sufrimiento humano, como en sus intentos por superar las
condiciones que perpetúan ese sufrimiento.[31]

En segundo lugar, una pedagogía crítica debe tomar en
serio la articulación de una moralidad que proponga un
lenguaje de vida pública, de comunidad emancipatoria y de
compromiso individual y social. A los estudiantes se los debe
iniciar en un lenguaje de adquisición de facultades críticas y
de ética radical que les permita pensar en cómo se debe
construir la vida comunitaria en torno a un proyecto de

---

[31] Sharon Welch, *Communities of resistance and solidarity* (Maryknoll: Orbis
Books, 1985).

posibilidad. Roger Simon ha expresado claramente esta postura:

Una educación que faculte para la posibilidad tiene que sacar a relucir las cuestiones de cómo podemos trabajar para la reconstrucción de la imaginación social al servicio de la libertad humana. ¿Qué conceptos de saber y qué formas de aprendizaje van a apoyar esto? Creo que el proyecto de posibilidad requiere de una educación enraizada en un punto de vista que entienda la libertad humana como la comprensión de la necesidad y la transformación de ésta. Ésa es la pedagogía que requerimos, aquella cuyas normas y objetivos de logro estén determinados en relación con las metas de la crítica y del mejoramiento de la imaginación social. La enseñanza y el aprendizaje se deben vincular con la meta de educar a los estudiantes a correr riesgos, a forcejear con las actuales relaciones de poder, a apropiarse críticamente de formas de conocimiento que existen fuera de su experiencia inmediata y a prever versiones de un mundo que (en el sentido de Bloch) "aún no" existe —con objeto de que puedan modificar las bases sobre las cuales se vive la vida.[32]

En tercer lugar, los maestros les deben proporcionar a los alumnos la oportunidad de interrogar distintos lenguajes o discursos ideológicos, conforme éstos se desarrollan en una gran variedad de textos y materiales que forman parte del plan de estudios. Es decir, una pedagogía crítica necesita analizar las condiciones que hacen posible que los estudiantes comprendan las distintas lecturas que se le pueden dar a un texto.[33] Al hacer esto, a los estudiantes se les alienta a abordar la tarea teórica y práctica de cuestionar sus propias posturas teóricas y políticas. Además, una pedagogía de esta índole debe crear las condiciones del aula necesarias para identificar y hacer problemáticas las maneras contradictorias y múltiples de ver el mundo, que los estudiantes emplean al construir su imagen de éste. La cuestión radica aquí en interrogar luego más a fondo la forma en que los estudiantes realizan operaciones ideológicas particulares para desafiar o adoptar ciertas posturas que se ofrecen en los textos y

---

[32] Simon, "Empowerment", p. 375.
[33] Para un análisis similar, véase David Buckingham, "Against demystification: a response to *Teaching the media*", *Screen*, 27:5 (1986), pp. 80-95; véase también Swanson, "Rethinking representations".

los contextos a su disposición tanto en la escuela como en la sociedad en general. Después de esto, y de manera decisiva para desarrollar un entendimiento crítico y dialéctico de la voz, está la necesidad de que los maestros reconozcan que los significados e ideologías del texto no son las únicas posturas que los estudiantes se pueden apropiar. Puesto que las propias subjetividad e identidad estudiantiles son contradictorias, es importante vincular la forma en que los estudiantes producen significado con los diversos discursos y formaciones sociales ajenos a la escuela que activamente construyen sus experiencias y subjetividades contradictorias.

En cuarto lugar, es especialmente importante que los maestros aborden críticamente la cuestión del modo en que los intereses ideológicos estructuran su habilidad *tanto* para enseñar como para aprender junto con los otros. Una teoría radical de la alfabetización y la voz debe permanecer atenta a la afirmación de Freire en el sentido de que todos los educadores críticos son también individuos que están aprendiendo. Y esto no es simplemente cuestión de aprender acerca de lo que los estudiantes quizás sepan; es, de manera más importante, cuestión de aprender cómo renovar una forma de autoconocimiento, por medio de la comprensión de la comunidad y la cultura que constituyen activamente las vidas de los alumnos que uno tiene. Dieter Misgeld afirma al respecto:

La transformación social incluye y requiere la autoformación. ... La identidad de los educandos y los maestros se halla igualmente sobre el tapete y en espera de ser colocada cara arriba gracias a la pedagogía en la que cooperan, como contenido de lo que aprenden. ... Por consiguiente, los pedagogos de Freire (estudiantes-maestros o iniciadores de actividades en los círculos culturales) pueden permitirse aprender, y tienen que aprender de sus alumnos. El aprendizaje del que hablamos no es meramente incidental. No se trata de simplemente vigilar el desempeño de los estudiantes con el objeto de que una labor de aprendizaje se pueda presentar con una mayor eficiencia educativa. Se trata, más bien, de que la empresa educacional se aprende y reaprende gracias a los alumnos y junto con ellos. Los estudiantes les recuerdan a los maestros cuál es la tarea esencial del aprendizaje: que éste y la enseñanza tienen la misión de lograr el autoconocimiento, junto con el conocimiento de la cultura propia (y "el mundo", como dice... Freire). Uno aprende a comprender, a apreciar y a afirmar el hecho de ser miembro de la cultura. Uno figura entre las personas para quienes la cultura ahí está. Uno aprende sobre sí mismo como un "ser de decisión", como "sujeto activo del proceso histórico".[34]

Junto con la implicación en el sentido de que los educadores necesitan enfrentar constantemente tanto la palabra como el mundo, está la suposición menos obvia en el sentido de que los maestros adoptan pedagogías que proporcionan el espacio para que surja un diálogo en el cual los maestros del aula y los estudiantes por igual puedan enfrentarse como agentes de culturas distintas o similares. Esto indica lo importantes que son aquellas pedagogías que les permiten a los maestros afirmar sus propias voces, al tiempo que siguen siendo capaces de alentar a los alumnos a afirmar, contar y volver a narrar sus relatos personales. Por otro lado, este principio pedagógico viene a poner en tela de juicio a cualquier forma de autoridad docente privilegiada que les niegue a los estudiantes la oportunidad de cuestionar sus suposiciones más básicas. Este argumento no lleva tanto la intención de minar o eliminar la autoridad y la voz del maestro, sino más bien la de sentar la base pedagógica para la comprensión del cómo y el porqué se construye tal autoridad y qué fin persigue. Es igualmente importante que los maestros reconozcan la manera en que con frecuencia silencian a los estudiantes, aun cuando lo hagan con la mejor de las intenciones.[35] Esto sugiere que es preciso estar críticamente atentos no sólo a la inmediatez de la voz propia como parte del aparato establecido del poder, sino también a los temores, la resistencia y el escepticismo que los estudiantes pertenecientes a los grupos subordinados llevan con ellos al escenario de la escuela.

En quinto lugar, los educadores radicales a menudo han teorizado, falsamente, las distintas voces que caracterizan a la vida escolar como si formaran parte de un antagonismo

[34] Dieter Misgeld, "Education and cultural invasion: critical social theory, education as instruction and the pedagogy of the oppressed", en *Critical theory and public life*, John Forester, comp. (Cambridge: MIT Press, 1985), pp. 106-107.

[35] Michelle Fine, "Silencing in public schools", *Language Arts*, 64:2 (1987), pp. 157-174.

infranqueable entre la voz del maestro y de la escuela, por un lado, y las voces de los grupos de estudiantes subordinados, por el otro. Atrapado dentro de una lógica polarizante de reproducción frente a resistencia, este discurso ofrece una comprensión inadecuada de la forma en que el significado se negocia y transforma dentro de las escuelas; además, no deja lugar, o muy poco, para desarrollar un discurso programático de transformación y posibilidad. Es esencial que los educadores proporcionen una lectura alternativa de lo que acaece en las escuelas en torno a la producción y transformación del significado. Por más que el discurso oficial de la escuela y la voz subordinada de los alumnos puedan forjarse con base en distintas necesidades, existe un frecuente rejuego entre estos dos aspectos, que da por resultado un proceso mutuo de definición y coartación.[36] Esto sugiere que existe una interacción mucho más sutil entre la ideología dominante de las escuelas y las ideologías de los diversos estudiantes que las pueblan. Es preciso reconocer que esta postura va mucho más allá del modelo reproductivo de la enseñanza escolar desarrollado por teóricos tan disímbolos como Paul Willis, en Inglaterra, y Sam Bowles y Herb Gintis, en Estados Unidos.[37] La naturaleza característica de las cambiantes formas de adaptación, resistencia y cuestionamiento que definen la calidad particular de la compleja interacción entre la voz del maestro y la del estudiante no se puede pasar por alto, en especial puesto que es precisamente este tipo de intercambio y comprensión críticos el que permite tanto a maestros como a alumnos analizar la cultura dominante de la escuela como parte de un contexto histórico, social y pedagógico específico.

Este punto de vista de la voz y la pedagogía proporciona igualmente la base para el desarrollo de posibles alianzas y proyectos en torno a los cuales maestros y alumnos pudieran dialogar y luchar juntos para hacer que sus respectivas pos-

[36] Esta cuestión se halla bien desarrollada en Michelle Sola y Adrian T. Bennett, "The struggle for voice: narrative, literacy and consciousness in an East Harlem school", *Boston University Journal of Education*, 167:1 (1985), pp. 88-110.

[37] Paul Willis, *Learning to labor* (Nueva York: Columbia University Press, 1981); y Samuel Bowles y Herbert Gintis, *La instrucción escolar en una sociedad capitalista* (México: Siglo XXI, 1981).

turas fuesen oídas fuera de sus salones de clases y en la comunidad más amplia. Y esto sugiere, además, que los maestros deben trabajar con los padres y con las personas de la comunidad, con el fin de lograr que las escuelas sean sitios donde se establezca un vínculo orgánico con las comunidades a las que dan servicio. De manera más específica, los maestros podrían trabajar con los padres y con otras personas, para abordar cuestiones de importancia capital, tanto en el aspecto de lograr que los padres intervinieran más activamente en las escuelas, como en el de mejorar la calidad de la vida escolar. Por un lado, los maestros podrían trabajar con los padres en torno a cuestiones tales como el lenguaje que se debe emplear en la escuela, las partidas y recortes presupuestarios, el acceso diferencial a los recursos de la escuela, la política del plan de estudios, la regencia escolar y la reforma educativa. Y por otro lado, los maestros podrían trabajar con los padres y las personas de la comunidad a manera de extender los vínculos específicos que tienen las escuelas con esa comunidad. Se podría recurrir a grupos defensores de la juventud para que ayudaran a los educadores y a los padres a lidiar con cuestiones tales como las drogas, la violencia, el embarazo entre las adolescentes, etc. Además, las escuelas se podrían abrir a manera de que constituyeran un recurso para la propia comunidad, ya adoptara éste la forma de la educación para adultos o ya la de programas recreativos y culturales continuos. En todos estos casos, la escuela salva la zanja que existe no sólo entre los maestros y los padres, sino también entre su propia cultura institucional (dominante) y las tradiciones y experiencias que conforman la vida comunitaria, así como, lo que no carece de importancia, las voces de los estudiantes que viven en esas comunidades y asisten a sus escuelas públicas.

No está por demás repetir que al hablar de un enfoque crítico de la alfabetización y la pedagogía de la voz no se trata simplemente de proporcionarles facultades críticas a los estudiantes. Habla también de la adquisición de esas mismas facultades entre los maestros, como parte del proyecto más amplio de la reconstrucción social y política. Stanley Aronowitz y yo hemos sostenido que la alfabetización crítica es una precondición para quienes van a dedicarse a la labor pedagógica progresista y a la acción social.[38] Tal como lo señalaba en el capítulo 3, es fundamental en esta pugna la necesidad de redefinir la naturaleza del trabajo de los maestros y el papel que éstos desempeñan como intelectuales transformadores. La categoría de intelectuales es importante aquí para analizar tanto las prácticas ideológicas y materiales particulares que estructuran las relaciones pedagógicas a las que se dedican los maestros como para identificar la naturaleza ideológica de los intereses que los maestros producen y legitiman como parte de la cultura más amplia. El concepto de intelectual proporciona un referente para criticar aquellas formas de pedagogía administrativa, de esquemas de justificación y de planes de estudios a prueba de maestros, que definirían a estos últimos como meros técnicos. Además, aporta la base teórica y política para que los maestros se enzarcen en un diálogo crítico entre ellos mismos y con otras personas, con el fin de luchar por las condiciones que necesitan para reflejar, leer, compartir su trabajo con otros y producir materiales para el plan de estudios.

En la actualidad, los maestros estadunidenses no sólo se hallan bajo el ataque proveniente de la nueva derecha y el gobierno federal, sino que también laboran bajo condiciones abrumadoramente repletas de restricciones organizativas y de condicionantes ideológicos que les dejan poco espacio para el trabajo colectivo y las actividades críticas. Son demasiadas sus horas de trabajo; por lo común, quedan aislados en sus salones de clases; no se les concede el tiempo necesario para planear, y cuentan con pocas oportunidades para trabajar colectivamente con sus colegas. Y por otro lado, se les impide que aporten sus propios conocimientos respecto de la selección, organización y distribución de los materiales de enseñanza. Aunado a todo esto, los maestros frecuentemente laboran bajo condiciones de trabajo que son degradantes, a la vez que opresivas. Esto queda poderosamente ilustrado en un reciente estudio que llevaron a cabo Sara Freedman, Jane Jackson y Katherine Boles entre los maes-

---

[38] Aronowitz y Giroux, *Education under siege*, especialmente capítulo 2, pp. 23-46.

tros de primaria de una zona de Boston. Las conclusiones de
dicho estudio fueron en el sentido de que la retórica, que a
menudo se asocia con el punto de vista que guarda el público
respecto de la enseñanza, definitivamente no corresponde
con las funciones que a los maestros se les exigen en el
desempeño de su trabajo. A las escuelas, por ejemplo, se les
confía la labor de preparar a los niños para la vida adulta,
pero a los mismos maestros se les trataba como si fueran
incapaces de efectuar juicios maduros; a las escuelas se les
asigna la responsabilidad de alentar el sentido de la autonomía y la confianza entre los estudiantes, pero a los maestros
de ese estudio constantemente se les tenía controlados dentro de una red de vigilancia administrativa que sugería que
ni eran capaces de trabajar de manera independiente, ni se
podía confiar en ellos; a las escuelas se les pide que generen
ciudadanos capaces de sopesar las implicaciones de sus acciones dentro de una sociedad democrática, y sin embargo,
esos maestros cumplían con dicho imperativo dentro de una
red de relaciones laborales que era rígidamente jerárquica y
sexista, y lo peor era que se les pedía que enseñaran a los
niños a correr riesgos, evaluar alternativas y ejercer un juicio independiente, a la vez que se los restringía a prácticas
docentes que hacían hincapié en los aspectos rutinarios,
mecánicos y técnicos del aprendizaje y la evaluación.[39]

Los maestros no pueden asumir el papel de intelectuales
transformadores dedicados a una pedagogía de alfabetización y voz, a menos que existan las condiciones adecuadas,
en lo ideológico y lo material, para dar apoyo a tal función.
Esta batalla se tiene que librar no sólo en torno a la cuestión
de qué enseñar, y cómo enseñarlo, sino también en torno a
las condiciones materiales que permiten y restringen la labor pedagógica. Ésta es una consideración tanto teórica como práctica, que los maestros radicales tienen que enfrentar
como parte de una teoría de alfabetización y voz críticas. Es,
además, una consideración que vincula inextricablemente
la reforma escolar con formas más amplias de transformación social, política y económica. El asunto está en que una

[39] Sara Freedman, Jane Jackson y Katherine Boles, "The other end of the
corridor: the effect of teaching on teachers", *Radical Teacher*, 23 (1983), pp. 2-23.

reforma escolar radical por lo común es provisional, de corta
duración e incompleta, a menos que se la entienda como
parte de una lucha por reformar las estructuras y la ideología básicas de la sociedad más general, la dominante. La
enormidad política de tal tarea no debe empujar a los maestros a la desesperación, sino que debe sugerirles que al luchar por condiciones que apoyen la enseñanza conjunta, la
redacción e investigación colectivas, y el planeamiento democrático, los maestros podrán efectuar los avances necesarios para la apertura de nuevos espacios donde sean posibles
el discurso y la acción creadores y reflexivos. La importancia
que tiene la creación de un discurso crítico de esta índole y
de las condiciones que le den sostén nunca se podrá recalcar
en la medida suficiente. Ya que sólo dentro de un discurso de
esta naturaleza y mediante las mencionadas condiciones
prácticas que son necesarias para convertir en realidad sus
intereses podrá desarrollarse una pedagogía emancipatoria;
una pedagogía que relacione el lenguaje con el poder, que
tome en serio las experiencias populares como parte del
proceso de aprendizaje, que combata la mixtificación y que
ayude a los estudiantes a reordenar la cruda experiencia de
sus vidas por medio de las perspectivas que se abran gracias
a enfoques del aprendizaje basados en el modelo de la alfabetización crítica que se propone en el presente capítulo.

Claro está que, como condición previa para que las escuelas se logren estructurar a manera de que puedan facultar
tanto a maestros como a alumnos, es preciso que los educadores comprendan la actual crisis ideológica y política que
rodea el propósito de la enseñanza pública. Como parte del
asalto político que se está llevando a cabo contra los servicios
públicos y contra la justicia social en general, las escuelas
quedan cada vez más subordinadas a los imperativos de los
intereses neoconservadores y de ala derecha, que las coloca-
rían en la condición de auxiliares del lugar de trabajo, o de
la iglesia, o las convertirían en púlpitos para rezar y para
reproducir la uniformidad cultural del canon clásico. En
una sociedad democrática, las escuelas nunca se pueden
reducir a almacenes de las empresas, a campos de adiestramiento para los fundamentalistas cristianos, o a sustitutos
institucionales de un museo de la antigua Grecia. En esta era

en que la democracia frecuentemente parece estar en retirada, es preciso recuperar las escuelas y luchar por ellas como esferas democráticas. De manera más específica, los educadores progresistas tienen que unirse entre sí, con los padres, con la comunidad más general y con los miembros de los movimientos sociales progresistas, para luchar por la importancia y la práctica de la reforma educativa como parte del proceso indispensable de la formación individual y social que es necesaria para crear las formas de vida pública que son esenciales para el desarrollo y el mantenimiento de una democracia radical. Esto sugiere no sólo un nuevo orden del día en torno al cual se pueda desarrollar la reforma de la escuela pública, sino también un orden del día para vincular a grupos políticos progresistas que tengan divergencias. La alfabetización es indispensable para todos los aspectos de la teoría crítica y la praxis radical, y debe constituir la base para reinyectar lo pedagógico en el significado de la política. Esto quiere decir que hay que desarrollar un punto de vista de la alfabetización y la voz que demuestre, a la vez que afirme, la importancia de la enseñanza pública como parte de la lucha por extender las posibilidades humanas dentro de un discurso que plantee nuevas preguntas, que ponga de manifiesto la importancia de la solidaridad democrática y que fomente la prioridad de una lógica que dignifique a la democracia radical y a la justicia social.

6

LA EDUCACIÓN DE LOS MAESTROS Y LA ENSEÑANZA DEMOCRÁTICA

Ya en 1890, un maestro de Nueva Inglaterra llamado Horace Willard argumentaba de manera convincente que, a diferencia de lo que ocurría con los miembros de otras profesiones, los maestros llevaban "una vida de rutina mecánica y estaban sujetos a una maquinaria de supervisión, organización, clasificación, otorgamiento de calificaciones, elaboración de porcentajes, uniformidad, promociones, pruebas, exámenes".[1] En ninguna parte de la cultura escolar, denunciaba Willard, existía espacio para "la individualidad, las ideas, la independencia, la originalidad, el estudio, la investigación".[2] Cuarenta años más tarde, Henry W. Holmes, decano de la nueva Graduate School of Education de la Universidad de Harvard, se hacía eco de esos sentimientos en la crítica que enderezaba contra la Encuesta Nacional sobre la Educación de Maestros, de 1930. Según Holmes, en el estudio se había omitido apoyar a los maestros como pensadores críticos independientes. En vez de ello, avalaba un punto de vista del maestro que George Counts denominó un "trabajador rutinario bajo la dirección experta de rectores, supervisores y superintendentes".[3] Holmes estaba convencido de que si la labor de los maestros se seguía definiendo de manera tan obtusa, las escuelas de educación a la postre se limitarían a formas de adiestramiento que prácticamente socavarían el desarrollo de los maestros como intelectuales con mentalidad crítica.

En épocas distintas, estos dos notables críticos de la educación norteamericana reconocieron que cualquier intento

---

[1] Arthur G. Powell, "University schools of education in the twentieth century", *Peabody Journal of Education*, 54 (1976), 4.

[2] *Ibid.*, p. 4.

[3] George Counts, citado en Powell, "University schools", p. 4.

viable de reforma educativa tenía que encarar la cuestión de la educación para maestros. Pero lo más importante era su convicción en el sentido de que los maestros debían funcionar profesionalmente como intelectuales, y que la educación para maestros debía estar inextricablemente vinculada con la transformación crítica del escenario escolar y, por extensión, del escenario social más amplio.

Durante la primera parte del siglo XX, y gracias a cierto número de programas experimentales de educación para maestros, se logró cambiar el terreno de la pugna en pos de una enseñanza democrática, que de una plataforma en gran medida retórica pasó a ser el propio lugar del programa. Uno de estos programas se organizó en torno al New College, que fue un proyecto experimental de enseñanza a docentes que guardó nexos con el Teachers College de la Universidad de Columbia entre 1927 y 1953. Los portavoces del New College pregonaban "que un programa sólido de educación para maestros debía apoyarse en una adecuada integración entre una teoría educacional rica en escolaridad y la práctica profesional".[4] Además, el New College inició un programa de adiestramiento basado en el principio de que "es privilegio peculiar del maestro el de desempeñar un importante papel en el desarrollo del orden social de la siguiente generación".[5] En la primera declaración del New College se afirmaba que si se quería que los maestros escaparan del usual "paso cerrado académico... era preciso que entraran en contacto con la vida en sus diversas fases y modos de comprenderla —es decir, de entender la vida intelectual, moral, social y económica de las personas".[6]

La idea de que los programas para educación de maestros deben centrar sus objetivos académicos y morales en la educación a los maestros como intelectuales críticos, a la vez que fomenten los intereses democráticos, ha influido invariablemente en los debates sobre las diversas "crisis" de la educa-

---

[4] Tal como lo citan Lawrence A. Cremin, David A. Shannon y Mary Evelyn Townsend, *A history of Teachers College, Columbia University* (Nueva York: Columbia University Press, 1954), p. 222.

[5] *Ibid.*, p. 222.

[6] Según cita de George Counts en *Ibid.*, p. 222.

ción en el transcurso de los últimos cincuenta años.[7] Además, ha sido precisamente a causa de la presencia de tal idea que, con el tiempo, se ha podido construir una racionalización mediante la cual se vincula a la enseñanza con los imperativos de la democracia con la pegagogía del aula y con la dinámica de la ciudadanía. Con esto no se quiere sugerir, sin embargo, que ni la educación pública ni los programas de adiestramiento de maestros hayan estado sobrecargados por una preocupación en cuanto a la democracia y la ciudadanía.[8] No obstante, tal como he argumentado a todo lo largo de este libro, el precedente histórico de educar a los maestros como intelectuales y el de hacer de las escuelas sitios democráticos para la transformación social, podría comenzar a definir la forma en que la educación pública y la educación para maestros se pudiera percibir hoy apropiadamente. En otras palabras, deseo apoyarme en este precedente con el fin de abogar por la educación de los maestros como intelectuales transformadores. Como ya lo he señalado antes, la expresión "intelectual transformador" se refiere a aquel que ejerce formas de práctica intelectual y pedagógica que intentan insertar la enseñanza y el aprendizaje directamente en la esfera política, argumentando que la enseñanza representa tanto una lucha en pos del significado como una pugna en torno a las relaciones de poder. También me refiero a alguien cuyas prácticas intelectuales se hallan necesariamente fundamentadas en formas de discurso moral y ético que manifiestan una preocupación preferencial por el sufrimiento y las luchas de los desposeídos y los oprimidos. Aquí extiendo el punto de vista tradicional del intelectual como alguien que es capaz de analizar los diversos intereses y contradicciones que existen dentro de la sociedad, a alguien

---

[7] Para una interesante exposición sobre esta cuestión, véase Ira Katznelson y Margaret Weir, *Schooling for all: class, race, and the decline of the democratic ideal* (Nueva York: Basic Books, 1985).

[8] Véase especialmente el trabajo de los historiadores revisionistas de los sesenta. Entre los trabajos representativos figuran los de Michael B. Katz, *The irony of early school reform: educational innovation in mid-nineteenth century Massachusetts* (Boston: Beacon Press, 1968); Colin Greer, *The great school legend* (Nueva York: Basic Books, 1972); y Clarence J. Karier, Paul Violas y Joel Spring, *Roots of crisis: American education in the twentieth century* (Chicago: Rand McNally, 1973).

que es capaz de articular las posibilidades emancipatorias y trabajar para que se conviertan en realidad. Los maestros que asumen el papel de intelectuales transformadores, tratan a los alumnos como agentes críticos, cuestionan la forma en que se produce y distribuye el conocimiento, utilizan el diálogo y hacen al conocimiento significativo, crítico y, a la postre, emancipatorio.[9]

Desarrollo además, en este capítulo, un tema que ha permeado este libro; es decir, dentro del discurso actual sobre la reforma educativa[10] se observa, con pocas excepciones,[11] un ominoso silencio en lo tocante al papel que tanto la educación para maestros como la enseñanza pública debieran desempeñar en el fomento de las prácticas democráticas, de la ciudadanía crítica y de la función del maestro como intelectual. Considerando la herencia de democracia y de reforma social que nos han dejado nuestros antecesores de la educación, tales como John Dewey y George Counts, este silencio no sólo sugiere que algunos de los actuales reformadores están padeciendo una amnesia histórica y política, sino que también apunta hacia los intereses ideológicos que subyacen a sus propuestas. Lamentablemente, tales intereses nos dicen menos acerca de los males de la enseñanza que respecto de la naturaleza de la crisis real que encara esta nación —una crisis que, en mi opinión, no sólo trae malos augurios para el futuro de la educación norteamericana, sino que subraya igualmente la necesidad de volver a hacer nuestra una tradición democrática que actualmente se halla

[9] Véase Stanley Aronowitz y Henry A. Giroux, *Education under siege: the conservative, liberal, and radical debate over schooling* (South Hadley: Bergin and Garvey, 1985).

[10] Empleo la palabra "discurso" para referirme a "un dominio del uso del lenguaje sujeto a reglas de formación y de transformación", según cita de Catherine Belsey en *Critical practice* (Londres: Methuen, 1980), p. 160. Los discursos se pueden igualmente describir como "los complejos de señales y prácticas que organizan la existencia social y la reproducción social. En su persistencia material y estructurada, los discursos son lo que da sustancia diferencial a los miembros de un grupo social o formación de clase, que median un sentimiento interno de pertenencia y de sentido externo de otredad", tal como lo cita Richard Terdiman en *Discourse-counter-discourse* (Nueva York: Cornell University Press, p. 54).

[11] Aronowitz y Giroux, *Education under siege*, y Ann Bastian, Colin Greer, Norm Fruchter, Marilyn Gittel y Kenneth Haskins, *Choosing equality: the case for democratic schooling* (Nueva York: New World Foundation, 1985).

en retirada. Para expresarlo sin tapujos, buena parte de la literatura actual sobre la reforma educativa apunta hacia una crisis de la propia democracia norteamericana.

En forma característica, el discurso de la reciente reforma educativa excluye la consideración de ciertas propuestas. Faltan, por ejemplo, en los diversos discursos privilegiados que han dado forma al reciente movimiento reformador, y están ausentes de las prácticas de los maestros de las escuelas públicas cuya participación en el actual debate ha sido más o menos vigorosa, los intentos concertados por democratizar las escuelas y por facultar a los alumnos para que se conviertan en ciudadanos críticos y activos. Esta renuencia de los maestros ha tenido un efecto particularmente nocivo, puesto que la ausencia de propuestas para repensar el propósito de las escuelas de educación en torno a preocupaciones democráticas ha fortalecido aún más las presiones ideológicas y políticas que definen a los maestros como técnicos y estructuran la labor de éstos de una manera denigrante y sobrecargada. Kenneth Zeichner subraya esta preocupación cuando escribe lo siguiente:

Se espera que en el debate futuro sobre la educación para maestros haya una mayor preocupación por la cuestión de qué compromisos educacionales, morales y políticos deban ser los que guíen nuestro trabajo en el campo, en vez de continuar con la práctica de simplemente ocuparnos de los procedimientos y medidas que nos ayuden más eficazmente al logro de fines tácitos y frecuentemente no examinados. Sólo después de que hayamos comenzado a resolver algunas de estas cuestiones necesariamente previas, relacionadas con los fines, podremos concentrarnos en la resolución de cuestiones más instrumentales que tienen que ver con la consecución efectiva de nuestras metas.[12]

El debate que se está dando ofrece la oportunidad de analizar críticamente las condiciones ideológicas y materiales —tanto de dentro como de fuera de las escuelas— que contribuyen a la pasividad e impotencia de los maestros. Creo también que el reconocimiento del fracaso, en cuanto a

---

[12] Zeichner, "Alternative paradigms of teacher education", *Journal of Teacher Education*, 34 (1983), 8.

vincular los propósitos de la enseñanza pública con los imperativos de la reforma económica y social, nos ofrece un punto de partida para examinar el cambio ideológico de la educación que ha tenido lugar en los ochenta, así como para desarrollar un nuevo lenguaje de democracia, de adquisición de facultades críticas y de posibilidad, dentro de los cuales se puedan definir programas de educación para maestros y prácticas del aula. Mi principal preocupación es desarrollar un punto de vista de la educación para maestros que defina a éstos como intelectuales transformadores, y a la enseñanza como parte de una lucha continua por la democracia. Al desarrollar mi argumentación me centraré en cuatro consideraciones. Primero analizaré las nuevas posturas conservadoras dominantes que han generado las actuales reformas, conforme a las implicaciones que tienen estos puntos de vista para la reorganización de los programas de educación para maestros. En segundo lugar desarrollaré una exposición razonada para la organización de estos programas en torno al punto de vista crítico del trabajo y la autoridad de los maestros, que en mi opinión es congruente con los principios y prácticas de la democracia. En tercer lugar presentaré algunas sugerencias programáticas para analizar la educación a maestros como una forma de política cultural. Y finalmente abogaré por una pedagogía crítica que se apoye en las conversaciones y voces multilaterales que constituyen la vida comunitaria.

LA REFORMA EDUCATIVA Y EL ALEJAMIENTO CON RESPECTO A LA DEMOCRACIA

Las reformas educativas que ha propuesto la reciente coalición de conservadores y liberales, a quienes de manera conveniente se les ha puesto la etiqueta de "nuevos conservadores", se sustentan en un discurso que edifica, a la vez que mixtifica, tales propuestas. Capitalizando la menguante confianza del público en general, así como de un creciente número de maestros, en la eficacia de las escuelas públicas, los nuevos conservadores defienden la reforma educativa echándoles la culpa a las escuelas de toda una serie de crisis que incluyen cualquier aspecto: desde el incremento del déficit comercial hasta el rompimiento de la moral familiar.[13] Los nuevos conservadores se han apoderado de la iniciativa enmarcando sus argumentos en una retórica concisa que encuentra eco entre un público cada vez más preocupado por la movilidad hacia abajo en una época económica difícil, que apela al resurgimiento chovinista del patriotismo y que formula metas educacionales conforme a lineamientos elitistas. Tal discurso es peligroso, no sólo porque interpreta erróneamente la responsabilidad que tienen las escuelas en cuanto a los problemas económicos y sociales de mayor envergadura —postura que ya se ha refutado convincentemente y que no es preciso volver a impugnar aquí—,[14] sino también porque refleja un alarmante cambio ideológico con respecto al papel que debieran desempeñar las escuelas dentro de la sociedad. El efecto de este cambio, iniciado por el vigorosísimo ataque de la nueva derecha contra las reformas educativas y sociales de la década de los sesenta, ha sido el de redefinir el propósito de la educación a manera de eliminar su función cívica, en favor de una perspectiva estrechamente definida de mercado de trabajo. La esencia y las implicaciones de esta postura han sido bien documentadas por Barbara Finkelstein.

Los reformadores contemporáneos al parecer están revocando la misión utópica tradicional de la educación pública: el fomento de una población crítica y comprometida, capaz de estimular los pro-

---

[13] Algunos de los escritos más representativos sobre esta cuestión se pueden encontrar en Diane Ravitch, *The troubled crusade: American education 1945-1980* (Nueva York: Basic Books, 1983); John H. Bunzel, comp., *Challenge to American schools: the case for standards and values* (Nueva York: Oxford University Press, 1985); Diane Ravitch, *The schools we deserve: reflections on the educational crises of our time* (Nueva York: Basic Books, 1985), y Edward Wynne, "The great tradition in education: transmitting moral values", *Educational Leadership*, 43 (1985), 7.

[14] Entre los mejores análisis figuran los de Lawrence C. Stedman y Marshall S. Smith, "Recent reform proposals for American education", *Contemporary Education Review*, 53 (1983), 85-104; Walter Feinberg, "Fixing the schools: the ideological turn", *Issues in Education*, 3 (1985), 113-138; Edward H. Berman, "The improbability of meaningful educational reform", *Issues in Education*, 3 (1985), pp. 99-112; y Aronowitz y Giroux, *Education under siege*.

cesos de transformación política y cultural, así como de refinar y extender el funcionamiento de la democracia política. ...Todo parece indicar que los reformadores se imaginan a las escuelas como instrumentos económicos, en vez de políticos. No se forjan nuevos horizontes en cuanto a posibilidades políticas y sociales. En vez de ello, hacen un llamamiento para que las escuelas públicas se pongan exclusivamente al servicio de la industria y la cultura. ...Los reformadores han desvinculado sus llamamientos en pos de una reforma educativa de aquellos que se refieren a una redistribución del poder y la autoridad, así como del auspicio de formas culturales que ensalcen el pluralismo y la diversidad. Como si ya estuvieran cansados de la democracia política, los norteamericanos, por vez primera en ciento cincuenta años de historia, parecen estar dispuestos a efectuar una cirugía ideológica en sus escuelas públicas —desgajándolas por completo del destino de la justicia social y la democracia política, e injertándolas en los intereses elitistas empresariales, industriales, militares y culturales.[15]

Es importante reconocer que el ataque de los nuevos conservadores contra las reformas de la década pasada ha traído como consecuencia un cambio que se aparta de la definición de las escuelas como instituciones de equidad y justicia. Poca es la preocupación que existe en cuanto a la forma en que la educación pública pudiera servir mejor los intereses de los diversos grupos de estudiantes, permitiéndoles comprender las fuerzas sociopolíticas que influyen en su destino, y alcanzar algún grado de control sobre ellas. En vez de ello, valiéndose de este nuevo discurso y de su preocupación por los esquemas explicativos, de pruebas, de acreditación y de obtención de credenciales, la reforma educativa ha pasado a ser sinónima de una conversión de las escuelas en centros de pruebas. Ahora, la vida escolar queda definida, primordialmente, midiendo su utilidad frente a la aportación que hace al crecimiento económico y a la uniformidad cultural. De manera similar, lo nuclear del actual cambio ideológico es un intento por reformular el propósito de la educación pública en torno a un conjunto de intereses y de relaciones sociales que definan el éxito académico casi exclusivamente

---

[15] Barbara Finkelstein, "Education and the retreat from democracy in the United States, 1979-1982", *Teachers College Record*, 86 (1984), 280-281.

conforme a la acumulación de capital y a la lógica del mercado. Esto representa un cambio que nos aleja del control que el maestro pudiera tener sobre el plan de estudios y que nos orienta hacia una forma fundamentalmente tecnicista de la educación que se halle más directamente enlazada con las modalidades económicas de producción. Además, los nuevos conservadores ofrecen un punto de vista de la sociedad según el cual la autoridad proviene de la competencia técnica y la cultura encarna una tradición idealizada que glorifica el trabajo arduo, la disciplina industrial, el deseo domesticado y la obediencia alegre. Edward Berman ha captado hábilmente la naturaleza política de este cambio ideológico.

Los arquitectos de la reforma que se está llevando a cabo han tenido el mérito de abandonar la retórica de la escuela como un vehículo para el mejoramiento personal. En los informes actuales sobre los programas derivados de esa reforma, ya casi ni se pretende que el mejoramiento personal y la movilidad social sean preocupaciones importantes del sistema escolar reconstituido. La anterior retórica acerca de la movilidad individual ha dado paso a exhortaciones para construir estructuras educacionales que le permitan a cada estudiante efectuar una mayor aportación a la producción económica del estado corporativo. Pocas son las florituras retóricas que vengan a oscurecer este objetivo capital.[16]

El cambio ideológico que caracterizó al actual período de reforma es evidente también en las formas en que hoy se definen la preparación de los maestros y la pedagogía del aula. La erupción de propuestas de reforma para la reorganización de las escuelas apunta hacia una definición de la labor de los maestros que exacerba gravemente unas condiciones que en la actualidad están erosionando la autoridad y la integridad intelectual de los maestros. De hecho, el aspecto más notable de los informes que ejercen influencia, y en especial *A nation at risk, Action for excellence* y *A nation prepared: teachers for the 21st century*, a los que se ha hecho una gran publicidad, es la manera estudiada en que se niegan a abordar las condiciones ideológicas, sociales y económicas que subyacen al mal rendimiento de maestros y alum-

[16] Berman, "Improbability", p. 103.

nos.[17] Por ejemplo, tal como lo señalan Marilyn Frankenstein y Louis Kampf, los maestros de las escuelas públicas
constantemente encaran condiciones "tales como el acento
abrumador en la cuantificación (tanto en lo que se refiere a
calificar a los niños como en el aspecto de llevar los regis-
tros), la creciente falta de control sobre los planes de estudios
(separando la concepción respecto de la ejecución) y sobre
otros aspectos de su trabajo, el aislamiento con respecto de
sus colegas, el trato condescendiente por parte de los administradores y los despidos en masa de maestros veteranos".[18]

En vez de enfrentar estas cuestiones, muchas de las reformas que tienen lugar en el plano estatal aún consolidan más
las estructuras administrativas e impiden que los maestros,

[17] Empleo la palabra "influyentes" para referirme a aquellos informes que
han desempeñado un papel importante en la conformación de la política
educativa, tanto en el plano nacional como en el local. Figuran entre éstos los
publicados por The National Commission on Excellence in Education, *A nation
at risk: the imperative for educational reform* (Washington, D.C.: GPO, 1983); Task
Force on Education for Economic Growth, Education Commission of the States,
Action for excellence: a comprehensive plan to improve our nation's schools (Denver:
Education Commission of the States, 1983); The Twentieth Century Fund Task
Force on Federal Elementary and Secondary Education Policy, *Making the grade*
(Nueva York: The Twentieth Century Fund, 1983); Carnegie Corporation,
Education and economic progress: toward a national education policy (Nueva York:
1983); y Carnegie Forum on Education and the Economy, *A nation prepared:
teachers for the 21st century* (Hyattsville: 1986).

También se han tomado en consideración otros informes recientes sobre la
reforma de la educación para maestros: The National Commission for Excellence
in Teacher Education, *A call for change in teacher education* (Washington, D.C.:
American Association of Colleges in Teacher Education, 1985); C. Emily
Feistritzer, *The making of a teacher* (Washington, D.C.: National Center for
Education Information, 1984); "Tomorrow's teachers: a report of the Holmes
Group" (East Lansing: Holmes Group, 1986), y Francis A. Maher y Charles H.
Rathbone, "Teacher education and feminist theory: some implications for
practice", *American Journal of Education*, 101 (1986), pp. 214-235. Para un análisis
de muchos de estos informes, véase Catherine Cornbleth, "Ritual and rationality
in teacher education reform", *Educational Researcher*, 15:4 (1986), pp. 5-14. El
informe Holmes ha dado lugar a un buen número de artículos; algunos de los
más perceptivos se pueden encontrar en *Teachers College Record*, 88:3 (primavera
de 1987).

[18] Marilyn Frankenstein y Louis Kampf, "Preface", en Sara Freedman, Jane
Jackson y Katherine Boles, "The other end of the corridor: the effect of teaching
on teachers", *Radical Teacher*, 23 (1983), pp. 2-23. Vale la pena señalar que el
trabajo *A nation prepared* del Carnegie Forum, termina por derrotar sus más
vigorosas sugerencias en cuanto a reforma, al vincular la adquisición de
facultades críticas por parte de los maestros con la cuantificación de los
conceptos de excelencia.

colectiva y creativamente, den forma a las condiciones bajo las que laboran. Por ejemplo, tanto en el plano local como en el federal, el nuevo discurso educativo ha influido en un buen número de recomendaciones sobre política, tales como las pruebas a maestros basadas en la competencia de éstos, una secuencia rígida de empleo de los materiales, técnicas maestras de aprendizaje, esquemas de evaluación sistematizada, planes de estudios estandarizados y la implantación de materias "básicas" obligatorias.[19] Las consecuencias de todo esto son obvias no sólo en el punto de vista sustantivamente estrecho de los propósitos de la educación, sino también en las definiciones de enseñanza, aprendizaje y alfabetización que defienden los nuevos responsables de trazar políticas, cuya orientación es la de administradores. En vez de desarrollar la comprensión crítica, de enfrentar la experiencia del estudiante y de fomentar la ciudadanía activa y crítica, se redefine a las escuelas con base en un lenguaje y unas políticas que hacen hincapié en la estandarización, la competencia y en habilidades de desempeño estrechamente definidas.

Dentro de este paradigma, el desarrollo de los planes de estudios se deja en manos, cada vez más frecuentemente, de expertos en administración, o simplemente se adoptan los que proponen las casas editoriales, sin que haya ninguna aportación, o muy pocas, por parte de los maestros que se espera que vayan a poner en práctica los nuevos programas. En su forma más ideológicamente ofensiva, este plan de estudios "previamente empacado" se racionaliza afirmando que es "a prueba del maestro" y que está ideado para que halle aplicación en cualquier contexto del salón de clases, sin que importe cuáles sean las diferencias históricas, culturales y socioeconómicas que caracterizan a las diversas escuelas y alumnos.[20] Lo que aquí resulta importante señalar es que el

---

[19] Stedman y Smith, "Recent reform proposals", pp. 85-104.

[20] No me opongo de manera automática a todas las formas de *software* y de tecnologías concernientes al plan de estudios, tales como los discos y computadoras de video interactivos, siempre y cuando los maestros estén conscientes de la limitada gama de aplicaciones y contextos en los cuales se pueden emplear estas tecnologías. Ciertamente estoy de acuerdo en que determinados planes de estudios previamente preparados son más prominentes que otros, como instrumentos de aprendizaje. Sin embargo, con demasiada

hecho de privar de habilidades a los maestros parece ir de la mano con la creciente adopción de pedagogías del tipo administrativo.

Bajo la perspectiva de que los maestros son trabajadores semiespecializados y mal pagados, dentro de la producción en masa de la educación, los responsables de trazar políticas han tratado de cambiar la educación, de mejorarla, haciéndola "a prueba del maestro". En el transcurso de la última década hemos presenciado la proliferación de complejos esquemas "explicativos" que llevan siglas tales como MBO (administración por objetivos), PBBS (sistemas presupuestales basados en el rendimiento), CBE (educación basada en la competencia), CBTE (educación para maestros basada en la competencia) y MCT (prueba de competencia mínima).[21]

El hecho de que cada vez se desplace más a los maestros de la tarea de la elaboración y análisis de los planes de estudios guarda relación con las formas en que se emplea la racionalidad tecnocrática para redefinir la labor de los maestros. Este tipo de racionalidad tiene lugar, con más y más frecuencia, dentro de una división del trabajo en la cual el pensamiento se separa de la puesta en práctica, y el modelo del maestro pasa a ser la del técnico o el empleado de cuello blanco. De manera similar, el aprendizaje se reduce a la memorización de hechos estrechamente definidos y trozos de información que se puedan medir y evaluar fácilmente. El significado y los efectos globales de este tipo de racionalización y control burocrático sobre la labor y la moral de los maestros ha sido expresado vigorosamente por Linda Darling-Hammond, quien escribe:

frecuencia se ignoran, en el uso de tales planes de estudios, los contextos de la situación inmediata del aula, el medio social más amplio y la coyuntura histórica de la comunidad circundante. Además, en los materiales del salón de clases destinados a simplificar la tarea de enseñar y de hacerla más eficiente con respecto al costo, con frecuencia se separa el planeamiento o la concepción de la ejecución. Muchos de los ejemplos recientes de los planes de estudios comerciales y previamente diseñados, se centran en buena medida en competencias que se miden por medio de pruebas estandarizadas, lo cual impide que los maestros y los alumnos puedan funcionar como pensadores críticos. Véase Michael W. Apple y Kenneth Teitelbaum, "Are teachers losing control of their skills and curriculum?", *Journal of Curriculum Studies*, 18 (1986), 177-184.

[21] Linda Darling-Hammond, "Valuing teachers: the making of a profession", *Teachers College Record*, 87 (1985), p. 209.

En un estudio de la empresa Rand sobre la opinión que tenían los maestros en cuanto a los efectos que ejercían las políticas educativas sobre sus prácticas en el aula, aquéllos nos dijeron que en respuesta a las políticas que estipulan cuáles deben ser tales prácticas de enseñanza y sus resultados, los maestros dedican menos tiempo a las materias que no eran objeto de pruebas, tales como la ciencia o los estudios sociales; en sus aulas emplean menos la escritura, con objeto de orientar las tareas hacia las pruebas de formato o estandarizadas; recurren a la conferencia, en vez de sostener debates en clase, con el fin de abarcar los objetivos conductuales estipulados, sin "salirse del carril"; se les impide el uso de materiales didácticos que no figuren en las listas de textos, aun cuando opinen que estos materiales sean esenciales para satisfacer las necesidades de algunos de sus alumnos, y se sienten restringidos en cuanto a dar seguimiento a intereses expresados por los alumnos, cuando caen fuera de los límites de los planes de estudios obligatorios. ... Y el 45 por ciento de los maestros de este estudio nos dijeron que lo único que les haría abandonar la enseñanza era la obligatoriedad cada vez mayor de ajustarse al contenido y los métodos docentes —en pocas palabras, la continua desprofesionalización de la enseñanza.[22]

Como ya se ha mencionado, los intereses económicos que informan a las nuevas propuestas conservadoras se basan en un punto de vista de la moralidad y la política que queda legitimado mediante un llamamiento a la unidad y la tradición nacionales. Dentro de este discurso, la democracia pierde su carácter dinámico y queda reducida a un conjunto de principios y disposiciones institucionales heredados que les enseñan a los alumnos la manera de adaptarse, en vez de cuestionar los preceptos básicos de la sociedad. Lo que queda en las nuevas propuestas de reforma es un punto de vista de la autoridad, estructurado en torno a un mandato de seguir y poner en práctica reglas predeterminadas, trasmitir una tradición cultural que no admite cuestionamientos y santificar la disciplina industrial. Aúnanse estos problemas con los grupos de gran tamaño, el excesivo papeleo, los horarios de clases fragmentados y los bajos salarios, y no deberá sorprendernos que los maestros cada vez con mayor frecuencia abandonen el campo de la enseñanza.[23]

[22] *Ibid.*
[23] Para un excelente análisis teórico sobre esta cuestión, véase Freedman,

En efecto, el cambio ideológico de que aquí se trata apunta hacia una definición restringida de la enseñanza, una definición que despoja casi completamente a la educación pública de una visión democrática en la que se preste consideración seria a la ciudadanía y a la política de posibilidad. Cuando aduzco que las recientes recomendaciones de reforma provenientes de los conservadores carecen de una política de posibilidad y de ciudadanía, lo que quiero decir es que se otorga primacía a la educación como inversión económica, esto es, a las prácticas pedagógicas destinadas a crear una sociedad entre la escuela y el mundo de los negocios y a hacer más competitivo el sistema económico norteamericano en los mercados mundiales. Claro está que existe un enfoque conservador de la reforma escolar menos influyente, pero igualmente antiutópico y pedestre, que ya he analizado en el capítulo 4. Conforme a este punto de vista, el aprendizaje y la ciudadanía críticos quedan reducidos a un concepto de pedagogía elitista y platónico, en el cual la complejidad de la relación conocimiento/poder queda en calidad de rehén por el hecho de que se apele a las virtudes que posee un concepto reduccionista de la alfabetización cultural. En este caso, a la cultura y a los conocimientos se los trata estadísticamente como un almacén de grandes libros o como una lista de información que simplemente se les tiene que trasmitir a alumnos bien dispuestos y agradecidos. Una política de posibilidad y ciudadanía, en cambio, se refiere a un concepto de la enseñanza escolar en el que se considera que las aulas son sitios activos de intervención pública y de lucha social. Además, este punto de vista sostiene que existen posibilidades para que los maestros y los alumnos redefinan la naturaleza del aprendizaje y la práctica críticos, fuera de los imperativos del mercado corporativo. La idea de una política y un proyecto de posibilidad se fundamenta en la idea de Bloch de que en el "derecho natural el punto de vista de las

Jackson y Boles, "The other end of the corridor". Para un tratamiento estadístico más tradicional, véanse Darling-Hammond, *Beyond the Commission reports: the coming crisis in teaching*, R-3177-RC (Santa Mónica: Rand Corporation, julio de 1984); National Education Association, *Nationwide teacher opinion poll*, 1983 (Washington, D.C.: 1983); y American Federation of Teachers, *School as a workplace: the realities of stress*, vol. 1 (Washington, D.C.: 1983).

víctimas de cualquier sociedad debe siempre ofrecer el punto de partida para la crítica de esa sociedad".[24] Una política de esta índole define a las escuelas como sitios en torno a los cuales se deben librar luchas en nombre del desarrollo de un orden social más justo, humano y equitativo, tanto dentro como fuera de las escuelas.

He dedicado cierto espacio a volver a recalcar el nuevo discurso conservador y el cambio ideológico que representa, porque en mi opinión las reformas actuales, con pocas excepciones, plantean una grave amenaza tanto a la enseñanza pública como a la naturaleza de la propia democracia. La definición que este discurso les da a la enseñanza y el aprendizaje hace caso omiso, como ya he señalado, del imperativo de considerar a las escuelas como sitios de transformación social, en las que los estudiantes sean educados para que se conviertan en ciudadanos informados, activos y críticos. Mal ayuda a la gravedad de este cambio ideológico el hecho de que incluso los portavoces más liberales de la escuela pública no hayan sabido desarrollar un discurso crítico que desafíe a la hegemonía de las ideologías dominantes. Por ejemplo, los muy difundidos informes de John Goodlad, Theodore Sizer, Ernest Boyer y otros, ni admiten ni utilizan la tradición radical de la beca educativa.[25] Aun cuando la postura liberal sí toma en serio los conceptos de "igualdad de oportunidad" y de "ciudadanía", de todos modos se nos deja con análisis de la enseñanza que carecen de una comprensión lo suficientemente crítica de las formas en que se ha empleado el poder para favorecer a grupos selectos de estudiantes, a expensas de otros. Además, sólo se nos ofrece un tratamiento superficial de la economía política de la enseñanza, con su historia desperdigada de eslabonamientos deshonestos con los intereses y la ideología de las corporaciones. Y por otro lado, poco es lo que se nos ofrece para que

---

[24] Dennis J. Schmidt, "Translator's introduction: in the spirit of Bloch", en Ernst Bloch, *Natural law and human dignity*, Dennis J. Schmidt, trad. (Cambridge: MIT Press, 1986), p. xviii.

[25] John Goodlad, *A place called school: prospects for the future* (Nueva York: McGraw-Hill, 1983); Theodore Sizer, *Horace's compromise: the dilemma of the American high-school* (Boston: Houghton Mifflin, 1984), y Ernest Boyer, *High school: a report on secondary education in America* (Nueva York: Harper and Row, 1983).

comprendamos la forma en que el plan de estudios oculto de las escuelas funciona de manera sutilmente discriminatoria para desacreditar los sueños, experiencias y conocimientos que se hallan asociados con los alumnos provenientes de grupos de clases, de razas y de géneros específicos.[26]

En ausencia de algún orden del día crítico que compita por la reforma, el nuevo discurso conservador alienta a las instituciones de educación para maestros a definirse primordialmente como lugares de adiestramiento que les ofrecen a los estudiantes la habilidad técnica que se requiere para encontrar un espacio dentro de la jerarquía corporativa. Thomas Popkewitz y Allan Pitman han caracterizado además a la ideología que subyace a las actuales propuestas de reforma, afirmando que traiciona un elitismo fundamental, puesto que adopta básicamente una perspectiva de la sociedad que es indiferenciada en cuanto a clase, raza o género. La lógica endémica de estos informes, argumentan los autores, pone de manifiesto un apego al individualismo posesivo y a la racionalidad instrumental. En otras palabras: "A la cantidad se la ve como una calidad. A las preocupaciones respecto al procedimiento se las hace objeto de dominios de valor y de moral. El maestro es un facilitador... o un consejero. ... La individualización equivale a caminar por medio de un plan de estudios común. ... La flexibilidad en la instrucción consiste en comenzar 'donde el alumno esté listo para comenzar'. ... No se debate qué es lo que se debe facilitar, ni cuáles son los conceptos del plan de estudios que vayan a guiar los procedimientos."[27]

Además, Popkewitz y Pitman observan que ha habido un cambio claro con el que se ha pasado de una preocupación por la equidad a una estimación esclavizante de un concepto restringido de excelencia académica. Es decir, en el concepto de excelencia que da coherencia a estos nuevos informes se "ignoran las diferenciaciones sociales, a la vez que se

[26] Para el panorama y un análisis crítico de esta literatura, véase Henry A. Giroux, "Theories of reproduction and resistance in the new sociology of education: a critical analysis", *Harvard Educational Review*, 53 (1983), 257-293.

[27] Popkewitz y Pitman, "The idea of progress and the legitimation of state agendas: American proposals for school reform", *Curriculum and Teaching*, 1 (1986), p. 21.

proporcionan símbolos políticos destinados a darles credibilidad a una educación que sólo unos pocos pueden apreciar".[28] Lo que aquí se resalta, de manera correcta, es que el concepto de excelencia de que se habla en los informes se ha ideado a manera de beneficiar a "aquellos que siempre han tenido acceso a puestos de estatus y de privilegio gracias a los accidentes del nacimiento".[29]

Dado el contexto dentro del cual se están definiendo actualmente la enseñanza y el aprendizaje, se vuelve tanto más importante insistir en un punto de vista alternativo de la educación para maestros; de una educación que, a la vez que se niegue a ponerse pasivamente al servicio de las actuales disposiciones ideológicas e institucionales de las escuelas públicas, vaya orientada a desafiarlas y reformarlas.

EDUCACIÓN PARA MAESTROS: DEMOCRACIA Y EL IMPERATIVO DE LA REFORMA SOCIAL

Deseo regresar a la idea de que las preocupaciones fundamentales de la democracia y la ciudadanía crítica deben ocupar el lugar central en cualquier polémica sobre el propósito de la educación para maestros. Para ello, voy a organizar mi exposición en torno a un esfuerzo inicial por desarrollar un lenguaje crítico mediante el cual se pueda reconstruir la relación que existe entre los programas de educación para maestros y las escuelas públicas, por un lado, y la educación pública y la sociedad, por el otro.

Si se quiere que los programas de educación para maestros proporcionen la base de la lucha y la renovación democrática de nuestras escuelas, habrá que redefinir la relación que tales programas guardan actualmente con dichas instituciones. Tal como están las cosas hoy en día, las escuelas de educación rara vez alientan a sus alumnos a tomar en serio los imperativos de la crítica social y del cambio social como

[28] *Ibid.*, p. 20.
[29] *Ibid.*, p. 22.

parte de una visión emancipatoria de mayores alcances. Si los estudiantes de la educación comienzan a ocuparse de estas cosas en el plano del salón de clases, cuando lo hacen, ello ocurre invariablemente muchos años después de haber obtenido su título. Mi propia experiencia en instituciones de enseñanza para maestros —como estudiante, a la vez que como instructor— me ha confirmado aquello que de manera general se acepta como cosa común en la mayoría de las escuelas e instituciones de enseñanza superior para maestros, en todas partes de Estados Unidos: estas instituciones siguen definiéndose a sí mismas, esencialmente, como instituciones de servicios que por lo común están obligadas a proporcionar la experiencia técnica necesaria para llevar a cabo cualesquiera funciones pedagógicas que estimen necesarias las diversas comunidades escolares en las cuales los alumnos vayan a emprender sus experiencias docentes.[30] Con el fin de escapar de esta postura política, es preciso que los programas de educación para maestros reorienten su enfoque y lo dirijan a la transformación crítica de las escuelas públicas, en vez de a la simple reproducción de las instituciones e ideologías existentes.[31]

Uno de los puntos de partida sería reconocer la importancia de educar a los estudiantes en los lenguajes de la crítica y la posibilidad; es decir, proporcionarles a los maestros la terminología crítica y el aparato conceptual que les permitiera no sólo analizar críticamente las deficiencias democráti-

---

[30] Zeichner, "Alternative paradigms", y Jesse Goodman, "Reflections on teacher education: a case study and theoretical analysis", *Interchange*, 15 (1984), pp. 7-26. El hecho de que muchos programas de educación para maestros se hayan definido a sí mismos como sinónimos de una preparación de carácter instructivo, con frecuencia les ha dado un sesgo debilitante, que ha desembocado en un concepto de la enseñanza que se limita a ejercicios del aula en los campos de la administración y el control. Los cursos aislados en cuanto a administración del salón de clases han tenido un efecto trágico en la forma en que los maestros son capaces de cuestionar críticamente las implicaciones políticas de la toma de decisiones respecto del plan de estudios y el desarrollo de políticas. Este predicamento se puede remontar a una historia de la política académica que surgió de la separación de los colegios de educación, respecto de la tradición de las artes liberales y respecto del personal docente en artes y ciencias; véase Donald Warren, "Learning from experience: history and teacher education", *Educational Researcher*, 14:10 (1985), pp. 5-12.

[31] Para un excelente análisis de esta cuestión, véase: National Coalition of Advocates for Students, *Barriers to excellence: our children at risk* (Boston: 1985).

cas y políticas de las escuelas, sino también desarrollar los conocimientos y habilidades que habrán de fomentar las posibilidades para la generación de planes de estudios, de prácticas sociales del aula y de disposiciones organizativas basadas en un profundo respeto —y en el cultivo de éste— hacia una comunidad democrática y con fundamentos éticos. Lo que esto efectivamente significa es que la relación de los programas de educación para maestros, con respecto a la enseñanza pública, debería guiarse por consideraciones políticas y morales. Dewey expresaba acertadamente la necesidad de que los educadores tomaran las consideraciones políticas y morales como el aspecto central de su educación y de su trabajo, cuando distinguía entre la "educación como una función de la sociedad" y la "sociedad como una función de la educación".[32] De manera sencilla, la distinción que hace Dewey nos recuerda que la educación puede funcionar ya sea a manera de crear ciudadanos pasivos y no dispuestos a correr riesgos, o ya para crear una población politizada y educada a modo de que luche por distintas formas de vida pública informadas por una preocupación por la justicia, la felicidad y la igualdad. Lo que aquí se debate es si las escuelas de educación deben ponerse al servicio de la sociedad existente, y reproducirla, o si deben adoptar la función más crítica de desafiar al orden social con el fin de desarrollar y fomentar sus imperativos democráticos. También se trata de desarrollar una explicación razonada mediante la cual se puedan definir los programas de educación para maestros de una manera que haga explícito el punto de vista particular de la relación existente entre las escuelas públicas y el orden social; punto de vista que, además, debe estar basado en la defensa de los imperativos de una sociedad democrática.

---

[32] Según se cita en Frank Lentricchia, *Criticism and social change* (Chicago: University of Chicago Press, 1985); véanse también John Dewey, *Democracy and education* (Nueva York: Free Press, 1916) y *The public and its problems* (Nueva York: Holt, 1927).

LAS ESCUELAS PÚBLICAS COMO ESFERAS PÚBLICAS DEMOCRÁTICAS

Mi segunda preocupación va dirigida a la cuestión más general de la forma en que los educadores debieran considerar el propósito de la enseñanza pública. Mi postura se hace eco de la de Dewey, en el sentido de que yo pienso que las escuelas públicas deben ser definidas como esferas públicas democráticas. Esto significa considerar a las escuelas públicas como sitios democráticos dedicados a la adquisición individual y social de facultades críticas. Así entendidas, las escuelas pueden ser lugares públicos donde los estudiantes adquieran los conocimientos y las habilidades necesarios para crear dentro de una democracia crítica. Contrariamente al punto de vista de que las escuelas son extensiones del lugar de trabajo o de las instituciones de avanzada que libran la batalla empresarial por la conquista de los mercados internacionales, las escuelas, consideradas como esferas públicas democráticas, centran sus actividades en la indagación crítica y el diálogo significativo. En este caso, a los estudiantes se les da la oportunidad de aprender el discurso de la asociación pública y de la responsabilidad cívica. Un discurso de esta índole trata de recapturar la idea de una democracia crítica que exige respeto por la libertad individual y por la justicia social. Además, el hecho de considerar a las escuelas como esferas públicas democráticas nos ofrece un razonamiento para defenderlas, junto con las formas progresistas de pedagogía y de labor docente, como agencias de la reforma social. Una vez que se han definido de esta manera, las escuelas se pueden defender como instituciones que proporcionan los conocimientos, habilidades, relaciones sociales y la visión necesarios para educar a ciudadanos capaces de construir una democracia crítica. Es decir, la práctica escolar se puede racionalizar mediante un lenguaje político que recobre y recalque el papel transformador que pueden desempeñar las escuelas en cuanto al fomento de las posibilidades democráticas inherentes en la sociedad actual.[33]

---

[33] Dewey, "Creative democracy —the task before us", en *Classic American philosophers*, Max Fisch, comp. (Nueva York: Appleton-Century-Crofts, 1951),

ES PRECISO REPENSAR LA NATURALEZA DE LA EDUCACIÓN PARA MAESTROS

Quisiera hacer incidir la exposición anterior en la misión más práctica de reconstruir los programas de educación para maestros en torno a una nueva visión de la escuela y la enseñanza democráticas que precisa un concepto de ciudadanía crítica. Por consiguiente, dedicaré el resto de mi exposición a delinear, de manera detallada y programática, aquellos componentes y categorías que pienso que son esenciales para un plan de estudios de educación para maestros y para una pedagogía crítica de las escuelas. Pero antes de pasar a esta cuestión, deseo presentar ciertos argumentos en contra de algunos de los llamamientos más recientes en favor de la abolición de las escuelas de educación. Yo sostengo que muchas de las escuelas de educación, en la forma en que actualmente están organizadas, necesitan ser reformadas drásticamente; para mí se trata de reforma, y no de abolición. La propuesta de mantener las escuelas de educación descansa en cierto número de consideraciones. La naturaleza de la enseñanza pública exige que a los aspirantes a maestros se les inicie a un concepto de teoría y de práctica que se forje fuera de los límites disciplinarios que caracterizan primordialmente a los programas de grado de las artes liberales. En otras palabras, la educación de los maestros no se puede reducir a formas de aprendizaje en las cuales a los estudiantes simplemente se les exija que dominen las disciplinas afines. La naturaleza de la enseñanza pública requiere que los estudiantes sepan más que la materia que van a enseñar. También necesitan una comprensión fundamental de las cuestiones que son inherentes a la naturaleza económica, política y cultural de la propia enseñanza escolar. Es decir, necesitan aprender un lenguaje interdisciplinario que se centre en la historia, la sociología, la filosofía, la economía política y la ciencia política de la enseñanza escolar. Los

pp. 389-394, y Richard J. Bernstein, "Dewey and democracy: the task ahead of us", en *Post-analytic philosophy*, John Rajchman y Cornel West, comps. (Nueva York: Columbia University Press, 1985), pp. 48-62.

alumnos necesitan ser capaces de teorizar en un lenguaje que incluye las disciplinas tradicionales, pero que va mucho más allá de los límites de éstas; necesitan comprender la sociología de las culturas escolares, el significado del plan de estudios oculto, una política del conocimiento y el poder, una filosofía de las relaciones escuela/estado y una sociología de la enseñanza. También es preciso que desarrollen enfoques en cuanto a investigación, métodos de indagación y teoría, que estén directamente vinculados con los problemas y posibilidades de la enseñanza. Es igualmente importante recalcar que, si la educación para maestros se deja en manos de los programas de las artes liberales, se ampliará la brecha que existe entre las escuelas y la universidad. Los programas de artes liberales adoptan como su preocupación primordial un punto de vista del aprendizaje organizado en torno a las disciplinas; no se centran en los problemas de la escuela pública; no contienen mecanismos para desarrollar las relaciones entre la escuela y la comunidad, y no tienen razón alguna para reformar la relación entre teoría y práctica a manera de permitir que los maestros trabajen como investigadores reflexivos en colaboración con maestros y estudiantes universitarios. Estos intereses sólo se pueden enseñar dentro de una escuela de educación, una escuela que se ciña al concepto de educar a los maestros como intelectuales transformadores en torno a las exigencias de una pedagogía crítica y una política cultural. Abolir las escuelas de educación equivale a minar la posibilidad de desarrollarlas como centros de enseñanza democrática y como esferas públicas que puedan trabajar orgánicamente con las comunidades donde se hallan situadas.

Claro está que los programas de educación para maestros se han hallado, y siguen hallándose, completamente apartados de una visión y un conjunto de prácticas dedicadas al fomento de la democracia crítica y la justicia social. Una de las críticas que repetidamente han expresado los educadores que laboran dentro de la tradición radical ha sido la de que, tal como existe actualmente, la educación para maestros rara vez enfrenta ni las implicaciones morales de las desigualdades sociales que se manifiestan dentro de nuestra actual forma de capitalismo industrial, ni las formas en que funcionan las escuelas a manera de reproducir y legitimar estas desigualdades.[34]

Cuando en los programas de educación para maestros se debate la vida del aula, ésta por lo común se presenta fundamentalmente como un conjunto unidimensional de reglas y prácticas regulatorias, y no como un terreno cultural donde chocan una gran variedad de intereses y prácticas, en una lucha constante y a menudo caótica en pos de la dominación. Así, los futuros maestros frecuentemente reciben la impresión de que la cultura del aula se halla esencialmente libre de ambigüedades y contradicciones. Conforme a este punto de vista, en las escuelas no existen supuestamente ni vestigios de impugnación, de lucha o de política cultural.[35] Además, la realidad del salón de clases rara vez se presenta como si se hubiera construido socialmente, determinado históricamente y reproducido con base en las relaciones institucionalizadas de clase, género, raza y poder. Por desgracia, esta concepción dominante de la escuela contradice enormemente a aquello que el estudiante de la docencia a menudo experimenta durante su práctica de trabajo real, en especial si a este estudiante se lo coloca en una escuela a la que asistan en gran medida alumnos que sufren desventajas y privaciones económicas. No obstante, y a pesar de todo, a los estudiantes para maestros se les indica que deben considerar la escuela como un terreno neutral en el que no existen el poder ni la política. Lo más frecuente es que los futuros maestros, ante el trasfondo de esta descripción tan transparente de la enseñanza, vean sus propias ideologías y experiencias a través de una perspectiva dominante en lo teórico y lo cultural, que en gran medida permanece indisputada. Pero lo más importante es que los maestros que se encuentran en esta situación no tienen bases para cuestionar las hipótesis culturales dominantes que dan forma y estructura

[34] Zeichner, "Alternative paradigms"; Henry A. Giroux, *Ideology, culture, and the process of schooling* (Filadelfia: Temple University Press, 1981), y John Sears, "Rethinking teacher education: dare we work toward a new social order?", *Journal of Curriculum Theorizing*, 6 (1985), pp. 24-79.

[35] Claro que esto no es válido por lo que toca a todos los programas de educación para maestros, pero sí representa la tradición dominante que los caracteriza; véase Zeichner, "Alternative paradigms".

a las maneras mediante las cuales responden al comportamiento estudiantil e influyen en él.

En consecuencia, muchos de los maestros recién egresados, que de pronto se encuentran dando clases a alumnos minoritarios o de clase trabajadora, carecen de un marco bien articulado para comprender las dimensiones de clase, culturales, ideológicas y de género que informan la vida del aula. A consecuencia de ello, a las diferencias culturales entre los estudiantes con frecuencia se las considera, de manera no crítica, como deficiencias y no como aspectos fuertes, y lo que pasa por enseñanza es en realidad un asalto contra las historias, experiencias y conocimientos específicos que los alumnos emplean tanto para definir sus propias identidades como para tratar de entender el mundo más amplio. Utilizo la palabra "asalto", no porque dichos conocimientos sean atacados abiertamente, sino porque se los devalúa mediante un proceso que es a la vez sutil y debilitador. Lo que ocurre es que, dentro de la cultura escolar dominante, los conocimientos subordinados generalmente son ignorados, marginados, o tratados de manera desorganizada. Tales conocimientos con frecuencia son tratados como si no existieran, o se los trata a manera de desacreditarlos. Por el contrario, aquellas ideologías que no ayudan a los grupos subordinados a interpretar la realidad que de veras experimentan, a menudo pasan por formas objetivas de conocimiento. En este proceso, los aspirantes a maestros pierden de vista la relación que existe entre cultura y poder; quedan igualmente privados de alguna manera de desarrollar posibilidades entre sus alumnos, a partir de las diferencias culturales que con frecuencia caracterizan la vida de la escuela y del salón de clases. En la siguiente sección expongo los elementos que, a mi entender, debieran constituir un nuevo modelo de educación para maestros; un modelo que aborde específicamente el aspecto que venimos explorando.

LA EDUCACIÓN PARA MAESTROS COMO POLÍTICA CULTURAL

De lo que aquí me ocupo es de reconstituir las bases sobre las cuales se estructuran los programas de educación para maestros. Esto significa llevar a la práctica una forma alternativa de educación docente en la que se conceptualice que la enseñanza tiene lugar dentro de una arena política y cultural donde se producen y median activamente formas de experiencia y de subjetividad del estudiante. En otras palabras, deseo expresar una vez más la idea de que en las escuelas no sólo se enseñan materias académicas, sino que también, en parte, se producen subjetividades o conjuntos particulares de experiencias del estudiante que en sí mismas forman parte de un proceso ideológico. El hecho de conceptualizar la enseñanza como la construcción y trasmisión de subjetividades nos permite comprender más claramente la idea de que el plan de estudios es algo más que una simple iniciación de los estudiantes a disciplinas y metodologías de enseñanza particulares; también nos sirve como introducción para una forma de vida particular.[36]

Aquí, debo renunciar a una especificación detallada de las prácticas docentes e intentar, en cambio, esbozar brevemente ciertas áreas particulares de estudio que resultan decisivas para el desarrollo de un plan de estudios de educación para maestros elaborado conforme a nuevos conceptos. Le doy el nombre de "política cultural" a los lineamientos que pienso aplicar al plan de estudios, porque creo que esta denominación me permite captar la importancia de la dimensión sociocultural del proceso de la enseñanza. Además, esa expresión me permite hacer resaltar las consecuencias políticas de la interacción entre maestros y alumnos que provengan bien de la cultura dominante o bien de la subordinada. En un plan de estudios de educación para maestros, como una forma de política cultural, se supone que las di-

---

[36] Véase John Ellis, "Ideology and subjectivity", en *Culture, media, language*, Stuart Hall, Dorothy Hobson, Andrew Lowe y Paul Willis, comps. (Hawthorne, Australia: Hutchinson, 1980), pp. 186-194; véase también Julian Henriques, Wendy Hollway, Cathy Urwin Couze Venn y Valerie Walkerdine, *Changing the subject* (Nueva York: Methuen, 1984).

mensiones social, cultural, política y económica son las categorías primordiales para comprender la enseñanza contemporánea.[37] Dentro de este contexto, la vida escolar se conceptualiza no como un sistema unitario, monolítico y rígido de reglas y reglamentos, sino como un terreno cultural que se caracteriza por diversos grados de componenda, impugnación y resistencia. Además, a la vida escolar se la entiende como una pluralidad de luchas y lenguajes encontrados, es un lugar donde la cultura del aula choca con la de la calle, y donde los maestros, los alumnos y los administradores de la escuela con frecuencia difieren en cuanto a la forma en que se deben definir y entender las experiencias y prácticas escolares.

El imperativo de este plan de estudios es el de crear condiciones para que el alumno sepa adquirir por su cuenta facultades críticas y logre constituirse en un sujeto político y moral activo. Por este acto de "facultarse" me refiero al proceso gracias al cual los alumnos adquieren los medios para apropiarse críticamente de conocimientos que existen fuera de su experiencia inmediata, con objeto de ampliar la manera en que se comprenden a sí mismos, entienden el mundo y se dan cuenta de las posibilidades que existen para transformar las hipótesis que se dan por descontadas en cuanto a la forma en que vivimos. Stanley Aronowitz ha llamado a uno de los aspectos de esa adquisición de facultades, "el proceso de apreciarse y amarse uno mismo".[38] En este sentido, las facultades se obtienen a partir de conocimientos y de relaciones sociales que dignifiquen la historia, la lengua y las tradiciones culturales de cada persona. Pero esta adquisición de facultades significa algo más que una autoconfirmación. Se refiere también al proceso mediante el cual los estudiantes son capaces de cuestionar ciertos aspectos de la cultura dominante, así como de apropiarse de aquellos que les proporcionen las bases para definir y transformar el orden social más amplio, en vez de meramente ponerse al servicio de éste.

[37] Henry A. Giroux y Roger Simon, "Curriculum study and cultural politics", *Journal of Education*, 166 (1984), 226-238.
[38] Stanley Aronowitz, "Schooling, popular culture, and post-industrial society: Peter McLaren interviews Aronowitz", *Orbit*, 17 (1986), p. 18.

El proyecto de "hacer" un plan de estudios de educación para maestros basado en la política cultural consiste en vincular la teoría social crítica con un conjunto de prácticas estipuladas, mediante las cuales los estudiantes para maestros pueden desmantelar y examinar críticamente las tradiciones educacionales y culturales que prefieran, muchas de las cuales han sido víctimas de una racionalidad instrumental que o bien limita o bien ignora los ideales y principios democráticos. Una de mis principales preocupaciones se centra en el desarrollo de un lenguaje de crítica y desmixtificación que sea capaz de analizar los intereses e ideologías latentes que actúan con el fin de socializar a los estudiantes de un modo que sea compatible con la cultura dominante. Sin embargo, me preocupa igualmente la creación de otras prácticas de enseñanza capaces de ayudar a que los estudiantes adquieran facultades críticas, tanto dentro como fuera de las escuelas. Aun cuando es imposible ofrecer un esbozo detallado de un plan de estudios para la política cultural, deseo hacer ciertos comentarios sobre algunas áreas importantes de análisis que son medulares en un programa de esa índole. Figuran, entre éstas, el estudio crítico del poder, del lenguaje, de la historia y de la cultura.

El poder

Una de las preocupaciones centrales de un plan de estudios para la educación de maestros, que se apegue a un enfoque de política cultural, es el de ayudar a los aspirantes a maestros a que comprendan la relación que existe entre poder y conocimiento. Dentro del plan de estudios dominante, los conocimientos a menudo se separan del problema del poder y, por lo común, se los trata de una manera técnica; es decir, se los considera, conforme al punto de vista instrumental, como algo que es preciso dominar. El hecho de que tales conocimientos sean siempre una construcción ideológica vinculada a intereses y relaciones sociales particulares, por lo general, recibe poca atención en los programas de educación para maestros. La comprensión de la relación conocimiento/poder saca a relucir cuestiones importantes en cuanto a los tipos de conocimientos que los educadores pueden proporcionar para habilitar a los estudiantes de manera que comprendan y enfrenten el mundo que los rodea, así como para ejercer la clase de valentía que se necesita para cambiar el orden social cuando ello haga falta. Nos debe preocupar considerablemente, pues, la necesidad de que quienes estudian para maestros reconozcan que las relaciones de poder corresponden a formas de conocimientos escolares que distorsionan la verdad, a la vez que la producen. Es decir, los conocimientos se deben examinar tanto respecto de la forma en que pueden representar erróneamente, o mediar, la realidad social, como en cuanto a la manera en que realmente reflejan las experiencias de las personas y, como tales, influyen en la vida de éstas. Entendidos de esta manera, los conocimientos no sólo reproducen la realidad al distorsionar o iluminar el mundo social, sino que también tienen la función social más concreta de dar forma a la vida cotidiana de las personas por medio de ese mundo, que perciben, de las suposiciones de sentido común, y que aparece relativamente libre de mediación. Esto sugiere que en un plan de estudios para la adquisición democrática de facultades críticas se deben examinar las condiciones de los conocimientos escolares conforme a los modos en que éstos se producen y a los intereses particulares que representan; además, debe revisar los efectos que producen tales conocimientos en el nivel de la vida cotidiana. En pocas palabras, los aspirantes a maestros necesitan comprender que los conocimientos hacen algo más que distorsionar: también producen formas particulares de vida. Finalmente, los conocimientos contienen esperanzas, deseos y necesidades que resuenan positivamente con la experiencia subjetiva de un auditorio particular, y tales conocimientos necesitan ser analizados, para encontrar las promesas utópicas que frecuentemente están implícitas en sus afirmaciones.[39]

---

[39] Foucault, "The subject of power", en *Beyond structuralism and hermeneutics,* Hubert Dreyfus y Paul Rabinow, comps. (Chicago: University of Chicago Press, 1982), p. 221.

El lenguaje

En los enfoques tradicionales para el aprendizaje de la lectura, de la escritura y de una segunda lengua, las cuestiones del lenguaje se definen primordialmente según inquietudes técnicas y de desarrollo. Aun cuando tales inquietudes son ciertamente importantes, lo que frecuentemente se hace a un lado en los cursos comunes sobre la lengua que figuran en los programas de educación para maestros es la forma en que el lenguaje interviene activamente en las relaciones de poder que, por lo general, dan apoyo a la cultura dominante. Un punto de vista alternativo para el estudio del lenguaje es aquel que reconoce la importancia del concepto de Antonio Gramsci en el sentido de que toda lengua contienen los principios de una concepción del mundo. Es por medio del lenguaje como alcanzamos una conciencia y negociamos un sentido de identidad, puesto que el lenguaje no solamente refleja la realidad, sino que desempeña un papel activo en la construcción de ésta. Conforme la lengua construye significado, va dando forma a nuestro mundo, informa nuestras identidades y proporciona los códigos culturales para percibir y clasificar el mundo. Esto implica, por supuesto, que dentro de los discursos de que disponemos sobre la escuela o la sociedad, la lengua desempeña una poderosa función porque sirve para "marcar las fronteras del discurso permisible y desalentar la clarificación de las alternativas sociales; además, hace difícil que los desposeídos localicen la fuente de su malestar, para ya no hablar de que lo remedien".[40] Por medio del estudio del lenguaje, y dentro de una perspectiva de política cultural, los futuros maestros podrán llegar a comprender la forma en que funciona el lenguaje para "ubicar" a la gente en el mundo, para conformar la gama de los posibles significados que rodean a un problema, y para construir activamente la realidad, en vez de simplemente reflejarla. Gracias a los estudios sobre la lengua, los estudiantes para maestros llegarían a ser más conocedores y sensibles en cuanto a la omnipresencia y el poder de la lengua como

---

[40] T. J. Jackson Lears, "The concept of cultural hegemony: problems and possibilities", *American Historical Review*, 90 (1985), pp. 569-570.

constitutiva de sus propias experiencias y de las de sus alumnos potenciales.[41] Los aspirantes a maestros también se beneficiarían de una introducción a las tradiciones europeas de teoría del discurso y a las estrategias textuales que caracterizan sus métodos de indagación.[42] Además, enseñándoles algo de la semiótica de las culturas de masas y populares, estos estudiantes podrían aprender cuando menos los métodos rudimentarios para examinar los diversos códigos y significados que son constitutivos tanto de sus propias construcciones personales del yo y de la sociedad, como de aquellas de los alumnos con los que trabajan durante sus prácticas o sesiones de campo.[43]

La historia

El estudio de la historia debe desempeñar un papel más extenso en los programas de educación para maestros.[44] En una forma crítica de abordar la historia se intentaría hacerles entender a los estudiantes para maestros la manera en que se forman las tradiciones culturales; también habría la idea de arrojar luz sobre los diversos modos en que se han construido y entendido los planes de estudios y los textos basados en la disciplina, a lo largo de los distintos períodos históricos. Además, tal enfoque debe ser conscientemente crítico de los problemas que rodean la enseñanza de la historia como materia escolar, puesto que aquello que convencio-

[41] Gary Waller, "Writing, reading, language, history, culture: the structure and principles of the English curriculum at Carnegie-Mellon University", manuscrito inédito, Carnegie-Mellon University, 1985, p. 12.

[42] Me refiero primordialmente a la escuela francesa de teoría del discurso, según queda ejemplificada por las obras de Foucault; véase, de este autor, *La arqueología del saber*, Aurelio Garzón del Camino trad. (México: Siglo XXI, 1970); véanse también los trabajos de Foucault: *Language, counter-memory, practice: selected essays and interviews*, Donald F. Bouchard y Sherry Simon, trads. (Ithaca; Cornell University Press, 1979), y "Politics and the study of discourse", *Ideology and Consciousness*, 3 (1978), pp. 7-26.

[43] Para una introducción a estos temas, véanse Umberto Eco, *A theory of semiotics* (Bloomington: Indiana University Press, 1976); Roland Barthes, *Elements of semiology*, Annette Lavers y Colin Smith, trads. (Nueva York; Hill and Wang, 1964); Roland Barthes, *Mitologías*, Héctor Schmucler, trad. (México: Siglo XXI, 1980).

[44] Waller, "Writing, reading, language", p. 12.

nalmente se enseña refleja de manera arrolladora las perspectivas y valores de los varones blancos de clase media. Con demasiada frecuencia se excluyen las historias de las mujeres, de los grupos minoritarios y de los pueblos indígenas. Esta exclusión no es políticamente inocente, cuando consideramos la forma en que las disposiciones sociales existentes forman parte constitutiva, y dependen, de la subyugación y eliminación de las historias y voces de aquellos grupos que han sido marginados y despojados de todo poder crítico, por parte de la cultura dominante. Además, el concepto de historia también nos puede ayudar a iluminar las clases de conocimientos que se consideran legítimos y que se promulgan por medio del plan de estudios de la escuela. El hincapié convencional en la historia cronológica "que tradicionalmente consideró que su objetivo era algo que inalterablemente se hallaba 'allí', que estaba dado, esperando sólo a ser descubierto",[45] quedaría sustituido por un enfoque en cuanto a la forma en que ciertas prácticas educacionales específicas se pueden entender como construcciones históricas relacionadas con los acontecimientos económicos, sociales y políticos de una época y lugar particulares. Es primordialmente mediante esta forma de análisis histórico como los estudiantes pueden recuperar aquello a lo que en el capítulo 3 he llamado "conocimientos subyugados".[46] El hecho de que emplee esta expresión nos orienta hacia aquellos aspectos de la historia en los que la crítica y la lucha han desempeñado un papel significativo en la definición de la naturaleza y el significado de la teoría y la práctica educacionales. Por ejemplo, los alumnos tendrán la oportunidad de examinar críticamente los contextos e intereses históricos que intervienen al definir qué conocimientos escolares pasan a preferirse sobre otros, cómo se sostienen formas específicas de autoridad escolar y de qué manera ciertos patrones particulares de aprendizaje se convierten en institucionalizados.

Dentro del formato de un plan de estudios como forma de política cultural, es también necesario que el estudio de la

[45] *Ibid.*, p. 14.
[46] Foucault, "Two lectures", en *Power/knowledge*, Colin Gordon, comp. (Nueva York: Pantheon, 1980), pp. 78-108.

historia se halle teóricamente conectado tanto con el lenguaje como con la lectura. En este contexto, el lenguaje se puede posteriormente estudiar como el "portador de la historia" y esta última se puede analizar como una construcción social abierta al examen crítico. El importante eslabonamiento entre la lectura y la historia se puede establecer recalcando que "la lectura ocurre dentro de la historia, y el punto de integración es siempre el lector".[47] Al analizar esta relación, los maestros se pueden centrar en los significados culturales que emplean los estudiantes para comprender un texto. Será un enfoque de esta índole el que mejor equipe a los estudiantes para maestros para comprender la forma en que el proceso de la lectura ocurre dentro de una historia cultural particular de un alumno, y en el contexto de los intereses y creencias propios de este alumno. Esto también ayudará a quienes estudian para maestros a estar más críticamente conscientes de la forma en que los alumnos provenientes de culturas subordinadas aportan al acto de la lectura sus propios conjuntos de experiencias, así como sus propios sueños, deseos y voces. En otras palabras, los estudiantes de la docencia deben desarrollar una teoría crítica del aprendizaje que incluya un análisis de la forma en que los alumnos producen conocimientos, y no simplemente de cómo los reciben. Esto implica comprender la manera en que los estudiantes hacen entrar en juego sus propias categorías de significado, en el intercambio entre los conocimientos escolares y sus propias subjetividades e historias.

La cultura

El concepto de cultura, por variado que pueda ser, resulta esencial para cualquier plan de estudios de educación para maestros que aspire a ser crítico. Aquí empleo la palabra "cultura" con el significado de las formas particulares en que un grupo social vive sus circunstancias y condiciones de vida "dadas", y les confiere sentido.[48] Además de definir la

[47] Waller, "Writing, reading, language", p. 14.
[48] Giroux, *Ideology, culture, and the process of schooling.*

"cultura" como un conjunto de prácticas e ideologías en las que diferentes grupos se apoyan para dar sentido al mundo, quiero reformular las maneras en que las cuestiones culturales se vuelven el punto de partida para comprender el problema de quién posee el poder y de qué manera éste se reproduce y manifiesta en las relaciones sociales que vinculan la escuela con el orden social más amplio. El lazo entre cultura y poder se ha analizado extensamente en la teoría social crítica, durante los últimos diez años. Por consiguiente, es posible ofrecer cuatro aspectos tomados de esa literatura, que resultan particularmente pertinentes para arrojar luz sobre la lógica política que subyace a las diversas relaciones entre cultura y poder. En primer lugar, el concepto de cultura se ha conectado íntimamente con la cuestión de cómo *están estructuradas las relaciones sociales* dentro de las formaciones de clase, género y edad que producen formas de opresión y de dependencia. En segundo lugar, la cultura ha sido analizada dentro de la perspectiva radical, no simplemente como una forma de vida, sino como una *forma de producción* merced a la cual los distintos grupos, ya en sus relaciones dominantes o ya en las subordinadas, definen y realizan sus aspiraciones, por medio de relaciones asimétricas de poder. En tercer lugar, a la cultura se la ha considerado como un *campo de batalla* en el cual la producción, legitimación y circulación de formas particulares de conocimiento y de experiencia son áreas principales de conflicto. En cuarto lugar, la producción de cultura se ha analizado, primordialmente valiéndose del análisis de lenguaje, como el significante constitutivo y expresivo del significado. Lo importante aquí es que cada una de estas percepciones saca a relucir cuestiones fundamentales acerca de las formas en que las desigualdades se mantienen y se desafían dentro de la esfera de la cultura.

El estudio de las culturas —o, más específicamente, aquello que se ha llegado a conocer como los "estudios culturales"— deberá convertirse en la piedra de toque de un plan de estudios de educación para maestros, porque les puede proporcionar a los estudiantes de la docencia las categorías críticas que son necesarias para examinar las relaciones escolares y del aula como prácticas sociales y políticas inextricablemente relacionadas con la construcción y el mantenimiento de relaciones de poder específicas. Por otro lado, al reconocer que la vida de la escuela con frecuencia es mediada por el choque de las culturas dominante y subordinada, los aspirantes a maestros pueden lograr alguna percepción en cuanto a las formas en que las experiencias del salón de clases se hallan necesariamente entretejidas con la vida hogareña, así como con la cultura de la calle, de sus alumnos. Este aspecto lleva la mira de ser algo más que un grito por la recuperación de la pertinencia; más bien afirma la necesidad de que los aspirantes a maestros comprendan los sistemas de significado que los alumnos emplean cuando se topan con las formas de conocimiento y de relaciones sociales de la escuela dominante. Es importante, por ende, que los que estudian para maestros aprendan a analizar las expresiones de la cultura de masas y popular, tales como los videos musicales, la televisión y las películas. De esta manera, un enfoque de estudios culturales que tuviese éxito proporcionaría una importante vía teórica para que los maestros comprendieran la forma en que las ideologías quedan inscritas, gracias a las representaciones de la vida cotidiana.

De manera más específica, se puede organizar un programa de estudios culturales en torno a una gran variedad de cursos nucleares en los cuales las cuestiones de poder, de historia y de cultura se puedan abordar en un contexto interdisciplinario. Los estudios culturales proporcionarían un fundamento más interdisciplinario con el fin de analizar los límites que presentan las disciplinas tradicionales al abordar los problemas educacionales, así como para reconstruir las relaciones entre los docentes y los alumnos. El potencial con que cuenta un programa de estudios culturales para rehabilitar las relaciones entre el personal docente, así como entre éste y los alumnos, es enorme. De manera general, las escuelas de educación están divididas en cierto número de departamentos que poseen pocos vínculos programáticos entre sí. Por lo común, los programas se organizan en torno a áreas tales como la psicología educacional, la administración educacional, los fundamentos de la educación, plan de estudios e instrucción, y guías y asesorías; y con frecuencia funcionan de manera insular, con pocas o nulas oportunidades de que los maestros o los alumnos pertenecientes a estos distintos programas trabajen juntos.

Un programa de estudios culturales ofrecería cierto número de materias obligatorias, que tendrían que cursar los estudiantes de los diversos departamentos. Tales cursos funcionarían en conjunción con especialistas de cada disciplina, con el objeto de proporcionarles a los alumnos un lenguaje y un método de indagación que les permitiera comprender tanto los límites como los puntos fuertes de la matriz disciplinaria. Además, en el programa se utilizaría personal docente de los distintos departamentos para que dieran cursos interdisciplinarios e iniciaran investigaciones colaborativas. Por ejemplo, los cursos que se ofrecieran se podrían desarrollar en torno a temas tales como el lenguaje y el poder en la administración educacional, lectura de la psicología educacional como textos históricos, análisis de diversos lenguajes de planes de estudios, como forma de producción cultural, análisis de la pedagogía como un discurso ético, etc. Un programa de esta índole también se podría utilizar para hacer que el personal docente y los alumnos iniciaran proyectos de investigación compartida, que de ordinario no podrían tener lugar dentro de las disciplinas y métodos de indagación de la corriente principal.

Un programa de estudios culturales también podría convertirse en el lugar para iniciar nuevas relaciones entre las escuelas públicas y la comunidad en general. Por ejemplo, se podrían desarrollar relaciones productivas entre los maestros de las escuelas públicas y los profesores y alumnos del programa de estudios culturales, en torno a algunos de los problemas concretos que encaran las escuelas públicas. Esto podría ser particularmente productivo en torno a consideraciones de raza, de género, de etnia, de lenguaje y de clase, según se presentan en diversos aspectos del proceso de la enseñanza. De manera similar, los maestros y los miembros del personal administrativo podrían participar en grupos de estudio y seminarios destinados a fomentar los conocimientos colectivos del grupo y las posibilidades de trabajar juntos en torno a problemas comunes. De igual modo, un programa de estudios culturales podría proporcionar la base para el establecimiento de vínculos orgánicos con las comunidades circundantes. Las historias, recursos, servicios públicos y voces de la comunidad podrían ser investigados y reunidos por medio del programa de estudios culturales, con el fin de desarrollar proyectos de planes de estudios, los elementos de una pedagogía crítica e iniciativas de política. Tales proyectos, desarrollados con grupos comunitarios, podrían servir como un vehículo constante para el diálogo, el aprendizaje y la acción colectiva. Aun cuando estas sugerencias son generales y esquemáticas, de todas formas dan una idea de las posibilidades teóricas y prácticas que se podrían desarrollar mediante el repensamiento de la naturaleza de un programa de educación para maestros en el que los estudios culturales se consideraran como una de las principales preocupaciones programáticas.

HACIA UNA PEDAGOGÍA CRÍTICA PARA EL AULA

En las secciones precedentes he resaltado la importancia que tiene el hecho de considerar que las escuelas son sitios sociales y políticos que intervienen en la lucha por la democracia. Además, he reconsiderado la relación que existe entre la autoridad y la labor del maestro, y he intentado desarrollar los rudimentos teóricos de un programa en el cual la educación para maestros sería entendida como una forma de política cultural. En esta última sección cambio el enfoque, para pasar de aquellas cuestiones que tienen un propósito institucional y que significan la definición de los maestros a los aspectos de la pedagogía crítica y el aprendizaje de los alumnos. Al hacer esto, vuelvo a expresar algunos de los elementos teóricos fundamentales que ya he señalado en los capítulos anteriores y que creo que se pueden usar para construir una pedagogía crítica en la cual la cuestión de los intereses o la motivación esté vinculada con la dinámica de la adquisición personal y social de facultades críticas. Deseo subrayar aquí que las escuelas públicas dan forma a las actitudes que los futuros maestros llevan a sus experiencias clínicas, y refuerzan dichas actitudes. Centrándome en algunos de los elementos teóricos que constituyen una pedagogía crítica, trato de clarificar el vínculo que existe entre nuestro concepto de un plan de estudios de educación para maestros como una forma de política cultural y la dinámica real de la pedagogía del aula. Teniendo esto presente, esbozaré ahora los rudimentos de un discurso crítico que define la pedagogía del salón de clases dentro de los parámetros de un proyecto político que se centra en la primacía de la experiencia del estudiante, en el concepto de voz y en la importancia que tiene la transformación de las escuelas y las comunidades en esferas públicas democráticas.

La primacía de la experiencia del estudiante

El tipo de pedagogía crítica que estoy proponiendo se preocupa fundamentalmente por la experiencia del estudiante, puesto que toma como su punto de partida los problemas y necesidades de los propios estudiantes. Como construcción histórica y práctica vivida que se produce y legitima dentro de formas sociales particulares, la experiencia estudiantil se convierte en objeto de indagación, y no en algo dado, no problemático. Como parte de una pedagogía de la posibilidad, la experiencia estudiantil proporciona la base para el análisis de formas sociales que reconstruyen el carácter subjetivo de las historias, los recuerdos y los significados que ya están asimilados cuando los alumnos vienen a las escuelas. Una pedagogía crítica, en este caso, alienta una crítica de las formas dominantes de conocimiento y de las prácticas sociales que semántica y emocionalmente organizan los significados y experiencias que les dan a los alumnos un sentido de voz y de identidad; de manera similar, trata de proporcionarles a los alumnos los conocimientos críticos y las habilidades necesarias para que examinen sus propias y particulares experiencias vividas, así como los recursos culturales que poseen. Como ya lo he mencionado, esto significa que es preciso ayudar a los alumnos a que se apoyen en sus propias voces e historias, como base para enfrentar e interrogar las múltiples y frecuentemente contradictorias experiencias que les proporcionan un sentido de identidad, de valor y de presencia. En esta forma de pedagogía, a estos estudiantes se les estructuran conocimientos dentro de su lenguaje y sus historias, y no fuera de la historia. La historicidad del conocimiento y la experiencia ofrece la base para ayudar a los alumnos a desarrollar respeto por sus propias experiencias, a manera de que puedan legitimar y hacer suyos su propio lenguaje y sus historias. El principio pedagógico importante que aquí interviene es el de validar la experiencia de los alumnos con el fin de darles facultades críticas, y no meramente para complacerlos.

En un plan de estudios emancipador se debe otorgar preeminencia a la experiencia de los estudiantes. Pero el hecho de aprender a comprender, afirmar y analizar dicha experiencia significa no sólo entender las formas culturales y sociales por medio de las cuales los alumnos aprenden a definirse a sí mismos, sino también aprender la manera de encarar la experiencia del estudiante de tal forma que ni se la avale sin más preámbulos, ni le quite legitimidad. En parte, esto sugiere que los maestros deberán aprender a crear una continuidad afirmativa y crítica entre la manera en que los estudiantes ven el mundo y aquellas formas de análisis que proporcionan la base tanto para analizar como para enriquecer tales perspectivas. Hacer esto equivale a admitir, como lo he argumentado a todo lo largo de este libro, que en el corazón de cualquier pedagogía crítica se halla la necesidad de que los maestros trabajen con los conocimientos que los alumnos en realidad poseen. Aun cuando esto pueda parecer riesgoso, y en algunos casos peligroso, ofrece la base para validar la forma en que los estudiantes "leen" el mundo, así como darles el contenido intelectual para que inserten los conocimientos y el significado dentro de sus propias categorías de significado y de capital cultural. Esto sugiere que al conocimiento escolar, tal como lo produce y lo modifica la voz del maestro, se le tiene que dar un significado para los alumnos, antes de que se lo pueda tratar críticamente. Los conocimientos escolares nunca hablan por sí mismos, sino que más bien se filtran constantemente por medio de las experiencias ideológicas y culturales que los alumnos llevan al salón de clases. Ignorar las dimensiones ideológicas de la experiencia estudiantil equivale a negar los fundamentos gracias a los cuales los estudiantes aprenden, hablan e imaginan.

La implicación pedagógica importante es que quienes estudian la docencia deben ser educados a manera de que comprendan que la experiencia del estudiante que se produce en los distintos dominios y estratos de la vida cotidiana, da origen a las voces frecuentemente contradictorias y distintas que los estudiantes emplean para dar sentido a su propia existencia en relación tanto con las comunidades donde viven como con la sociedad más amplia. Lo que se debe reconocer es que en las múltiples experiencias, significados y voces que albergan los estudiantes existen tensiones y creencias contradictorias que necesitan ser analizadas respecto de los intereses y valores que ensalzan y legitiman. Es esencial, por lo tanto, que los educadores enfrenten la cuestión de cómo los estudiantes experimentan, median y producen los aspectos del mundo social, en formas frecuentemente contradictorias, y cómo las formas de significado que surgen de estas contradicciones impiden o permiten colectivamente las posibilidades que les están abiertas a los estudiantes dentro de la sociedad en la que estamos. De no proceder así, los maestros no podrán explotar las motivaciones, emociones e intereses que les dan a los alumnos su voz propia y singular; pero ello hará que sea igualmente difícil proporcionar la inercia para el propio aprendizaje.

Aun cuando el concepto de la experiencia del alumno se está postulando como medular para una pedagogía crítica, también se lo debe considerar como una categoría central de los programas de educación para maestros. Esto sugiere que las prácticas del estudiante deben considerarse como los sitios en que la cuestión de cómo se produce, se legitima y se logra la experiencia se convierte en objeto de estudio para maestros y alumnos por igual. Desgraciadamente, a la mayoría de las prácticas de campo con alumnos se las considera o bien un rito de entrada a la profesión, o meramente una experiencia formal culminante del programa de educación para maestros.

La voz del estudiante y la esfera pública·

El concepto de voz, tal como se ha indicado en los capítulos 4 y 5, constituye el punto focal para una teoría de la enseñanza y el aprendizaje que genere nuevas formas de sociabilidad, así como formas nuevas y retadoras de confrontar y enfrentar la vida diaria. Para decirlo de manera muy simple, cuando hablamos de voz nos referimos a las diversas medidas gracias a las cuales los alumnos y los maestros participan en el diálogo. Se halla relacionada con los medios discursivos con los cuales maestros y alumnos tratan de hacerse "oír" y de definirse como autores de sus mundos. Alzar la voz significa, para citar a Mijail Bajtin, "volver a relatar una historia con las palabras propias".[49] De manera más específica, la palabra "voz" se refiere a los principios del diálogo, según se enuncian y se representan dentro de escenarios sociales particulares. El concepto de voz figura los únicos casos de autoexpresión por medio de los cuales los estudiantes afirman sus propias identidades de clase, culturales, raciales y de género. La voz de un estudiante está necesariamente conformada por la historia personal y el enfrentamiento vivido y distintivo con la cultura circundante. Así, pues, la categoría de voz se refiere a los medios que tenemos a nuestro alcance —los discursos que podemos emplear— para hacernos comprender y escuchar, así como para definirnos como participantes activos en el mundo. Sin embargo, tal como ya lo he recalcado antes, la cultura de la escuela dominante por lo común representa y legitima las voces de los varones blancos de las clases media y alta; excluye a los estudiantes que se hallan en desventaja económica, y muy especialmente a las mujeres de procedencias minoritarias.[50] Una pedagogía crítica toma en consideración las diversas formas en que las voces que los maestros emplean para comunicarse con los alumnos pueden o bien silenciar o legitimar a éstos.

El concepto de voz es decisivo para el desarrollo de una

---

[49] Según cita de Harold Rosen, "The importance of story", *Language Arts*, 63 (1986), p. 234.

[50] Para un análisis concienzudo del tema: véase Arthur Brittan y Mary Maynard, *Sexism, racism and oppression* (Nueva York: Blackwell, 1984).

pedagogía del aula crítica, porque porporciona una base importante para construir y poner de manifiesto cuáles son los imperativos de una democracia crítica. Una pedagogía de esta índole trata de organizar las relaciones del salón de clases a manera de que los estudiantes puedan apoyarse en aquellas dimensiones —y confirmarlas— de sus propias historias y experiencias que se hallan profundamente enraizadas en la comunidad circundante. Además, al crear vínculos activos con la comunidad, los maestros pueden abrir sus salones a los diversos recursos y tradiciones de ésta. Esto presupone que los maestros se familiaricen con la cultura, la economía y las tradiciones históricas que pertenecen a las comunidades en las que enseñan. En otras palabras, los maestros deben asumir una responsabilidad pedagógica para intentar comprender las relaciones y fuerzas que influyen en sus alumnos fuera del contexto inmediato del salón de clases. Esta responsabilidad requiere que los maestros desarrollen sus planes de estudios y prácticas pedagógicas en torno a esas tradiciones, historias y formas de conocimiento de la comunidad, que frecuentemente son ignoradas dentro de la cultura de la escuela dominante. Naturalmente, con esto tanto maestros como alumnos pueden llegar a una comprensión más profunda de la forma en que los conocimientos "locales" y los "oficiales" se producen, se sostienen y se legitiman.

Los maestros necesitan desarrollar prácticas pedagógicas que vinculen las experiencias de los estudiantes con aquellos aspectos de la vida comunitaria que informan y dan apoyo a tales experiencias. Por ejemplo, los estudiantes de la docencia podrían compilar historias orales de las comunidades en las que enseñan, que se podrían usar como un recurso de la escuela y del plan de estudios —particularmente en programas de lectura. Además, podrían ocuparse de la forma en que funcionan las distintas agencias sociales comunitarias a manera de producir, distribuir y legitimar formas particulares de conocimientos y relaciones sociales, y analizar este fenómeno. Esto ampliaría los conceptos que tienen en cuanto a prácticas pedagógicas y les ayudaría a entender la importancia que tiene su trabajo para otras instituciones, aparte de las escuelas. De manera similar, los aspirantes a maestros podrían desarrollar vínculos orgánicos con agencias comunitarias activas, tales como las del mundo de los negocios, organizaciones religiosas y otras esferas públicas, en un intento por desarrollar una conexión más significativa entre el plan de estudios de la escuela y las experiencias que definen y caracterizan a la comunidad local. Así, el concepto de voz puede proporcionar un principio organizativo básico para el desarrollo de una relación entre los conocimientos y las experiencias estudiantiles y, al mismo tiempo, crear un foro para el examen de cuestiones escolares y comunitarias más amplias. En otras palabras, los maestros deben cobrar conciencia tanto de las fortalezas transformadoras y de las estructuras de opresión de la comunidad en general, y convertir esta toma de conciencia en estrategias del plan de estudios destinadas a facultar a los estudiantes para que creen una sociedad más liberadora y humana. En pocas palabras, los maestros deben estar atentos a lo que significa construir formas de aprendizaje en sus aulas, que les permitan a los alumnos afirmar sus voces dentro de áreas de la vida comunitaria; es decir, dentro de esferas públicas democráticas que requieren de crítica, salvaguarda y renovación constantes.

Steve Tozer ha escrito al respecto:

Así, pues, el proceso de adaptar a los estudiantes para la vida comunitaria es un esfuerzo por prepararlos para la comunidad existente, a la vez que se les hacen entender y apreciar los valores e ideas históricos que apuntan hacia una comunidad más ideal que la que existe... el deber del maestro es reconocer los ideales históricos que hacen que la vida en comunidad valga la pena, los ideales sobre los cuales está cimentada la sociedad más amplia: los ideales de dignidad e igualdad humanas, de libertad y de preocupación mutua de una persona por otra. ...Esto no equivale a decir que los maestros deban preparar a los estudiantes para alguna utopía no existente. Significa, más bien, que los maestros deben llegar a comprender la comunidad tal como existe, del mismo modo que deben comprender qué tipo de personas se requerirán para hacerla mejor. Pueden tratar de elaborar para sí mismos un ideal de la comunidad por la cual debieran luchar sus alumnos; y deberían ayudar a éstos con los conocimientos, los valores y las habilidades que van a necesitar si se quiere que posean la fortaleza suficiente para mantener altas normas de creencia y de conducta, dentro de una sociedad imperfecta.[51]

Es un desafortunado truismo el decir que cuando las comunidades son ignoradas por parte de los maestros, los alumnos se ven atrapados en instituciones que no sólo les niegan una voz, sino que también los privan de una comprensión relacional o contextual del modo en que los conocimientos que adquieren en el aula se pueden emplear para influir en la esfera pública y transformarla. El concepto de vincular las experiencias del aula con la comunidad más amplia lleva implícita la idea de que la mejor forma de entender la escuela es como un cuerpo político, un *locus* de ciudadanía. Dentro de este locus, los estudiantes y los maestros pueden dedicarse a un proceso de deliberación y debate, orientado al fomento del bienestar público conforme a juicios y principios morales fundamentales. Para lograr que las escuelas se acerquen más al concepto de cuerpo político, es necesario definirlas como espacios públicos que tratan de recapturar la idea de la democracia y la comunidad críticas. Y es que, efectivamente, deseo definir a los maestros como participantes comunitarios activos cuya función es la de establecer espacios públicos donde los estudiantes puedan debatir, apropiar y aprender los conocimientos y las habilidades que se necesitan para vivir en una democracia crítica.

Por "espacio público" quiero dar a entender, como lo hacía Hannah Arendt, un conjunto concreto de condiciones de aprendizaje, en torno a las cuales las personas se reúnen para hablar, dialogar, compartir sus relatos y luchar juntas dentro de relaciones sociales que vigoricen, en vez de debilitar, las posibilidades de la ciudadanía activa.[52] De alguna manera, las prácticas de la escuela y del aula se deberían organizar en torno a formas de aprendizaje que sirvieran para preparar a los alumnos en el desempeño de papeles responsables como intelectuales transformadores, como

---

[51] Steve Tozer, "Dominant ideology and the teacher's authority", *Contemporary Education*, 56 (1985), pp. 152-153.

[52] Arendt, *The human condition* (Chicago: University of Chicago Press, 1958).

miembros comunitarios y como ciudadanos críticamente activos fuera de las escuelas.[53]

Comencé este capítulo argumentando que la educación para maestros se debería repensar seriamente, conforme a los lineamientos de la tradición democrática crítica; tradición que, lamentablemente, ha sido prácticamente excluida de los debates actuales sobre la enseñanza escolar norteamericana. He sostenido que esta tradición proporciona la base para el repensamiento de la relación que guarda la enseñanza escolar con el orden social y en cuanto a la restructuración de los aspirantes a maestros, a fin de prepararlos para la función de intelectuales transformadores. He defendido, además, que a los programas de educación para maestros se les debe conceder un papel central en la reforma de la educación pública y, al hacerlo así, es preciso afirmar la primacía de una tradición democrática, con objeto de restructurar las relaciones entre la escuela y la comunidad.

En mi opinión, la búsqueda de una democracia creadora, que emprendieron a principios de siglo Dewey y otros más, actualmente se halla en retroceso, debido a que la han abandonado liberales y radicales por igual. Esta situación les plantea un doble reto a los educadores críticos: en la actualidad existe la urgente necesidad no sólo de hacer resurgir la tradición de la democracia liberal, sino también la de desarrollar una perspectiva teórica que vaya más allá de ella. En la actual era del conservadurismo, la educación pública debe analizar sus fortalezas y debilidades comparándolas con un ideal de democracia crítica, en vez de hacerlo respecto del actual referente corporativo del mercado capitalista. De manera similar, la educación pública debe realizar la labor de educar a los ciudadanos a manera de que corran riesgos, de que pugnen por el cambio social e institucional y de que

---

[53] En ningún otro lado son más importantes los intentos por vincular la instrucción con los contextos de la comunidad, que durante las experiencias clínicas de los maestros. En estas ocasiones, a los aspirantes a maestros se les debe ayudar a establecer conexiones con organizaciones comunitarias progresistas, especialmente con aquellas afiliadas a las sesiones del concejo del gobierno local, y a entrevistar a líderes y trabajadores de diversas agencias de la comunidad que guarden lazos con la escuela. Esto acrecienta la posibilidad de que establezcan nexos críticamente reflexivos entre las prácticas del aula y los rasgos y necesidades del medio social y cultural circundante.

luchen en favor de la democracia y en contra de la opresión, tanto dentro como fuera de las escuelas. La adquisición de facultades críticas pedagógicas va necesariamente acompañada de la transformación social y política.

Mi postura guarda una deuda de gratitud con Dewey, pero intenta extender su proyecto democrático. Mi punto de vista acentúa la idea de que las escuelas representan sólo uno de los sitios importantes de la lucha por la democracia. Pero es distinto del de Dewey porque percibe que en la adquisición de facultades críticas por parte de los estudiantes, de manera personal y social, interviene no sólo la política de la cultura del aula, sino también la lucha política y social que ocurre fuera del ámbito de las escuelas. Tal enfoque reconoce que la pedagogía crítica no es más que una intervención —por más que sea decisiva— en la lucha por restructurar las condiciones ideológicas y materiales de la vida cotidiana. Yo estoy convencido de que las instituciones de educación para maestros y las escuelas públicas pueden, y deberían, desempeñar un papel activo y productivo en el ensanchamiento de las posibilidades para la promesa democrática de la enseñanza escolar, de la política y de la sociedad norteamericanas.

7

CONCLUSIÓN: MÁS ALLÁ DE LA POLÍTICA DEL ANTIUTOPISMO EN LA EDUCACIÓN

Durante el periodo que transcurrió entre el final de la primera guerra mundial y el surgimiento de la industria de la cultura en el Occidente industrializado, en las décadas de 1940 y 1950, un buen número de pensadores marxistas se esforzaron por mantener vivo un espíritu redentor y radicalmente utópico, como base para vincular el pensamiento y la acción radicales. Uno de estos pensadores, George Lukács, analizó las posibilidades de radicalizar a la clase trabajadora por medio de un concepto redefinido de política cultural.[1] Otro, Walter Benjamin, apuntaba hacia un discurso radical que iba más allá de la instrumentalidad tecnocrática de la nueva era.[2] Pero lo más importante fue la creación, por parte de Ernst Bloch, de toda una filosofía política sobre lo que posteriormente denominó *El principio de esperanza*.[3] Bloch consideraba que era imposible hablar de un discurso radical ajeno a un utopismo radical, y se negaba resueltamente a adoptar lo que Benjamin había denominado la "melancolía de la izquierda", esto es, una tendencia entre ciertos izquierdistas de los años treinta, a sustituir una "actitud fatalista hacia el mundo por una actitud intervencionista".[4] Bloch formulaba el discurso de la posibilidad como proyecto político y argumentaba que "solamente aquel pensamiento que va dirigido a cambiar el mundo y a informar el deseo de cambiarlo no encara al futuro... como cosa que perturba y al pasado como cosa de encanto".[5] Hasta Theodor Adorno, el

---

[1] George Lukács, *History and class consciousness* (Cambridge: MIT Press, 1968).
[2] Walter Benjamin, *The origin of German tragic drama* (Londres: New Left Books, 1977).
[3] Ernst Bloch, *The principle of hope*, vols. 1-3 (Cambridge: MIT Press, 1968).
[4] David Gross, "Left melancholy", *Telos*, 65 (otoño de 1985), p. 113.
[5] Bloch, *The principle of hope*, vol. 1, p. 8.

consumado dialéctico negativo argumentó en contra de la hipótesis de que un proyecto radical solamente tenía que comprometerse con el discurso de la crítica y la desesperación. Avalando el acento que ponía Benjamin en las formas de pensamiento mesiánico, Adorno escribía:

La única filosofía que se puede practicar con responsabilidad ante la desesperación es la de contemplar todas las cosas tal como se presentarían desde el punto de vista de la redención. El conocimiento no posee otra luz más que la que arroja sobre el mundo de la redención: todo lo demás es reconstrucción, mera técnica. Se deben idear perspectivas que desplacen y alejen el mundo; que revelen que es, con sus grietas y hendeduras, tal como algún día aparecerá bajo la luz mesiánica. Alcanzar tales perspectivas sin veleidad ni violencia, únicamente gracias al contacto con el objeto —he ahí la sola labor del pensamiento.[6]

Este legado de la esperanza como precondición para el pensamiento y la pugna radicales no es característico, en general, ni de la teoría social radical ni de las formas de teoría educacional radical que prevalecen en Norteamérica. Dentro del discurso de crítica que informa buena parte de la nueva teoría radical social, con frecuencia encuentra uno la negación de todos los principios primeros sobre los cuales reconstruir una visión social, el remplazo de análisis históricos por un fetichismo hacia los discursos estructuralistas, y el abandono de las luchas políticas en favor de lecturas ideológicas y textuales. Con la intención de darle legitimidad a su discurso dentro de la academia, muchos teóricos radicales combaten solemnemente contra la indeterminación de los significados textuales, y al hacer esto producen un catálogo de distinciones y métodos técnicos con bases empíricas, que deben ser empleados para el análisis de los distintos planos de significaciones. Perdidos en un lodazal cada vez más hondo de ofuscación teórica, estos intentos con demasiada frecuencia redefinen crisis sociales de manera puramente técnica y académica. Y mientras tanto, conforme se ensancha la trama del sufrimiento humano, los intelec-

---

[6] Theodor Adorno, *Minima moralia: reflections from damaged life*, E.F.N. Jephcott, trad. (Londres: New Left Books, 1974), p. 247.

tuales radicales se dedican a intercambiar información en las revistas especializadas, sobre la inescapabilidad del lenguaje, o la cárcel de la significación, o la inscripción de la subjetividad en el discurso dominante. Por consiguiente, el campo de batalla de la lucha social y política ya no es la fábrica, ni la escuela pública, ni son las iglesias, los sindicatos o la cultura de masas; al contrario, el nuevo terreno está pasando a ser cada vez con mayor frecuencia la "conferencia radical", el simposio en el cual los académicos pueden leer sus trabajos y cambiar su moneda política.

A pesar de su propia intención radical, buena parte de la teoría social exhibe elementos de cientificismo, de funcionalismo y de ahistoricismo, que en gran medida socavan la posibilidad de un proyecto político viable, a la vez que producen trabajo que es muy aceptable para las universidades. Dicho de otra forma, el hecho de que esos críticos no logren articular un proyecto político y público bien desarrollado y estructurado en torno a principios concretos de solidaridad, resistencia y lucha, hace que su trabajo sea muy bien recibido por parte del *statu quo*. ¿Qué podría ser más prometedor que los "radicales" que incendian a las universidades mediante un discurso de crítica que simultáneamente es un ejercicio de impotencia política? En pocas palabras, buena parte de lo que actualmente se produce dentro de la tradición de una nueva teoría social radical, con la excepción de la teoría feminista y la teología de la liberación, representa un lenguaje de crítica, desprovisto de cualquier lenguaje de posibilidad, que, a su vez, amenaza con minar el concepto mismo de teoría y política radicales.[7]

Aun cuando la teoría educacional crítica no reproduce todos los problemas de las formas dominantes de la teoría social radical, sí comparte con éstas un espíritu profundamente antiutópico. Es decir, existe la creciente tendencia,

---

[7] Véase Stanley Aronowitz y Henry A. Giroux, *Education under siege: the conservative, liberal, and radical debate over schooling* (South Hadley: Bergin and Garvey, 1985). Recientemente ha abordado esta cuestión Russell Jacoby, quien argumenta que toda una generación de intelectuales han abandonado su papel como críticos públicos, en favor del discurso sectario y las comodidades de la universidad. Russell Jacoby, *The last intellectuals: American culture in the age of Academe* (Nueva York: Basic Books, 1987).

especialmente entre una segunda generación de teóricos educacionales, a evadir una lógica de esperanza y posibilidad como la base para el enfrentamiento teórico y político.[8] En tanto que la esfera más importante de la teoría social radical se apoya en diversas y refinadas corrientes teóricas con el objeto de definir su proyecto, la teoría de la educación radical todavía parece hallarse atada a un legado de "cientificismo" y de reduccionismo ideológico que tiende a manifestarse como una variante de marxismo vulgar, o simplemente como mala escolástica. Uno de los aspectos más notables de buena parte de la teorización educacional radical es su creciente alabanza de la "teoría" como método y verificación. Los teóricos educacionales radicales hablan ahora de la importancia de que la teoría sea empíricamente segura, de su valor como estructura coherente de aseveraciones. Algunos educadores radicales argumentan, a la manera popperiana, que una teoría educativa radical debe pasar por la prueba de ser confirmada empíricamente, o de que, por la misma vía, se demuestre que es falsa.[9] En otros casos, la teoría simplemente se relega a una idea tardía de la experiencia. La forma particular de antiintelectualismo que aquí interviene sugiere que es la experiencia propia de uno la que legitima o deja de legitimar el marco teórico dentro del cual uno trabaja. En esta postura se hace caso omiso del concepto de que la teoría forma parte del significado de la experiencia, así como del hecho de que el discurso de la teoría se puede leer como un texto. En oposición a la naturaleza reduccionista de esta postura, los educadores necesitan apoyar el punto de vista de que la teoría crítica, en primera instancia, se debe valuar por su proyecto político, por su cualidad de inusual y por el carácter de su crítica como parte de un proyecto de posibilidad y esperanza democráticas. En otras palabras, debe ser apreciada por el grado hasta el cual puede proporcionar formas de crítica potencialmente liberadoras, así co-

---

[8] Analizo más minuciosamente el trabajo de estos teóricos en Henry A. Giroux, "Solidarity, struggle, and the public sphere", *The Review of Education*, 12:3 (verano de 1986), pp. 165-172; "Solidarity, struggle, and the discourse of hope", *The Review of Education*, 12:4 (otoño de 1986), pp. 247-255.

[9] Véase, por ejemplo, Dan Liston, "On facts and values: an analysis of radical curriculum studies", *Educational Theory*, 36:2 (1986), pp. 137-152.

mo la base teórica de nuevas formas de relaciones sociales. El valor que subyace a la teoría educacional crítica no se puede reducir a la cuestión desvirtuante de la coherencia y la confiabilidad, que es una de las obsesiones peculiares de la teoría social dominante; su valor se debe determinar, por el contrario, conforme a la capacidad que posea la teoría educacional para enfrentar el discurso y las prácticas sociales de opresión, con lo que Walter Benjamin en cierta ocasión denominó "imágenes de libertad potencialmente liberadoras". A la teoría se la debe considerar como abstracta y anticipatoria: abstracta, porque convierte lo palmario en problemático, y anticipatoria en el sentido de que apunta hacia un lenguaje de proyecto y de posibilidad.

En parte, la naturaleza profundamente antiutópica de buena parte de la teoría educativa radical contemporánea se debe al aislamiento de los teóricos radicales con respecto a los movimientos sociales de mayor envergadura y a las fuentes de crítica social, así como al pesimismo de aquellos académicos que desconfían de cualquier forma de lucha o de teorización que pudiera surgir en las esferas públicas de fuera de la universidad. En algunos casos, esto adopta la forma de una negativa tajante a conceder cualquier esperanza o posibilidad de que los maestros y otras personas pudieran ser capaces de librar luchas contrahegemónicas en las escuelas. Ciertos teóricos, por ejemplo, han afirmado de manera exagerada que cualquier forma de lucha, dentro de las escuelas, en favor de la reforma democrática y de la adquisición de facultades críticas por parte de los estudiantes, únicamente conduce a una especie de "falsa conciencia". Centrándose primordialmente en un discurso que hace hincapié en la lógica avasalladora de la dominación, o en el hecho de que los maestros no sean capaces de actuar cuando se encuentran frente a ésta, al parecer estos teóricos meramente reciclan el genio de la teoría de la reproducción, sin admitir que son las hipótesis ideológicas de ésta las que dan forma a sus propios pronunciamientos.[10] Éste es el lenguaje del no com-

---

[10] Entre los ejemplos típicos figura el trabajo de Nicholas C. Burbules, "Radical educational cynicism and radical educational skepticism", *Philosophy of education, 1985*, David Nyberg, comp. (Urbana: Philosophy of Education Society, 1986), pp. 201-205. Para una crítica de esta postura, véase Peter McLaren,

promiso, reforzado mediante la crítica ideológica —un lenguaje que carece hasta del más mínimo viso de enfrentamiento político. De manera similar, otro grupo de teóricos radicales lleva a cabo la paradójica hazaña de exigir el cambio educacional ensalzando la reforma "de abajo hacia arriba", y demostrando al mismo tiempo muy poca fe o comprensión, ya de los esfuerzos de los maestros, o ya del poder de la teoría social, para contribuir a tal cambio.[11]

La desesperación y el reduccionismo de tales enfoques quedan igualmente de manifiesto en el hecho de que muchos educadores radicales se nieguen a considerar la posibilidad de desarrollar estrategias políticas mediante las cuales las escuelas se puedan vincular con otros movimientos sociales y esferas que se hallen en oposición con la pública. Blandiendo sus credenciales de marxistas ortodoxos a la manera clásica, algunos educadores radicales llegan incluso a argumentar que la teoría de la educación radical ha prestado demasiada atención a las cuestiones de raza, género y consideraciones de edad; y que si uno quiere ser "realmente" radical, es importante dejarse de cuentos y recalcar la primacía de la clase, como *la* determinación universal y más importante en la lucha por la libertad.[12] Esto va más allá de la teorización opaca, puesto que frecuentemente va acompañado de formas desmedidas de discurso académico donde los imperativos de contar con análisis críticos se sustituyen por insultos muy elegantes, que barren con todo. Las tradiciones radicales se descartan indiferentemente, como meros "interludios inspiradores", y a los análisis radicales complejos se los llama alegremente "exageraciones a modo de ser-

"Postmodernity and the death of politics: a Brazilian reprieve", *Educational Theory*, 36:4 (1986), pp. 389-401.

[11] Véase, por ejemplo, Robert R. Bullough, Jr. y Andrew D. Gitlin, "Schooling and change: a view from the lower rung", *Teachers College Record*, 87:2 (1985), pp. 219-237. Véase también Robert R. Bullough, Jr., Andrew D. Gitlin y Stanley L. Goldstein, "Ideology, teacher role, and resistance", *Teachers College Record*, 86:2 (1984), pp. 339-358.

[12] Véase, como un ejemplo entre muchos, Dan Liston, "Marxism and schooling: a failed or limited tradition?", *Educational Theory*, 35:3 (1985), pp. 307-312. Yo he argumentado en contra de esta postura, en Henry A. Giroux, *Teoría y resistencia en educación* (México: Siglo XXI, 1992), así como en Henry A. Giroux, "Toward a critical theory of education: beyond a Marxism with guarantees", *Educational Theory*, 35:3 (1985), pp. 313-319.

món y... simplificaciones didácticas".[13] Además del abandono casual de ciertas tradiciones educacionales y escuelas de
pensamiento radicales, ha surgido cierta maldad de espíritu
que abstrae y cosifica el dolor y el sufrimiento que tienen
lugar en las escuelas. Es decir, en medio de los análisis "cien-
tíficos" concernientes a las condiciones de trabajo de los
maestros y a los peligros de la economía política de la enseñanza escolar, poca es la atención que se presta a un discurso
de los acontecimientos, a una política del cuerpo, al sufrimiento humano concreto, o a formas de adquisición colectiva de facultades críticas entre los maestros o los estudiantes,
o entre ambos, conforme esos aspectos van surgiendo a consecuencia de diversas luchas contra la dominación dentro de
las escuelas. De hecho, la desaparición de un discurso de la
ética y del cuerpo, de un discurso que ilumine y señale
instancias concretas de sufrimiento y de oposición, constituye una ausencia teórica determinante, porque apunta hacia
la desaparición del discurso de la política y el enfrentamiento. En vez de desarrollar un proyecto y un discurso políticos
de la ética, que encarnaran un lenguaje de crítica y esperanza, que conectaran a las escuelas y a otras instituciones con
formas de lucha permanente, estas nuevas variedades de
teoría educativa radical parecen estarse sofocando en una
forma de narcisismo ideológico que se halla más íntimamente vinculado con los dogmas interesados del vanguar-
dismo y la desesperación que con el hecho de facultar a los
estudiantes.

Resulta claro que la propia teoría educacional crítica necesita de un resurgimiento y una profundización, con el fin de
que les proporcione a los maestros y a otros educadores una
base más crítica y global para repensar la naturaleza subyacente a su proyecto político y ético. Es decir, la teoría educacional debe desarrollar el fundamento teórico necesario para que los maestros comprendan y adopten críticamente su
papel como activistas sociales cuyo trabajo es apoyado, y a la
vez informado, por los movimientos y luchas sociales más
amplios, orientados a cambiar la sociedad. En medio de la

---

[13] Philip Wexler, "Introducing the real sociology of education", *Contemporary
Sociology*, 13:4 (1984), p. 408.

crisis de democracia, cada vez más honda, que encaran las naciones industrializadas de Occidente, resulta de creciente importancia que los educadores otorguen consideración seria a la relación entre los intelectuales y los movimientos sociales emancipatorios. Tal como señalé anteriormente, los programas de educación para maestros rara vez alientan el discurso del liderazgo moral y la crítica social. En consecuencia, el llamamiento al desarrollo de esferas públicas democráticas fuera de los colegios de educación, apunta a la necesidad de reconstruir una política cultural en la cual los educadores y otros intelectuales desarrollen una voz pública y pasen a formar parte de cualquiera de los muchos movimientos sociales en los que puedan aprovechar sus habilidades teóricas y pedagógicas para ir fabricando los ladrillos históricos que habrán de sustentar el cambio social emancipatorio. En un plano, esto sugiere que dichos intelectuales pueden trabajar en el análisis de luchas históricas específicas que han llevado a cabo los diversos movimientos sociales, en torno a la importancia política que tiene la educación en la batalla en favor de la justicia social y económica. Este tipo de análisis no sólo arroja luz sobre las actividades de los movimientos sociales externos a la enseñanza escolar establecida, sino que también proporciona la base para considerar qué tipos de esferas públicas podrían ser políticamente útiles en la actual coyuntura histórica.

Ésta es una preocupación importante, porque de ahí surgen las bases teóricas para el desarrollo de esferas públicas democráticas como defensa y transformación de la propia educación pública. Extendiendo el concepto de educación, así como las posibilidades de actividad pedagógica dentro de una gran variedad de sitios sociales, los educadores pueden abrir a la crítica las políticas, los discursos y las prácticas de la enseñanza escolar, y de esta manera ponerlos a la disposición de un mayor número de personas que de otro modo por lo general se hallan excluidas de un discurso de esta índole. Es importante que los educadores consideren de qué manera las instituciones sociales tales como la iglesia del barrio y los grupos políticos locales se pueden comprender y desarrollar como parte de una lucha política y educacional más amplia; además, combinando el lenguaje de la crítica con un

lenguaje de posibilidad, dichos educadores pueden desarrollar un proyecto político que amplíe los contextos sociales y
políticos dentro de los cuales la actividad pedagógica puede funcionar como parte de una estrategia de resistencia y de
transformación. En parte, esto significa escribir en pro
de una cultura pública, en torno a cuestiones que surgen de
la vida diaria. Es esencial para este proyecto la cuestión del
modo en que una versión particular de justicia y moralidad
puede dar apoyo a formas específicas de práctica democrática. Tal como he tratado de describirlo repetidas veces en este
texto, los educadores deben tener claros los referentes morales para la justificación de la manera en que formas particulares de experiencia se pueden legitimar y lograr como parte
del desarrollo de las esferas públicas democráticas, y también como parte del cambio social en general. Está claro que
el discurso del cambio social necesita desarrollar una concepción radical de la democracia, como una condición de
posibilidad que le dé significado como práctica social enraizada en un conjunto específico de principios morales e intereses políticos. En pocas palabras, los educadores deben explorar el significado y el propósito de la enseñanza pública
como parte de un discurso de democracia fundamentado en
un proyecto de posibilidad utópico. El concepto de "utopía"
es importante para el desarrollo de una teoría emancipadora
de la enseñanza escolar, y ésta es la cuestión a la que ahora
deseo pasar.

En la década de 1920, Ernst Bloch intentaba contrarrestar
la perspectiva de la Ilustración del siglo XIX, en la cual se
descartaba el concepto de utopía porque no se lo podía legitimar por medio de la razón, ni era posible fundamentarlo
en una realidad empírica inmediata. Bloch sostenía que la
utopía era una forma de "excedente cultural" que existía en
el mundo, pero que no pertenecía a éste: "contiene la chispa
que llega hasta más allá del vacío que nos rodea".[14] Al lenguaje de esperanza de Bloch, y el análisis que hace de los
rastros de posibilidad que ofrece la vida cotidiana, le han

---

[14] Bloch, citado en Anson Rabinach, "Unclaimed heritage: Ernst Bloch's
Heritage of our times and the theory of fascism", *New German Critique*, 11
(primavera de 1977), p. 11.

dado expresión un buen número de teólogos feministas, quienes, con base en las críticas que enderezan contra la Cristiandad tradicional, rechazan las abstracciones universales acerca de la bondad de la humanidad, y al mismo tiempo plantean un concepto de esperanza que se centra en instancias concretas de sufrimiento, en los actos de resistencia que con frecuencia éstas engendran, y las "visiones alternativas de sociedad, humanidad, estructuras institucionales, órdenes de conocimiento [que]... se hacen entrar en juego".[15] En este caso, la esperanza es a la vez un referente para el cambio social y para la lucha pedagógica. Constituye igualmente la base para la reconstrucción de una teoría crítica de la educación; esto es, de una teoría en la que se combine la visión de la teología de la liberación, que se centra en los oprimidos, con la meta del feminismo radical en el sentido de reconstruir identidades y subjetividades sociales dentro de nuevas formas de comunidad democrática.

Es medular para este proyecto la importante tarea de desarrollar un lenguaje que dé expresión central a la primacía de la experiencia, del poder y de la ética. La meta es desplazarse más allá del "espacio hueco" de la racionalidad de la Ilustración, que limita la experiencia a la percepción, con objeto de forjar un discurso que proporcione la comprensión histórica y social de la forma en que la experiencia se conforma, se legitima y se alcanza dentro de formas sociales particulares, cuando éstas se organizan dentro de relaciones particulares de poder. Bajo esta perspectiva, a la experiencia se la ve como construcción histórica y, a la vez, como práctica vivida. Es ella la que conecta la necesidad de comprender el modo en que las formas sociales ubican y producen experiencia con el otro imperativo de cuestionar la manera en que ésta, en sus momentos contradictorios y a menudo menos que coherentes, es sentida y habitada. Los educadores deben comprender el lenguaje como una construcción social vinculada con aparatos de poder y con definiciones particulares de la verdad. Una de las principales fortalezas de esta postura reside en la percepción de que al lenguaje se le tiene que ver en sus dimensiones históricas y

---

[15] *Ibid.*, pp. 74-75.

socialmente formativas, como parte de una política de identidad, de ética y de lucha. He sostenido que los educadores deben prestar una seria consideración al desarrollo de un punto de vista de la teoría definido, en parte, por la capacidad que esta última muestre en cuanto a hacer volver, y a legitimar, las normas de la práctica ética que mejor sirvan a las necesidades y esperanzas humanas. Como parte de esta labor, la práctica pedagógica se debe construir en torno a un punto de vista particular del sufrimiento humano, la solidaridad y la comunidad humana. Vale la pena detenernos en lo que significa esta relación. En el primer caso, la práctica educativa puede comenzar con una identificación de las necesidades y deseos de los grupos dominados y de sus intentos constantes por poner fin a su sufrimiento y opresión. Esto no es tanto un reflejo del sufrimiento humano como un referente moral para la acción política, enraizada en una afirmación de la importancia de la vida humana y de la necesidad de encarar las injusticias que causan la discriminación de clases, el sexismo, el racismo y otras formas de explotación. Es esencial para este punto de vista un concepto de crítica que posea dos caras. Primeramente, existe la necesidad de desarrollar formas de análisis críticos que arrojen luz sobre la manera en que funcionan los mecanismos concretos de poder, dentro de las distintas relaciones de dominación ideológicas e institucionales. En segundo lugar, está el hincapié que se hace en analizar la propia crítica, como tipo de práctica particular mediante la cual los hombres y las mujeres desafían a las instituciones opresivas y dominantes. La crítica, conforme a este punto de vista, se halla vinculada al reconocimiento, como parte de cualquier proyecto radical, de las especificidades históricas y culturales que constituyen la naturaleza de los tipos particulares de resistencia.

Ya he indicado que la categoría de solidaridad puede proveer un importante principio organizador para el desarrollo de una teoría crítica de la enseñanza escolar. Como acto participativo, la solidaridad puede proporcionar la base teórica para el desarrollo crítico de nuevas formas de sociabilidad basadas en el respeto por la libertad humana y por la vida misma. Como tal, la solidaridad en el sentido de experiencia vivida y como forma de discurso crítico puede servir tanto de referente para criticar a las instituciones sociales opresivas como a guisa de ideal para el desarrollo de las condiciones materiales e ideológicas que son necesarias para crear comunidades en las que la humanidad sea afirmada, y no negada. Son inherentes al concepto de solidaridad los principios de la práctica política y pedagógica que ponen de relieve un punto específico de la relación que existe entre poder, conocimiento y lucha cultural. Resulta instructivo lo que nos dice Sharon Welch a este respecto.

Para desafiar la verdad de la opresión no basta con señalar sus fragilidades intelectuales o conceptuales, sino que es preciso exponer sus debilidades de práctica; hace falta presentar y fomentar otras formas de comunidad humana que la reten en el plano de las manifestaciones diarias de la dualidad poder/conocimiento. Desafiar la opresión con eficacia es señalar la forma en que ha fracasado en cuanto a determinar la naturaleza de la existencia humana y en cuanto a tratar de extender la esfera de influencia de estructuras opcionales. ...Debemos evitar la tentación de definir cuáles son las esperanzas de liberación de otras personas. El genocidio cultural de una Cristiandad imperialista no es accidental, sino que tiene sus razones en el hecho de haber querido abordar la liberación con una arrogancia de esa índole. Es opresivo el "libertar" a los pueblos, si no se emplean su historia y su cultura como fuentes primarias de la definición de su libertad.[16]

El imperativo radical por articular un concepto y una política de verdad resuena con el espíritu de adquisición de facultades críticas que se encuentra en las obras de Ernst Bloch y de Michel Foucault. Bloch, por ejemplo, está en contra de una fundamentación trascendental de la verdad, puesto que es la lógica de tales racionalizaciones *a priori* la que con frecuencia se emplea para legitimar el *statu quo*. Según Bloch, la verdad se debe dirigir *contra* el mundo y se la debe encontrar en la dialéctica permanente de la interacción y la comunidad humanas. Tal como lo señala Bloch,

Existe un segundo concepto de verdad... que, en cambio, está im-

[16] Sharon D. Welch, *Communities of resistance and solidarity: a feminist theology of liberation* (Maryknoll: Orbis Books, 1985), pp. 82-83.

pregnado de valor (*Wertgeladen*) —como, por ejemplo, en el concepto de "un verdadero amigo", o en la expresión *tempestas poetica* de Juvenal— es decir, la clase de tormenta que uno encuentra en un libro, una tempestad poética, de una especie que la realidad jamás ha presenciado, una tormenta llevada hasta el extremo, una tormenta radical y, por consiguiente, una verdadera tormenta.[17]

Esta formulación del concepto de "verdad", en la que se le entiende enraizado en los aspectos más fundamentales de la experiencia y la solidaridad, rechaza claramente, junto con Bloch, el concepto de la Ilustración en el sentido de que la verdad es una forma universal de conocer y ordenar la experiencia. Pero mientras que Bloch proporciona un concepto de verdad como crítica radical, Foucault vincula la verdad con el funcionamiento más fundamental del poder y el conocimiento, y al hacer esto nos ofrece una forma radicalmente nueva de conceptualizar el papel que desempeñan el intelectual y la práctica intelectual.

Según Foucault ve las cosas, la verdad no se puede considerar que exista fuera del poder; ni tampoco es el producto y la recompensa de aquellos intelectuales que se han liberado de la ignorancia. Por el contrario, la verdad forma parte de una economía política del poder. En las propias palabras de Foucault,

La verdad es una cosa de este mundo: se produce únicamente en virtud de múltiples formas de restricción. E induce efectos regulares de poder. Toda sociedad tiene su régimen de verdad, su "política general" de verdad: es decir, los tipos de discurso que acepta y hace funcionar como verdaderos; los mecanismos e instancias que le permiten a uno distinguir entre declaraciones verdaderas y falsas, los medios con los cuales cada una se sanciona; las técnicas y procedimientos a los que se concede valor en cuanto a la adquisición de la verdad; el estatus de aquellos encargados de decir qué es lo que cuenta como verdadero.

...A mí me parece que lo que ahora debemos tomar en consideración en el intelectual no es el aspecto del "portador universal de valores". Es, más bien, la persona que ocupa un puesto específico —pero cuya especificidad se halla vinculada, en una sociedad como

---

[17] Michael Lowy, "Interview with Ernst Bloch", *New German Critique*, 9 (otoño de 1976), p. 37.

la nuestra, con el funcionamiento general de un aparato de verdad.[18]

El análisis que hace Foucault de la economía política de la verdad y su estudio de las formas discursivas e institucionales en que se organizan y legitiman los "regímenes de verdad", les pueden proporcionar a los educadores una base teórica sobre la cual desarrollar la categoría de la práctica intelectual como una forma de política cultural. Tal como lo he señalado en numerosas partes, la labor del maestro se debe analizar conforme a su función social y política dentro de "regímenes de verdad" particulares. Es decir, los maestros ya no pueden engañarse a sí mismos y creer que están al servicio de la verdad, cuando lo cierto es que se hallan profundamente implicados en batallas "acerca del estatus de la verdad y del papel económico y político que desempeña".[19]

Al desarrollar este punto de vista he argumentado igualmente que si la práctica intelectual se quiere vincular con la creación de una política de verdad distinta y emancipadora, necesita basarse en formas morales y éticas de discurso y de acción que se ocupen del sufrimiento y de las luchas de los oprimidos. Ésta es una de las formulaciones más importantes que se han desarrollado en las páginas de este libro, en particular porque se ha llegado a ella mediante un análisis y apropiación crítica de los discursos de democracia, recuerdo, solidaridad y esperanza, según se han manifestado éstos por medio de un buen número de tradiciones de protesta. Es importante que los educadores reconozcan que la juventud es una categoría social oprimida. Es decir, es importante que se vincule el propósito de la escuela, la enseñanza y la pedagogía, con el análisis y las luchas que intentan cosificar aquellas condiciones que privan a los niños de alimentación, vestido, vivienda, servicios médicos y educación. Los educadores deben comprender cuáles son las condiciones ideológicas y materiales que ponen en peligro a los niños, tanto en nuestras escuelas como dentro de la comunidad más amplia.

---

[18] Michel Foucault, *Power/knowledge: selected interviews and other writings, 1972-1977* (Nueva York: Pantheon, 1980), p. 132.

[19] *Ibid.*

Dentro de este contexto, la mejor forma de entender las escuelas es como sitios de lucha que abordan el sufrimiento y las luchas de los oprimidos, y la enseñanza se puede vincular directamente con un discurso político y moral que se ocupe, como una de sus primeras consideraciones, de la forma en que las escuelas contribuyen a la opresión de la juventud y de la manera en que tales condiciones se pueden cambiar.

Otra de las formulaciones pedagógicas importantes que se presentaron en este libro es la que surge de la convicción de que los maestros necesitan reconsiderar la relación que existe entre conocimiento y poder. Ésta es una cuestión importante que es preciso recalcar, y quiero aclararla un poco más mediante un análisis de las deficiencias del punto de vista marxista tradicional de la ideología.[20] En el punto de vista marxista clásico, el poder se relaciona con los conocimientos primordialmente por medio de las formas en que éstos sirven para distorsionar o mixtificar la verdad. En consecuencia, la crítica ideológica sirve principalmente para examinar las condiciones económicas y sociales subyacentes de los conocimientos, o las formas en que tales conocimientos se pueden analizar para descubrir sus distorsiones y mixtificaciones. Lo que esta formulación deja de lado es cualquier grado de comprensión del papel productivo que desempeña el poder en la generación de formas de conocimiento que produzcan y legitimen formas particulares de vida, que resuenen con los deseos y necesidades de la gente, y que sirvan para construir formas particulares de experiencia. Aquí, la cuestión está en que la relación conocimiento/poder produce peligrosos efectos "positivos" en la manera en que crea necesidades, deseos y verdades particulares. Dentro de este tipo de análisis, los educadores pueden comenzar a establecer el edificio teórico para reconstruir una teoría social crítica que vincule la pedagogía con formas de crítica y de posi-

---

[20] La izquierda de la educación es notoria por su tratamiento reduccionista de la ideología. Para un ejemplo de ello, véase Michael Dale, "Stalking a conceptual chameleon: ideology in Marxist studies of education", *Educational Theory*, 36:3 (verano de 1986), pp. 241-257. Para un análisis de esta postura, véase Peter McLaren, "Ideology, schooling, and the politics of Marxian orthodoxy", *Educational Theory*, 37:3 (1987), pp. 301-326.

bilidad. Arrojando luz sobre los efectos productivos del poder, se vuelve una posibilidad ....echo de que los maestros, como intelectuales, desarrollen formas de práctica en las que se tome en serio la manera en que se construyen las subjetividades dentro de "regímenes de verdad" particulares; el discurso de poder y conocimiento también realza la importancia que tiene el desarrollo de una teoría de la experiencia como aspecto central de una pedagogía crítica. Tal como lo señalé en el capítulo 3, este punto de vista sobre la relación conocimiento/poder también apunta hacia el papel que pueden desempeñar los educadores como portadores de una memoria peligrosa. Es decir, como intelectuales transformadores, los educadores pueden servir para descubrir y excavar aquellas formas de conocimientos históricos y subyugados que apuntan hacia experiencias de sufrimiento, de conflicto y de lucha colectiva. De esta manera, los maestros como intelectuales pueden comenzar a eslabonar el concepto de comprensión histórica con los elementos de la crítica y la esperanza. Tales memorias mantienen vivo el horror de la explotación innecesaria, así como la necesidad de intervenir constantemente y de luchar colectivamente para eliminar las condiciones que la producen.

Uno de los mensajes centrales de este libro es el de que los educadores deben luchar colectivamente con el fin de transformar las escuelas en esferas públicas democráticas. Tal formulación exige que los maestros piensen ya no conforme a civilidad, profesionalismo y promoción, sino que redefinan su función dentro de la especificidad de los ámbitos políticos, económicos y culturales donde se producen, legitiman y distribuyen los "regímenes de verdad". Dentro de tales contextos, los maestros pueden enfrentar la microfísica del poder y hacer algo por estructurar otras esferas públicas que guarden una conexión orgánica y constante con la dinámica de la vida cotidiana.

Todos aquellos que se preocupan por la cuestión de la forma en que las escuelas pueden dar facultades críticas, tanto a maestros como a estudiantes, deben volver a establecer una preocupación en cuanto al propósito de la educación. Los educadores necesitan luchar contra aquellos que quisieran que las escuelas fuesen simples anexos de la empresa o de la iglesia del barrio. Es preciso que defendamos las escuelas, porque son un importante servicio público donde se educa a los alumnos para que sean ciudadanos críticos que puedan pensar, retar, correr riesgos y creer que sus acciones marcarán una diferencia en la sociedad más amplia. Esto significa que las escuelas públicas se deben convertir en lugares que ofrezcan la oportunidad de reuniones educadas; es decir, que les ofrezcan a los alumnos oportunidades para compartir sus experiencias, para trabajar en relaciones sociales que hagan hincapié en el cuidado y la preocupación por los demás, y donde se les inicie a formas de conocimiento que les den la convicción y la oportunidad de luchar por una calidad de vida de la que se beneficien todos los seres humanos.

Resumiendo, permítaseme recalcar que los maestros deben preocuparse por la cuestión de la educación moral y política, y no deben dejarse convencer por la argumentación ideológicamente transparente en el sentido de que trabajan para llegar a ser expertos en planes de estudios o en políticas, o en técnicos del aula altamente especializados. Los educadores deben ocuparse primordialmente del aspecto de adquisición de facultades críticas, y la ruta hacia esa meta no pasa a través de definiciones de profesionalismo basadas en ponerles pruebas a los maestros, no por otras formas de contabilidad empíricamente motivadas. La adquisición de facultades críticas, en este caso, depende de la capacidad que tengan los maestros en el futuro para luchar colectivamente con objeto de crear aquellas condiciones de trabajo ideológicas y materiales que les permitan compartir poder, conformar la política y desempeñar un papel activo en la restructuración de las relaciones entre la escuela y la comunidad. De manera similar, los maestros y otros educadores críticos necesitan crear un lenguaje con el fin de recuperar los conceptos de lucha, solidaridad y esperanza y estructurarlos en torno a aspectos de pedagogía y de acción social que extiendan las formas y prácticas de la auténtica democracia y la vida pública, en vez de restringirlas. Si queremos impedir que la democracia se derrumbe y se vuelva una nueva forma de barbarismo, tendremos que luchar arduamente por rescatar el lenguaje de la tradición, de la moralidad y de la posibilidad, de los estragos que hace en él el poder de la ideología dominante. Se trata aquí de que los educadores de todos los niveles de enseñanza estén dispuestos a luchar colectivamente como intelectuales transformadores, es decir, como educadores que tienen una visión social y el compromiso de hacer de las escuelas esferas públicas democráticas, donde todos los niños, independientemente de la raza, la clase, el género y la edad, puedan aprender lo que significa ser capaces de participar plenamente en una sociedad que afirma y sostiene los principios de igualdad, libertad y justicia social. Para ser un maestro que pueda establecer una diferencia tanto en la vida de los estudiantes como en la calidad de la vida en general, es preciso algo más que la adquisición de un lenguaje de crítica y de posibilidad. Significa también tener la valentía de correr riesgos, de mirar hacia el futuro y de imaginar un mundo que pudiera ser, a diferencia del que simplemente es. Desde estas páginas felicitamos a aquellos maestros de todas partes que bregan por encarnar tales cualidades y que efectivamente establecen una *diferencia* en la vida de los niños a quienes enseñan.

ÍNDICE DE NOMBRES
Y DE TEMAS

compuesto en aster 10/12
por carlos palleiro
impreso en litográfica prákticos
tláhuac 3439 - col. san antonio culhuacán
09800 méxico, d.f.
dos mil ejemplares y sobrantes
26 de agosto de 1993